新宿区早稲田鶴巻町523　03(5272)0301　http://www.fujiwara-shoten.co.jp/
0160-4-17013　ＰＲ誌『機』・ブックガイド呈　表示の価格は税抜本体価格

世界史から、昭和 12 年を問い直す！

昭和 12 年とは何か

宮脇淳子　東洋史研究者
倉山 満　憲政史研究者
藤岡信勝　教育研究者

世界史の中で、昭和12年という時代を多面的に問い直す、画期的試み！

◎昭和 12 年（1937 年）――盧溝橋事件、通州事件、上海事変、正定事件、南京事件が起き、支那事変（日中戦争）が始まった、日本にとって運命の年である。

◎この年の前後を“切り口”に、常識とされているあらゆるものを見直したい。

◎第二次世界大戦を目前に控えた昭和 12 年を、改めて世界史の中で俯瞰し、専門領域を超えた研究者たちと交流する中で、歴史の真実を追究する。

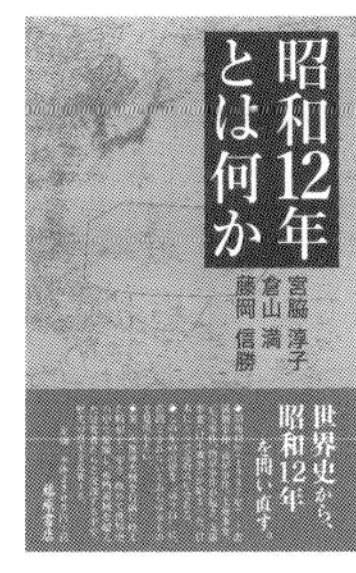

四六変上製　264 頁　2200 円

前人未踏の「世界史」の地平を切り拓いた歴史家の集大成！

(1931-2017)

岡田英弘著作集（全 8 巻）

The Collected Works of Hidehiro Okada

旧来のアカデミズムの壁を打ち破り、世界ではじめて各国史をのり超えて、前人未踏の「世界史」の地平を切り拓いた岡田史学の集大成！

1 歴史とは何か　3800円
2 世界史とは何か　4600円
3 日本とは何か　4800円
4 シナ(チャイナ)とは何か　4900円
5 現代中国の見方　4900円
6 東アジア史の実像　5500円
7 歴史家のまなざし　6800円
8 世界的ユーラシア研究の六十年　在庫僅少　8800円

四六上製布クロス装　各巻 430 〜 700 頁
各巻に口絵 2 〜 4 頁、月報 8 頁

目次

別冊 環 ㉗
KAN: History, Environment, Civilization
1937年の世界史

断面から歴史を鳥瞰する、初の画期的試み！

別冊『環』㉗

KAN: History, Environment, Civilization

1937年の世界史

倉山満・宮脇淳子＝編集

倉山 満
宮脇淳子
樋泉克夫
福井義高
グレンコ・アンドリー
小野義典
宮田昌明
ポール・ド・ラクビビエ
柏原竜一
峯崎恭輔
内藤陽介
江崎道朗

藤原書店

序　歴史の断面から世界を俯瞰する

宮脇淳子

西暦一九三七年は昭和十二年である。日本史における昭和十二年は、七月七日に「支那事変」の始まりと言われる盧溝橋事件が起こった運命の年である。

七月十一日、日中両軍は停戦協定を結んだが、七月二十九日通州事件、八月十三日第二次上海事変と事態は進み、九月二日には、宣戦布告を行なわないまま、日本政府はそれまでの「北支事変」を「支那事変」と改称した。十二月十三日の南京占領は、戦後になって日本軍が大虐殺をしたとされる「南京事件」と呼ばれるようになる。「支那事変」は戦後は「日中戦争」と呼び名を変えられる。

平成三十年（二〇一八年）五月に私が会長となって創立した学会を、なぜ「昭和12年学会」と名づけたかというと、この日本にとっての運命の年を切り口に、日本史と世界史という縦割りの区分を取り払うだけでなく、既成のさまざまな学問、たとえば歴史学、政治学、法学、経済学、軍事学、社会学、心理学、哲学などの専門分野の枠組みを超えて、イデオロギーにとらわれない公平・公正な研究によって真実を追究したいと考えたからである。

毎年秋に開催する研究発表大会および年数回の公開研究会では、さまざまな分野の研究者が学問の垣根を越えた発表を行ない、この趣旨に賛同した一般会員も増えている。

藤原良雄社長は学会創立時からの支援者で、第一回研究発表大会の前に『昭和12年とは何か』（倉山満、藤岡信勝、宮脇、共著）が藤原書店から刊行された。

その時からすでに本書の企画が始まっていたが、この度、第四回研究発表大会に合わせて刊行の運びとなったことは誠に喜ばしく、執筆者の方々と藤原書店に心より御礼申し上げる。

題名が「昭和十二年」ではなく「一九三七年」であるのは、各論のほとんどが日本以外の世界各地のできごとを論じているからである。立脚点によって、あるいは言語によって世界が異なって見えるのは、現在も同様である。

一九三七年が日本同様、運命の年であった国と、転換点はその前あるいは後だった国あるいは地域の両方があるけれども、われわれは、そのあとの歴史を知っているために、神のような視点に立たされる。あのときそういうことをしなければ、こんなことにはならなかったのだ、と八十五年前の世界を鳥瞰するのは、歴史家として大変スリリングな経験である。

過去の真実を知ることが、今日の世界を理解するのにいかに役立つか、本書を読めばおわかりいただけると思う。以下、各論の内容について簡単に紹介する。

倉山氏は、同年の世界と日本の政治状況を余すところなく明晰に解説するので、このまま「歴史総合」の教科書に採用されてしかるべきと思える。ただし、内容が濃いので、教師用副読本にふさわしい。

宮脇は、満洲国が実は支那事変とは無関係に内政を充実させつつあったこと、日本とロシアと中国の間で翻弄されたモンゴルの徳王にとっては一九三六年のほうが重要であることを述べる。

樋泉氏は、梅蘭芳という京劇役者の動静と、その都度の公演題目の内容を分析することによって、一九三七年の中国社会の空気感とメディアの役割を描き出す。

福井氏は、ソ連史を画する大粛清の内実を明らかにし、処刑者数を示す。東支鉄道が満洲国に売却されたために帰国したロシア人従業員と家族三万人以上が、日本のスパイとして処刑されたという史実は衝撃的である。

グレンコ氏は、ポーランドとウクライナとルーマニアの歴史を極めて要領よく紹介する。今日のロシア・ウクライナ紛争を理解するためには、この年まで遡る必要があることを痛感させられる。

小野氏は、これまで日本にはほとんど知られておらず、先行研究にも抜け落ちていた当該年のハンガリーの内政と外交を歴史の流れに位置づけることにより、われわれのヨーロッパ史に対する理解を深める。

宮田氏は、ドイツとの宥和政策を取ったため評価の低い、英国チェンバレン首相の経済・外交・安全保障政策を詳細に論じ、大英帝国各地の実情についてもわかりやすく解説する。

ド・ラクビビエ氏は、フランスの国内情勢を説明したあと、見かけ上はまだ世界一流の大国だったフランスの気力の弱体化と支那事変の際のフランス租界の実情を述べる。

柏原氏は、ナチ化の進むドイツ政府と、当時のドイツのインテリジェンス、その具体的オペレーションについて描き出す。

峯崎氏は、教会迫害を強めるナチスに対して公に批難の声を上げたバチカンと、日独防共協定に参加したイタリアという、ドイツとの関係で正反対の道を選んだそれぞれの国際問題と背景を語る。ムッソリーニはスペイン内戦にも介入するのである。

内藤氏は、そのスペイン内戦には独伊とソ連の代理戦争という側面があること、ソ連が日独を打倒の対象としたため、日本もスペイン情勢と無関係でいられなくなり、満洲国とフランコ政権が相互承認を行ない、スペイン内戦がメキシコに波及する等、その論説は地球を一周する。

江崎氏は、アメリカ共産党の巧みな反日活動を詳細に論じる。七月に盧溝橋事件が起こったまさに同年同月号に、はや日本の「侵略」について論じた雑誌が刊行された。当時の日本外務省は米国の反日宣伝工作を分析していたのに、今の日本ではまったく研究が進んでいない。

最後の内藤氏のパレスティナ紛争の解説は、局地的な問題ではあるが、このような史実の積み重ねこそが公平・公正な歴史研究につながると言えるだろう。

本書だけで一九三七年の世界史が完成するわけではないが、これまで存在しなかった新しい試みであることを自負するものである。

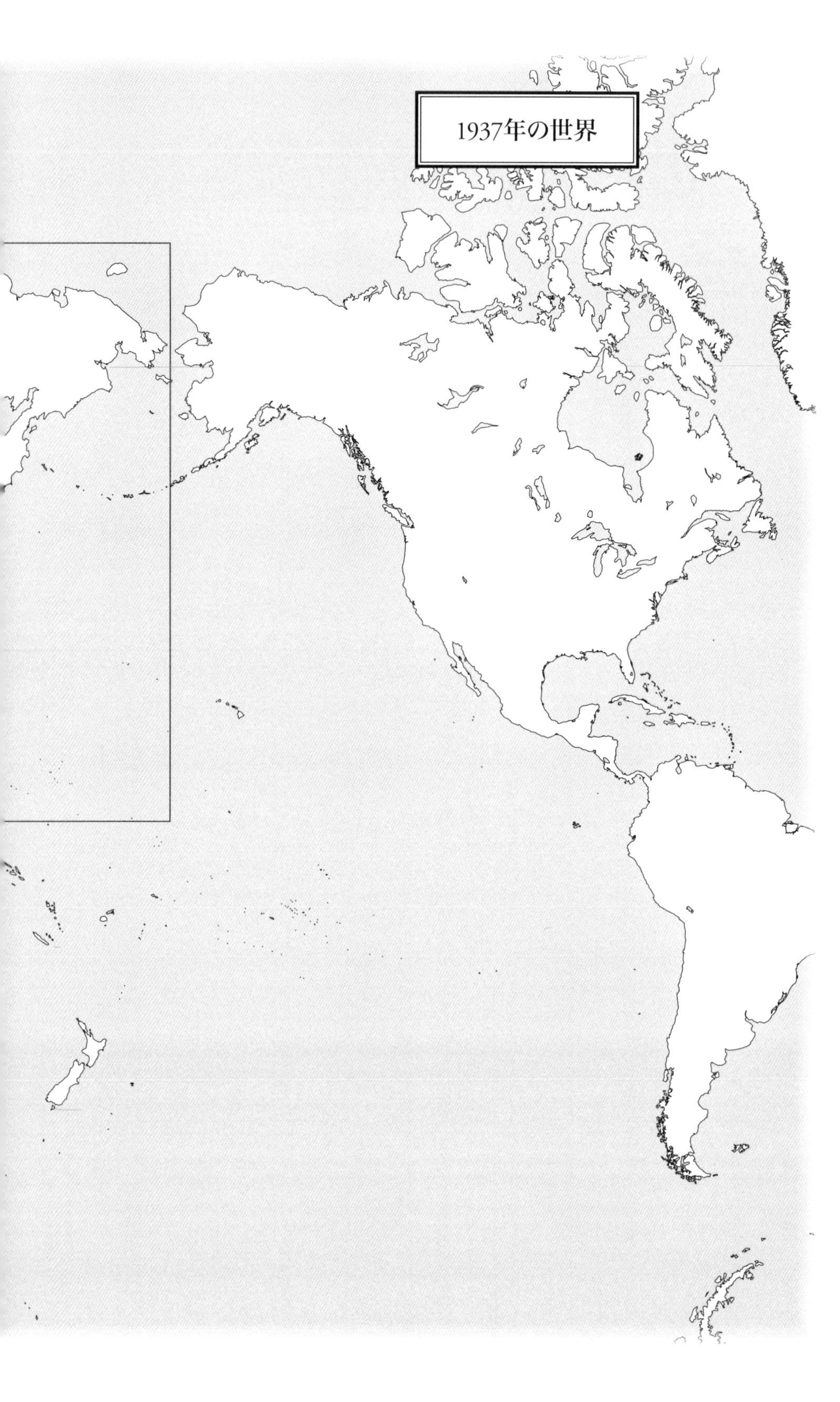
1937年の世界

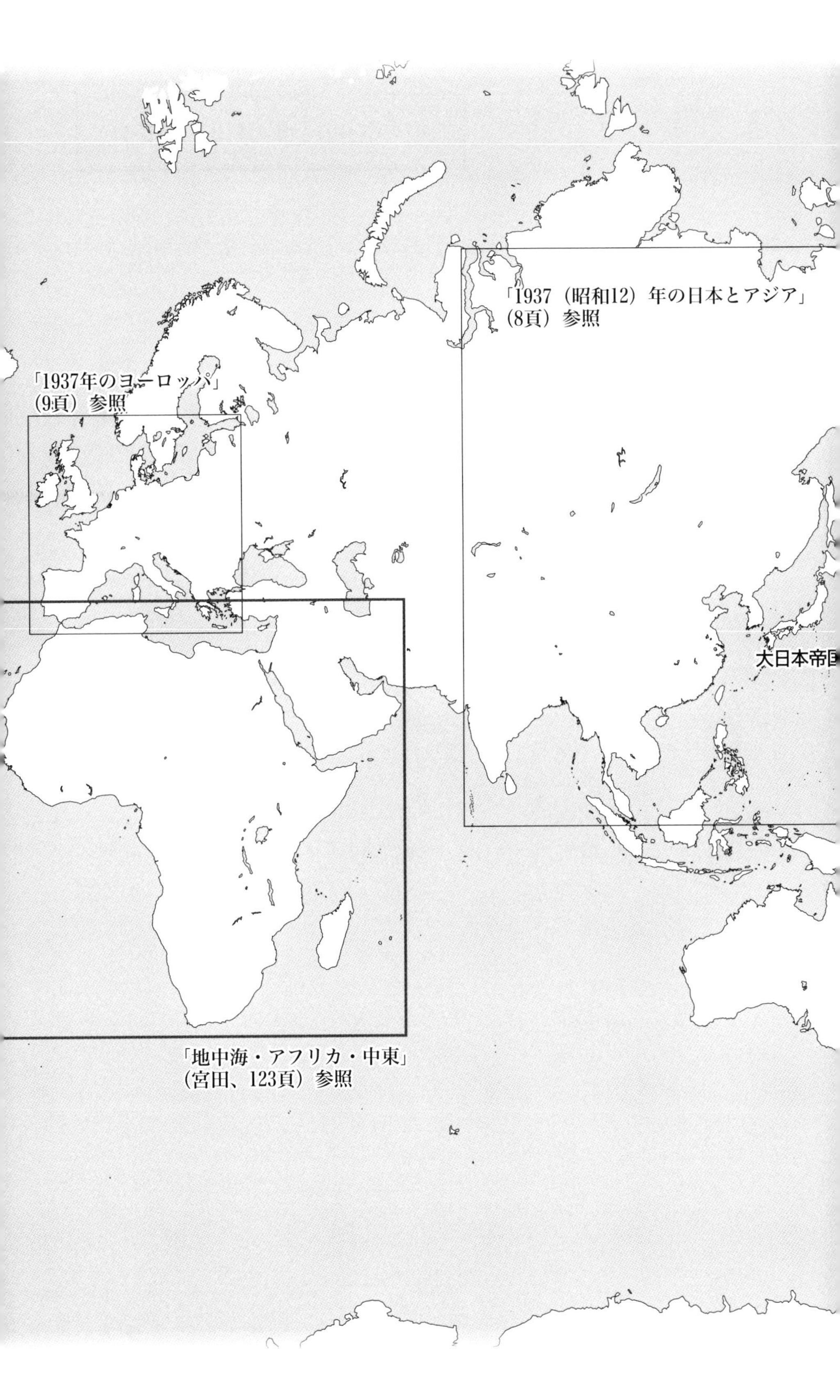
「1937（昭和12）年の日本とアジア」
（8頁）参照
「1937年のヨーロッパ」
（9頁）参照
大日本帝国
「地中海・アフリカ・中東」
（宮田、123頁）参照

1937(昭和12)年の日本とアジア

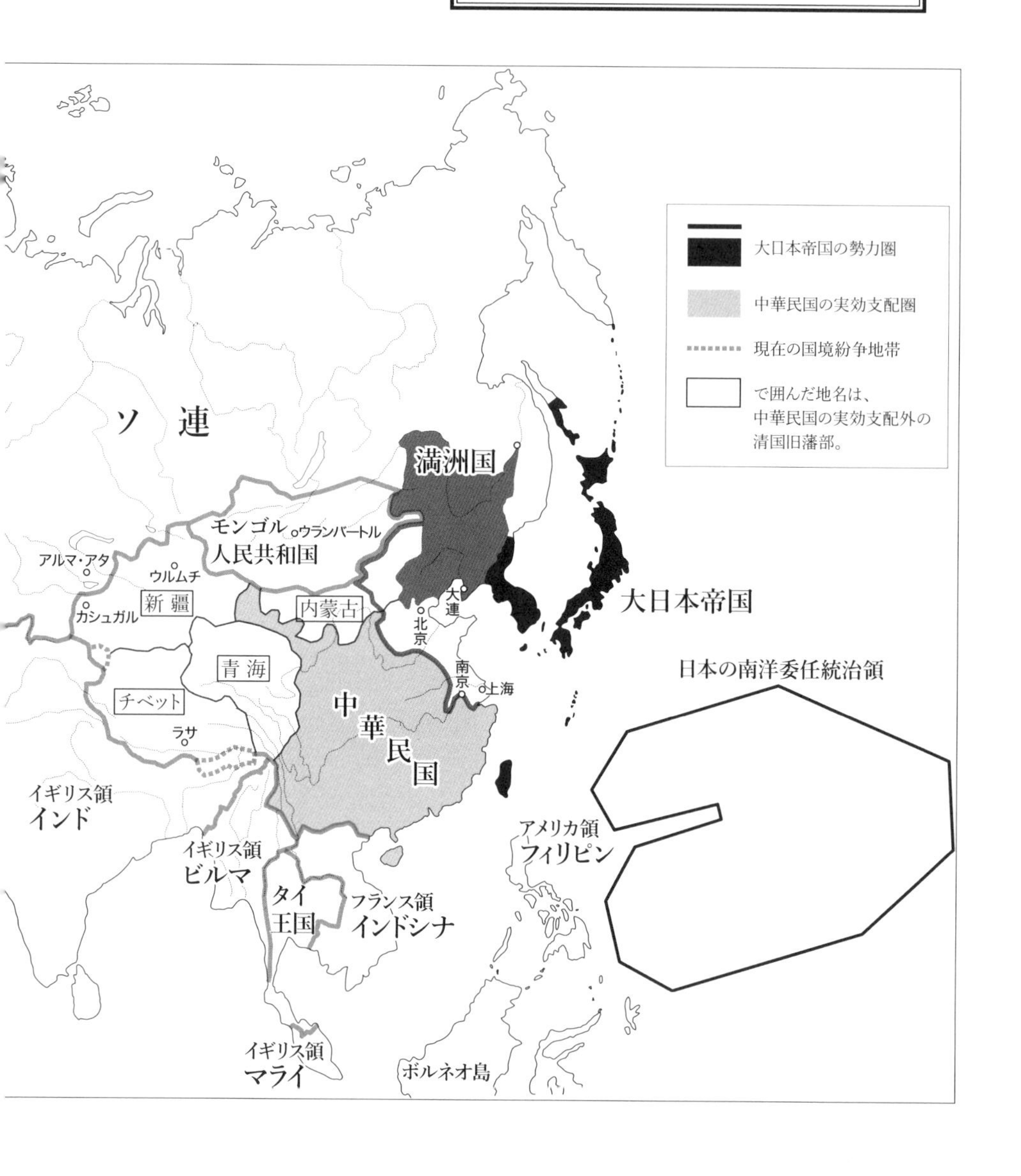

1937年のヨーロッパ

総論

世界史の中の昭和十二年

倉山 満

●くらやま・みつる　一九七二年生。憲政史研究者。中央大学文学部史学科卒業後、同大学院博士前期課程修了。在学中より国士舘大学日本政教研究所非常勤研究員。主著に『学校では教えられない歴史講義　満洲事変』（ＫＫベストセラーズ）、『検証　内閣法制局の近現代史』（光文社新書）等。

はじめに——世界史的視点から

歴史を観るには、虫瞰と同時に鳥瞰が必要である。常に、一つの事象を詳細に分析する実証的な虫瞰と、世界を大きく捉える鳥瞰の、二つを持ち合わせていなければならない。本稿は、一九三七年（昭和十二年）という本来ならば虫瞰で観察するべき一つの対象を、世界史という鳥瞰で概観しようとの試みである。すなわち、一九三七年（昭和十二年）前後の世界と日本で何が起きたのかを詳述し、この年の意義を述べようとの試みである。

現代の世界は、一九四五年の秩序で成っている。すなわち、第二次世界大戦の勝者である、米ソ英仏中が世界の五大国となった体制だ。五大国は国際連合の常任理事国として今も君臨し、つい最近まで核保有を独占した。中華人民共和国が中華民国を実力で打倒して中国唯一の正統政府を名乗り、ソ連が滅びてロシアに代わるなどの変動もあったが、五大国の枠組みそのものは変わっていない。一九四五年以降で最も大きな変化は、世界第二位の大国がソ連（ロシア）から中国に交代したことだが、世界第一位の超大国がアメリカである事実は動かない。

現代の世界を眺望すれば、覇権国家アメリカの衰え、パックスアメリカーナへの挑戦国がソ連から中国に交代、それに加え、

ＥＵ統合とドイツの台頭、英仏の凋落、インドやブラジルの経済成長、核保有国の拡散、中東の無秩序化など、多くの変動が発生している。それを指して「激動」と称するのも一つの立場だろう。だが、五大国の枠組みは何も変わっていないのである。歴史を観る際には、絶対評価だけでなく相対評価も重要である。要は、何を基準に評価するかだ。

たとえば一八一五年である。この頃、「世界の五大国は英露仏墺普だ」との主張をヨーロッパ人が世界中に押し付けた時、誰も逆らえなかった。その秩序はプロイセンがドイツに代わり、第一次世界大戦まで続く。

第一次世界大戦後の秩序を形成したのは一九一九年のヴェルサイユ会議と一九二一年のワシントン会議である。日米英仏ソが五大国となり、やがてドイツの復活により第二次世界大戦に突入し、一九四五年の体制に至る。

さて、現代はこれらの事例――一八一五年、一九一九年、一九四五年――と比較して、「激動」であろうか。相対評価としては、明らかに否であろう。

では、欧米を中心に「世界史」を概観したとする。第二次世界大戦の起点は一九三九年である。だが、日本を中心に評価した場合、明らかに転機ではない。既に日本は支那事変（日中戦争と呼んではならない理由は後述）の最中であり、欧州大戦には不介入の態度を鮮明にしている。あえて、第二次大戦の起点を求めるなら、独ソと日米が開戦した一九四一年とするのが公平であろう。だが、一九四一年に始まった事象を一九四一年から分析し始めても、有益とは思えない。現代世界秩序の起点である第二次世界大戦を一九三九年から分析するのが世界の多数派だが、あえて日本の立場から一九三七（昭和十二）年を取り上げることで見えてくるものもあるはずである。

ワシントン体制と日本

本題に入る。ヨーロッパの戦後秩序を規定した一九一九年のヴェルサイユ体制も、アジア太平洋の新秩序を模索した一九二一年のワシントン体制も不安定であった。

ヴェルサイユ会議は米英仏伊日を五大国と規定したが、イタリアは明らかに過大評価だった。フランスも名ばかり大国である。一九四〇年にドイツに簡単に併合された時にフランスの実力は小国にすぎなかったと明らかになるが、その前から誰もが薄々は感づいていたことだった。

約二百年続いた大英帝国の覇権に取って代わる経済大国はアメリカとなった。イギリス人はパックスブリタニカからパックスアメリカーナへの交代を意識していた。ところが、当のアメリカが孤立主義に回帰してしまう。大西洋の東側に干渉しないし、且つ欧州に南北アメリカ大陸の動向に関与させないモンロー主義が実体化するのが、アメリカから見た第一次大戦後の秩序である。ヨーロッパは没落し、もはや南北アメリカ大陸でアメリカが自由に振る舞うのを阻止する実力を失ってしまったのだ。

アメリカが非ヨーロッパの大国なら、非白人の大国が大日本帝国だった。日本をアメリカは第一次世界大戦中から敵視した。大戦中の大統領は民主党のウッドロー・ウィルソンだったが、戦後は共和党のウォレン・ハーディングに代わっていた。だが日本への敵視は、緩まるどころか、強まった。

一九二一年から翌年にかけてのワシントン会議では、三つの条約が結ばれた。

第一は、四か国条約。日英米仏が太平洋の秩序に責任を持つとの建前だが、日英同盟を廃止するためだけの条約である。ハーディングのアメリカは、「日本とイギリスに挟撃されなければアメリカは安全である」との幻想に取り憑かれていた。そして大戦中の戦費の担保の如く、イギリスに日英同盟破棄を迫り、呑ませた。

第二は、九か国条約。実態は日英米仏伊白蘭葡の八か国が、「中華民国が主権国家になる機会を見守り尊重しよう」との内容である。条約とは主権国家間の約束である。約束を守れるから主権国家なのである。ところがアメリカは、条約遵守能力の無いチャイナ（支那）を甘やかした。当時の支那は名ばかりで政府が乱立、各地の軍閥が争い、無法地帯の様相だった。会議中にも「チャイナとはなんぞや」と自嘲気味に話題になったが、誰も答えられないまま会議は終了した。アメリカは、巨大な市場を狙うとともに、アジアの大国である日本への掣肘を目論んでいた。これを日本は、対米協調の観点から受容した。

第三は、五か国条約。戦艦など主力艦の比率を、「米英：五、日：三、仏伊：一・六七」と定めた。日本の世論では「英米が組んで日本を抑え込もうとしている」との陰謀論が席巻し、そしてそれはいつのまにか国是と化した。ほとんどの日本人は、本質を見なかった。すなわち五か国条約は、アメリカがイギリスの海上覇権を奪う条約だったのである。絶頂期のイギリスは、世界第二位と第三位の海軍国を合わせた量を上回る海軍力を持つ「二国標準」を建前とした。この目標が実現した時期は短いのだが、五か国条約はこの建前を崩壊させた。イギリスからしたらアメリカは、かつての植民地である。いわば下足番の轡（くつわ）をとる状態に追い込まれた屈辱的な場がワシントン会議なのである。

ところが日本は、「二十年に及ぶ日英同盟の友誼を捨てた」「世界を牛耳る英米が一体となって日本を抑え込もうとしている」と、イギリスへの憎悪を燃え滾らせる。かくして、日英米の三大国が相互不信状態となったのがワシントン会議である。

さらに言えば、フランスは日本に抜かされ、名ばかり大国のイタリアと同列に落とされた現実を受け容れるしかなかった。

これで漁夫の利を得たのが、ソ連である（正式建国は一九二二年だが、便宜上それ以前もソ連と称する）。一九一七年のロシア革命以来、英仏米日などは干渉戦争を行っていた。だが英仏は、ポーランド・バルト三国・フィンランドをソ連から奪うや、干渉戦争から離脱した。アメリカも引き上げる。しかし、日本は何のために戦っているのか不明なまま、極東ソ連に駐留を続けていた。これがシベリア出兵と呼ばれる戦いの実情だ。ソ連は多大な犠牲を払ったが、国家として生き残ることができた。干渉戦争を行った大国の不協和音を好機として生かしたからだった。

ソ連建国への干渉

では、なぜ列強はソ連建国に際して干渉戦争を行ったのか。しかも、第一次大戦の継続中に。二つの理由が説明される。

一つは、東部戦線の維持である。四年に及んだ第一次大戦は、西部戦線で英仏が、東部戦線でロシアが、ドイツ本国を挟撃していた。そのロシアが脱落するのは、英仏にとって敗戦の危機である。だから、必死になってソ連を潰そうとしていた。だが、ドイツの降伏後も戦争は続いている。説得力に乏しい。

より重要なのは、もう一つの理由だ。ヨーロッパ人にとってロシア革命とは、フランス革命の再現である。フランス革命の理性万能主義は、既存の伝統秩序の矛盾を糾弾し、国王夫妻をギロチンにかけたあげくに国を破壊、「革命の輸出」を目論んで周辺諸国に侵攻、ヨーロッパ中を大混乱に陥れた。

ロシア革命では共産主義が唱えられたが、同じく理性万能主義である。国王一家を馬まで虐殺し、世界中を戦慄させた。そしてソ連は「革命の輸出」を公言した。世界中を共産主義にするとの宣言である。共産主義者は、多くの理屈を重ね、世界中の知識人を魅了した。

確かに、共産主義の創始者であるカール・マルクスは、資本主義の矛盾を鋭くえぐり出した。現実社会に矛盾が無い訳が無い。その解決策として、共産主義を提示した。では、その共産主義とはどのようなものか。多くの言葉を並べたが要するに、「地球上の政府すべてを暴力革命で転覆し、世界中の金持ちを皆殺しにすれば、全人類は幸せになれる」である。もちろん、このような本音は巧妙に隠されたが、フランス革命が人類にもたらした惨禍の歴史を知る教養人にとっては、理屈ではなく本能的に警戒する対象なのである。

ソ連は西方で独立したばかりのポーランドにも苦戦するほどであり、極東では日本に〝鬼ごっこ〟の如く追い回されたが、打たれ強さがロシア人の本領である。最終的に耐え抜き、独立を守った。なお、日本は暴れるだけ暴れて、何一つ得るところなく兵を引き上げてくれた。

戦間期――三人の独裁者たち

一九一九年から三九年は「戦間期」「大戦間」と呼ばれる。戦間期には、平和への努力が行われた。ヨーロッパでは、英仏が不安定要因のドイツとロカルノ条約を結ぶ。ドイツが賠償金を誠実に払う代わりに、天文学的な総額を減らす。「相対的安定」がもたらされた。

アジア太平洋で最強の国は、日本である。一九二四年には、「憲政の常道」と呼ばれる政党内閣制が確立し、二大政党ともに外交方針は対外協調を旨とした。すなわち、周辺大国である米英ソとの協調である。中国問題でいつどのように軍事介入をするかは二大政党で温度差があったが、基調は協調外交で一致していた。

一九三〇年ロンドン海軍軍縮条約は、日英米三大国協調のあだ花となった。それまで角逐を続けていた米英両国は争い合う無益を悟り、仏伊を無視してまで日本との協調を優先した。

だが折からの経済不況、特に一九二九年にアメリカで発生して深刻化した大恐慌は、世界中を巻き込んだ。

これに真っ先に反応したのが、日本である。一九三一年、度重なる中華民国の挑発に業を煮やした現地駐在の関東軍が、独断で軍事力を行使し、最大の紛争地帯である満洲を占領、一九三二年には傀儡国家である満洲国を建国した。不況で苦しみ、協調外交を英米への屈辱と捉えていた世論は、関東軍の行動を熱狂的に支持。政治は主導権を発揮できず、事変の最中の二年半に三代の内閣が交代する混乱ぶりで、「憲政の常道」は放棄された。そして、一九三三年には、国際連盟の脱退を宣言。国際協調体制も政党内閣制も、放棄した。

その一九三三年、その後の世界を大きく動かす、三人の独裁者がそろい踏みとなった。

一人目は、ソ連のヨシフ・スターリン。第二次大戦どころか、朝鮮戦争まで生き残る。最盛期には地球の半分に影響力を行使した。

二人目は、ドイツのアドルフ・ヒトラー。ハイパーデフレに無策な政界の混乱に乗じ権力を掌握、そのまま独裁権を掌握していくこととなる。金融財政政策で奇跡のような景気回復を成し遂げた時、ドイツ国民は熱狂的にヒトラーを支持した。ヨーロッパ人の歴史観では、ヒトラーの死とナチスドイツの無条件降伏を第二次世界大戦の終わりとする。

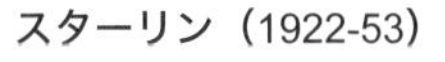

スターリン（1922-53）

ヒトラー（1933-45）

ルーズベルト（1933-45）

＊（　）内は政権担当期間。
以下本稿内は同様

三人目は、アメリカのフランクリン・ルーズベルト。アメリカ憲法が成文法で三選を禁止していないのを利用し、不文律を破壊して一九四五年の死まで大統領職に居座った。アメリカの憲法政治を無視、嫌がるアメリカ国民を世界大戦に引きずり込んだ。

米独ソ、三大国の台頭に懸念を抱いたのはイギリスである。特に蔵相そして首相を務めるネヴィル・チェンバレンは憂慮していた。チェンバレンは日英同盟復活を企図して不可侵条約を持ち掛けたり、あるいは共産主義への対抗の為に日本と中華民国の和解を呼び掛けたりした（リース・ロス工作）。だが、日本はワシントン・ロンドンの両条約の期限が切れる二年を「一九三五、六年の危機」と呼んで警戒するのみだった。日英双方に和解派はいたが、弱小勢力に過ぎなかった。

一九三七年前半の国際情勢

一九三七年元旦の時点で、世界の五大国は日米英独ソだった。そして、そのすべての大国が孤立し、それぞれ内政外政に深刻な問題を内包していた。

東西狭撃を恐れるソ連

国内の情報をほとんど開示しないソ連は、不気味な大国だった。一九二九年の大恐慌で世界中の国が不況にあえいでいる際も、「社会主義国のソ連だけは別だ」との幻想を国際社会に振りまいた。五か年計画のような計画経済は成功しているとの印象を多くの人に与え、資本主義国の少なからずが、ソ連を模範とした官僚による統制経済に活路を求め始める。

だが実態は、計画経済は生産性を低下させ、官僚統制は国民の勤労意欲を奪い、スターリンは大粛清により不満を抑えこもうとしていた。

共産主義国家に限らずファシズム国家においては、常に党と秘密警察と軍が鼎立する。スターリンは党と秘密警察（NKVD）に軸足を置き、赤軍を大弾圧した。なお、スターリンはしばしば秘密警察を改変し、革命以来のチェーカー、ソ連建国時のGPU、そしてOGPU、NKVD（内務人民委員会）、スターリン死後にKGBとなるが、一九三七年の時点ではNKVDである。

軍のクーデターを恐れるスターリンは、軍の高級将官を片っ端から殺戮した。スターリンの大粛清は、ロシア革命干渉戦争の英雄（ソ連にとっては建国の英雄）であるミハイル・トゥハチェフスキー元帥にも及んだ。罪状は「ドイツのスパイ」である。大粛清の結果、赤軍は弱体化する。隣国の日本は慢性的に満洲国で国境紛争を抱えており、ソ連の軍拡を恐れていた。そもそも満洲国を建国したのも、ソ連への警戒である。だが、実態はスターリンの大粛清により、赤軍は戦わずして壊滅状態となっていたのだ。

ソ連の情報がわからない隣国の日本やドイツ、あるいはイギリスなどはソ連の機械化部隊を恐れていたが、この時期には赤軍の近代化は言うほど進んでいない。単に数だけは揃えて補っていたが、指揮官不在なので弱体の軍隊なのである。その証拠に一九四〇年の冬戦争では、小国のフィンランドに叩きのめされた。また、一九三九年のノモンハン事件では、日本も一個師団が壊滅したが、ソ連はさらに被害を受けていた事実が、ソ連崩壊後にわかった。

何のことはない、ソ連は情報隠蔽に成功していただけだった。外交や防諜で世界中を幻惑した、スターリンの手腕が卓越していたと言えるが。

そのスターリンは、常に東西挟撃を恐れていた。地政学的に、日独、日英、日米英、日米英独などの組み合わせが想定された。史実では日独伊三国同盟に挟撃されたし、日英同盟やワシントン体制の復活もソ連にとって悪夢だった。また、対立しているかのように思われていた日独も英米も、反共なのである。そのすべての国が結束する最悪のシナリオも想定するのが、ソ連の思考様式である。ちなみに、粛清において多く使われた口実が、「日本のスパイ」であった。猜疑心が強いスターリンは、日本を恐れていた。

いずれにしても日本が他の大国と組んだとき、ソ連の安全は脅かされる環境にある。事実、建国当初のロシア革命干渉戦争（その極東戦線がシベリア出兵）において日米英仏に挟撃され、亡国の危機に瀕した記憶は生々しい。だからこそ、コミンテルン（国際共産党、第三インターナショナル）を世界中に放ち、その国の政策をソ連に有利に誘導しようとの影響力工作を行うなど、必死に日本や他の国の刃をソ連に向けないように活動していた。

なお過去の歴史学において、コミンテルンは陰謀論の対象として片付けられていたが、現在では情報史学（インテリジェンスヒストリー）の対象であり、その全容解明は今後の研究課題である。

ナチス独裁のドイツと周辺国

ヨーロッパにおいて、紛議の中心はドイツであった。

ヒトラーは経済政策の大成功で国民の圧倒的支持を獲得、その勢いでナチス以外のすべての政党を解散させ、一党独裁を確立させた。ヒトラーはナチスと秘密警察（SS）を権力基盤とし、国防軍を抑え込もうとする。

独裁権確立以来、ヒトラーの対外政策はすべて成功していた。ヒトラーはドイツに対する過酷な条件を課すヴェルサイユ条約を、なし崩し的に破棄していった。再軍備宣言、英独海軍協定による海軍再軍備の容認、ベルギー国境の中立地帯のラインラント進駐を断行。いずれの際も、英仏は膺懲しなかった。それどころか一九三八年に入っても、オーストリア併合、さらにはチェコ＝スロバキア進駐をミュンヘン会談で英仏は認める。

なぜか。英仏のドイツへの警戒心より、ソ連へのそれの方が強かったからである。特に、一九三六年に勃発したスペイン内戦において、ドイツとソ連は事実上の代理戦争状態にあった。当時の人民戦線政府を、ソ連が支援した。これに対し軍を率いて反乱を起こしたのがフランシスコ・フランコ将軍で、ドイツのヒトラー、イタリアのベニト・ムッソリーニ、それに隣国ポルトガルでファシズム政権を樹立していたアントニオ・サラザールが味方した。

スペイン内戦には世界中から義勇兵が駆け付け、その中にはアメリカの作家アーネスト・ヘミングウェイもいた。

激戦は続くが、フランコは戦況を有利に進める。四月十九日、フランコはファランフェ党を創設。やがて、党独裁を確立していく。抗争は三九年四月のフランコの完全勝利まで続いた。なお、フランコはスペイン人には珍しく寡黙な人物で、外交は粘り強かった。ヒトラーは第二次大戦にスペインの参戦を要求し圧力をかけたが、頑として中立を守った。ポルトガルのサラザールも中立を守り、両国は大戦後もファシズム体制のまま西側陣営に属することとなる。

ゲルニカへのドイツの無差別空襲は四月二十六日。有名なピカソの絵画「ゲルニカ」制作は、五月一日から六月四日にかけてである。

なお、一九三六年から翌三七年にかけて、独伊は急速に接近した。それまでファシズムの元祖としてイタリアのムッソリーニは尊敬を集めており、ヒトラーを格下扱いしていた。オーストリアのようなヒトラーの領土的野心の対象となっている国などは、イタリアを頼りにナチスドイツに対抗していたほどだ。だが、大国としての国力を回復するドイツと組む方が、英仏と協調するよりも得策だとムッソリーニは判断するようになる。一九三七年四月二十三日、ムッソリーニはオーストリアのクルト・シュシュニック首相と会見し、支援打ち切りを通告する。ムッソリーニは、スペイン内戦でともに戦ったナチスとの友誼を優先させた。

これを受けてオーストリアのナチス党は勢いを増す。ヒトラーは領土的野心を持つ国の過激派政党をナチスの下部機関として操り、その国の政治を攪乱するのが常套手段だった。もはやオーストリアがドイツに対抗する術はなく、陥落は時間の問題となった。

最後まで抵抗した首魁（しゅかい）が、ハプスブルク家最後の皇太子だったオットー・フォン・ハプスブルク大公であった。本来なら皇帝となる人物だ。一九三七年の時点で二十五歳。シュシュニックに対し、「君では荷が重い」と首相職を要求。当然、受け入れられるはずもないが、陰に陽にナチスに抵抗。相当にヒトラーを怒らせたようで、オーストリア進駐作戦を「オットー作戦」と名付けたほどだ。ちなみにオットーは、大戦中にオーストリア解放の為に米英に多くの工作をなしたのみならず、戦後は欧州統合に尽力してEUの原型を作り、冷戦最末期には「ヨーロッパピクニック」と称してソ連支配下の東欧諸国民の移動を策動、遂にはベルリンの壁を崩壊させた人物でもある。

一九三七年を抽出した場合、英独ソのようなヨーロッパの国々にとって最も重要な問題はスペイン内戦である。

イギリスの宥和政策

事実上の交戦国と化していた独ソと違い、イギリスはある種の傍観者の位置を保った。

戦勝国とはいえ第一次大戦で大きな傷を負ったイギリス国民には、厭戦気分が蔓延していた。フランスも不安定な第三共和政の下で半年に一度の政変を繰り返すような党派的政争が強く、一九三七年も政変で二人の首相が登場した。ただ、厭戦気分は国民全体に広がり、対外政策では戦間期を通じてどの政権でもイギリスと歩調を合わせていた。

こうしたことから、イギリスはヒトラーの領土拡張政策を直視しようとしなかった。そして小手先の外交力で解決しようとしていた。スペイン内戦でヒトラーやムッソリーニが共産主義者を駆逐してくれるなら、ヴェルサイユ条約の多少の違反には目をつぶるのが英仏の姿勢であった。もっとも、いつのまにか全面的に空文化していたのだが。

チェンバレン（1937-40）

チェンバレンがヒトラーの前に投げ出した〝エサ〟は、東欧諸国である。第一次大戦後、ハプスブルク帝国（オーストリア）から、ポーランド、ハンガリー、チェコ＝スロバキアといった国が独立した。戦前からの独立国である、ルーマニア、ブルガリア、アルバニア、ギリシャに加え、バルカン半島（南東欧）にはユーゴスラビア王国が成立していた。これらの国々は独ソの緩衝地帯である。仮にヒトラーの侵略の矛先が東方に向かえば、必然的にソ連との角逐が激しくなる。

ヒトラーの拡張主義に対し寛大だった英仏の宥和政策は、現代では批判一辺倒の傾向がある。だが当時の英仏は、ナチスドイツだけでなく、共産主義のソ連にも同時に警戒心を強め、あわよくば共倒れを目論んでいたのである。

そして、戦間期の東欧諸国は、政治的かつ経済的危機に関し、国王独裁やファシズムの道を選んだ。現代の支配的な価値観は「第二次世界大戦は、ファシズムに対するデモクラシーの勝利である」だが、戦間期の英仏はソ連への対抗や国民に蔓延するパシフィズム（厭戦志向）により、ファシズムや独裁に対して寛容であった。

こうしたイギリスの態度は「宥和政策」と呼ばれ、一九三九年にヒトラーがポーランドに侵攻するまで続く。その後に登場したウィンストン・チャーチルがヒトラーを倒したことで英雄視される。だが、チャーチルはナチスを倒すために共産主義者と手を組んだのであり、第二次世界大戦の目的である東欧（狭義にはポーランド）の回復を成し得ていない。また、ブリテン島こそ防衛したが、大英帝国の植民地をほとんどすべて失った。チェンバレンにしてもチャーチルにしても功罪双方が問われるべきである。特に、なぜチェンバレンが宥和政策を採ったのかを無視しては、当時の時代状況が見えなくなるだろう。

日英同盟の復活に失敗

なお、イギリスにとって一九三七年とは、日英同盟の復活の試みに失敗した翌年である。チェンバレンは、それまでも蔵相として日本との和解を模索していた。

チェンバレンは銀行家のリース・ロスを特使として派遣し、日本・満洲国・中華民国の提携を実現させようとしていた。すなわち、中華民国は日本の傀儡国家である満洲国を承認する。その代わり、日本は悪性インフレで苦しむ中国に経済援助をし、イギリスも協力して幣制改革を行う。事実上の日英中三国の協調体制である。目的は、ソ連の脅威への対抗である。同時にチェンバレンは日本に、将来の日英同盟復活を含みとした、日英不可侵条約を持ち掛けた。

これを日本は、にべもなく断った。より正確には、政府部内をまとめきれなかった。中国に金を渡し反日に使われて良いのか。そもそもイギリスを信じられるのか。満洲国は日本が自力で建国した国であり、外国に媚びてまで承認してもらう必要があるのか。こうした声を抑えられる指導力のある政治家は、どこにも存在しなかった。

チェンバレンからしたら、同盟と言わずとも、せめて日英不可侵条約でも復活していたら国際社会での発言権は倍であっただろうが、望むべくも無かった。イギリスにおいても、東洋で我が物顔に振る舞う日本と手を組もうとする者など、少数派に過ぎなかった。しかも一九三六年十一月、日独防共協定を結んでヒトラーの仲間をアピールしている格好だ。ドイツにのめり込んでは、独ソを共倒れにさせるのではなく、共同でソ連と対峙することとなる（日英独が反共で提携するのは、スターリンが最も恐れていたシナリオだったが）。危険すぎてイギリス外交界では受け入れられない提案である。

こうした背景のなか、一九三七年五月二十八日にチェンバレンは首相に就くが、貧弱な国力で鼻息の荒い独ソ両国を相手にするには、ほとんど選択肢が残っていなかった。

直前の五月十二日は国王ジョージ六世の戴冠式である。

前国王のエドワード八世は、二度の離婚歴があるアメリカ人のシンプソン夫人との不倫の末に結婚しようとし、周囲に大反対された。いわゆる「王冠を懸けた恋」である。結果、エドワードは結婚を選択、退位に応じた。これがスタンリー・ボールドウィン前首相にとって最後の大仕事となった。なお、エドワードは親ナチの傾向があり、中立が求められる国王としてふさわしくないと思われていた。

戴冠式は史上初めてラジオで海を超えて放送され、アメリカのニューヨークで受信された。ジョージ六世の時代にイギリスは第二次世界大戦を戦い、アメリカとの同盟を深めていくのだが、象徴的な出来事である。

ルーズベルトのアメリカと中国問題

一九三七年前半の世界で、まったくの安全地帯にいた大国がアメリカである。ルーズベルト大統領のニューディール政策は、社会主義に近い政策だった。大きな政府、政府による大型公共投資、必然的に伴う自由主義経済の制約。次々と打ち出す政策に対して国内の抵抗は大きく、いくつかの施策には連邦最高裁が違憲判決を下していた。ルーズベルト政権の一期目は思うようにいかなかったが、一九三六年に再選されるや、連邦最高裁は過去の判例を覆し、合憲判決を下していく。それでも一九三七年一月までに、実に九件の違憲判決が下った。ニューディール政策は、思うように進まなかった。

一九三七年一月二十日の就任式からが、二期目の任期である。ルーズベルトは二月五日、最高裁改組案を提示した。定年制の導入、裁判官の増補などである。アメリカの連邦最高裁の定員は九人で任期は終身。それに定年制を設け、自分の意に沿う判事を送り込もうとしたのである。行政権による露骨な司法権への介入に批判が強く、ルーズベルトの改革案は通らなかったが、圧力にはなった。以後の最高裁は合憲判決を出し続けることとなる。

アメリカが景気を回復するのは先だった。

そもそも、第一次世界大戦を例外として、アメリカは国際問題への介入を極端に嫌う傾向の国だった。それを変えるのがルーズベルトであり、一九四一年以降である。アメリカは内政に引きこもっていた。

ただ、アジアの問題には、口先介入した。中国問題である。満洲事変に際し、一九三二年一月に国務長官名で「不承認宣言」を発し、日本が九か国条約によって認められた満洲の現状を変更するのを拒否した（スチムソン・ドクトリン）。この時点で大日本帝国と正面衝突する国策は存在しないが、ルーズベルトは内心で日本との対決を覚悟していた。

その中国では、前年十二月に大事件が発生していた。西安事件である。

中国国民党主席の蔣介石は、「日本は皮膚の病、共産党は内臓の病」と称して、中国共産党の掃討を優先させていた（掃共）。だが、中国共産党主席の毛沢東が敗北を覚悟した時、蔣介石は部下の張学良に監禁された。督励に訪れた蔣介石に張学良は、共産党との戦いを即時中止し、合同で日本と戦うよう求めたのだ。「兵諫」である。

この事件には、まだまだ解明されていない謎は多いが、受益者が中国共産党であるのは間違いない。よって、スターリンの意思が介在していなかったとは考えにくい。

とにもかくにも解放された蔣介石はなおも抵抗していたが、徐々に抗日を余儀なくされ、ついに一九三七年二月十日、国共合作を提議することとなる。満洲事変以降も中国大陸では日本人へのテロが吹き荒れており、日本も治安維持に手を焼いていた。

一九三七年の前半、アメリカは内政に引きこもっており、ヨーロッパではスペイン内戦で独ソの代理戦争が繰り広げられているのにイギリスらは戦々恐々とし、アジアでは中国問題が蠢動していた。

では、その時、日本はどうしていたか。

昭和十二年前半の日本

「憲政の常道」の放棄と二・二六事件

もはや、国際協調体制や「憲政の常道」は、過去の遺物と化していた。昭和七（一九三二）年の五・一五事件に際して、二大政党による政党政治である「憲政の常道」は放棄された。

「憲政の常道」がある限り、首相候補者は二大政党の総裁に限られる。また、「憲政の常道」は暗殺による政変を認めておらず、首相の身体の事故に際しては後継総裁が総理大臣となる憲法習律（法体系に組み込まれて定着した慣例）が確立していた。

しかし、五・一五事件で犬養毅首相が暗殺された時、首相奏薦権を持つ唯一の元老である西園寺公望は、政友会後継総裁の鈴木喜三郎を忌避し、斎藤実海軍大将に政官界を網羅した挙国一致内閣を組織させた。結果、以後の日本では政官界の誰もが首相になりうる。また、暗殺による政変が認められる前例となった。そのなれの果てが、昭和十一年（一九三六年）の二・二六事件である。陸軍の一部青年将校が政府と宮中の高官を襲撃し、高橋是清蔵相らを暗殺した。事件そのものは二月二十九日に収束し、岡田啓介内閣は責任を取って総辞職する。

問題は、三月一日以降である。西園寺元老は各界の衆望がある近衛文麿貴族院議長を後継首班に推した。だが、近衛は拝辞する。そして混乱の末に、岡田内閣の外相であった廣田弘毅が首相となった。廣田は、衆議院第一党の民政党と穏健派勢力を軸に、組閣を進めた。だが、陸軍が組閣に容喙し、廣田の望む政党政治家と穏健派は排除されていく。だが、その陸軍とて無敵の権力を握っていたわけではない。そもそも廣田内閣の組閣に干渉した寺内寿一陸相自体が、部内中堅層の「下剋上」に突き上げられていた。

陸軍は満洲事変以来、予算の確保に血道をあげていた。負けじと永野修身海相以下、海軍も対抗する。これを捌く大蔵大臣は、大蔵官僚から法制局、貴族院議員、銀行家としての経歴を持つ、馬場鍈一だった。他にも枢密院・検察・内務省など治安機関に影響力を持つ平沼騏一郎（平沼閥）、外務省、民政党に継ぐ衆議院第二党の立憲政友会、そして西園寺公望に代わり宮中を取り仕切る湯浅倉平内大臣ら宮中側近も隠然たる勢力を持ち、そのすべてが拒否権をぶつけ合うこととなる。

廣田内閣と馬場財政

難産の末に廣田内閣は三月九日に成立した。この内閣は、外政においては日独防共協定を結び、ドイツとの友好に傾斜していったとされる。だが、これは有田八郎外相曰く、「薄墨色の同盟」であり、この時点で実体はない。当時のドイツは蔣介石に軍事顧問を派遣しており、中華民国に大量の武器輸出をしていた親中国家である。日本としては、イギリスやソ連との対立が深まる中で国際的孤立から抜け出そうとした悪あがきに過ぎなかった。また、軍国主義化を進めたとされる「国策の基準」を定め、「帝国国防方針」を改定して米ソに加えて中英を仮想敵にし、「国体の本義」のような精神主義的なパンフレットを散布した内閣と評価される。確かにそれまでの既定路線を政府公文書で方針として確定させたとの評価も可能だが、〝お役所作文〟を乱発していたとも言える。また、軍部大臣現役武官制を復活させたのも悪名高いが、この点はすぐに意味が明らかになるので後述する。

二・二六事件の印象が強すぎて、後世に与えた廣田内閣の影響で見えにくくなっている事象がある。馬場財政である。

馬場鍈一蔵相は就任するや、前任の高橋是清の「三羽烏」として自由主義経済と景気回復を推し進めてきた賀屋興宣（かやおきのり）主計局長・石渡荘太郎主税局長・青木一男理財局長の三人を一斉に左遷した。省内の人事を掌握するや「馬場財政」を推し進める。その主眼は、予算の五割を軍事に集中し、その他はことごとく切り詰める。そして、周辺四か国のすべてを仮想敵とする帝国国防方針に合わせて、無限の歳出拡大を強いる。財源は、緊縮財政で足りない分は国債の発行と日銀直接引き受けで補い、それでも足りない分は増税で賄う。そして、さらなる軍事費拡大を行う。これが準戦時体制である。さらに馬場は民間への統制経済を推し進めた。

「腹切り問答」と流産内閣

こうした世相に国民の不満がたまる中で、昭和十二年を迎える。

一月二十一日、前衆議院議長で政友会代議士の浜田国松が、寺内陸相に質疑を挑んだ。浜田は言論の自由が圧迫されている状況と軍の横暴を批判した。これに対し寺内は「軍人に対しましていささか侮蔑されるような如き感じを致す所のお言葉を承りますが」といら立ちをあらわにし、関連質疑に立った浜田が「私の言葉のどこが軍を侮辱したのか」と詰め寄ると、寺内は「侮辱されるが如く聞こえた」と後退した。そこで浜田は「速記録を調べて私が軍を侮辱する言葉があるなら割腹して君に謝罪する。なかったら君が割腹せよ」と畳みかけた。これに寺内は言い返せず、議会は野次と怒号のまま停会となった。

閣議では怒りの収まらない寺内が、政党に対する懲罰として衆議院解散を主張した。解散権は天皇大権であり首相のみに輔弼の任があるが（つまり今の憲法と同じ首相の専管事項）、寺内は構わず主張した。これを止めたのが永野海相である。この時点で議会は馬場が編成した大軍拡予算を審議中であり、海軍としてはそれが流れるのは避けたい。

板挟みになった廣田は、何の決断もできず、一月二十三日に総辞職に至った。

二十五日、西園寺元老と湯浅内大臣は、後継首相に宇垣一成予備役陸軍大将を奏薦した。陸軍長老の宇垣ならば、横暴を極める陸軍を掣肘できると考えたからだった。宇垣は当時の良識派からは、「切り札」と看做されていた。宇垣自身も首相候補となって十年が経ち、「政界の惑星」と言われていた。本人も自信満々で組閣に臨む。

これを陸軍の現役が邪魔する。廣田内閣で軍部大臣現役武官制が復活しているので、陸軍の現役軍人が結束して大臣を出さなければ、宇垣は組閣できない。寺内陸相・閑院宮参謀総長・杉山元教育総監の三人は宇垣組閣に協力しない旨で合意した（三長官合意）。杉山は現役時代の宇垣の最側近だったが、組織の大勢に従った。ここまでは想定の範囲である。宇垣は宮中に参内し、自らの現役復帰を要請した。現役に復帰すれば自分で陸相を兼任して組閣が可能である。ところが内大臣の湯浅が拒否した。要請を受け入れるということは陸軍三長官を敵に回しての政権運営に責任を持つことを意味する。この時代、陸軍との対決は暗殺の危険すらある。要するに湯浅は逃げた。ここに宇垣の万策は尽きた。二十九日、大命拝辞に追い込まれた。世の人は、流産内閣と呼んだ。

林銑十郎内閣と食い逃げ解散

同日、陸軍現役軍人が推す林銑十郎予備役陸軍大将に、大命降下した。だが、これで陸軍が政治的に勝利したなどと、単純な情勢ではない。まず主導権争いで、陸軍部内が割れる。結果、陸相には中立的な中村孝太郎を据え、その病気退任後は杉山教育総監を横滑りさせた。教育総監の後任は寺内前陸相である。陸軍に対し林首相の指導力が発揮されるなど望みようがなく、ただ現役が望む行政事項を遂行するだけの傀儡にすぎない。

二月二日、組閣を終えた。二大政党は一人も入閣せず、国粋右翼的主張で二十議席の小会派である昭和会のみに閣僚を与え与党とした。対する民政党は二〇五議席、政友会は一七五議席。両党で衆議院四六六議席中の大半を占める。

主要閣僚では、米内光政海相、佐藤尚武外相、塩野季彦法相が並ぶ。米内は後の総理大臣、この時を機に海軍最大の実力者となる。塩野は「平沼閥」の正統後継者で戦後にも及ぶ「塩野閥」を、やはりこの時を機に構築していく。官僚中心の内閣の色が強くなった。

佐藤は国際連盟で活躍した本流の外交官である。戦時中は駐ソ大使として、ソ連との和平を目指す本省に対しスターリンの裏切りを伝え続けたが、国策に生かされることは無かった、悲劇の名外交官である。この内閣でも周辺諸国との協調外交を訴えたがために、批判を浴びることとなる。佐藤は、陸軍の出先が満洲国と隣接する北支を緩衝地帯にさせようと華北分離工作を行っているのを、白眼視していた。こうしたことも忌避される一因となる。

蔵相は日銀出身で商工会議所会頭の結城豊太郎を据えた。政府・日銀・財界の「抱合財政」により、馬場が敷いた準戦時体制の路線を実現するための人事である。

林は各界に妥協した組閣を行った。そして、いまだ開会中の議会において、民政党と政友会の二大政党に平身低頭する羽目になる。もちろん、いまだ審議中の予算を通過させてもらうためである。

帝国憲法は優れて権力分立的な体制であり、独裁者を発生させないような仕組みにしている。それは裏を返せば、拒否権集団を発生させやすくなる。特に昭和期において陸軍は政権に対する拒否権を行使して、しばしば内閣を倒壊させる。あるいは、そうした拒否権をちらつかせて、自らの政治的要求を通した。だが、いざ内閣を総辞職に追い込み、陸軍自らが組閣する段になると、今度は自らが拒否権を行使される側になる。まさに林は、拒否権を行使される首相として、陸軍の現役に担ぎ出された傀儡だったのだ。

林の涙ぐましいまでの遜（へりくだ）った態度に、民政・政友両党は予算を通過させる。その直後の三月三十一日、林は衆議院を解散した。これは「食い逃げ解散」と批判された。だが、林に何かしらの展望があった訳ではない。与党の出現を期待して二大政党への懲罰的な意味合いの解散だったが、四月三十日の投票日の結果は、民政党は議席を大幅に減らしたが一七九議席で第一党。政友会は一七五議席で第二党だった。昭和会は十九議席。その他、小会派をかき集めても林内閣支持派は五十議席にすぎない。

林はなおも居座ろうとした。だが五月二十八日に民政・政友の二大政党が即時退陣を要求するや、三十一日に退陣表明に至った。既に帝国憲法の立憲主義は蹂躙されつくしていたが、総選挙に敗れた首相は退陣しなければならないとの憲法習律は生きていた。もし仮に林が居座っても、すべての法案が否決され、政権運営は立ち行かない。選択肢はなかった。

なお、この時の総選挙で、社会大衆党が三十七議席と躍進した。民政党が減らした議席を獲得した格好だ。社大党は、戦後の日本社会党の前身である。

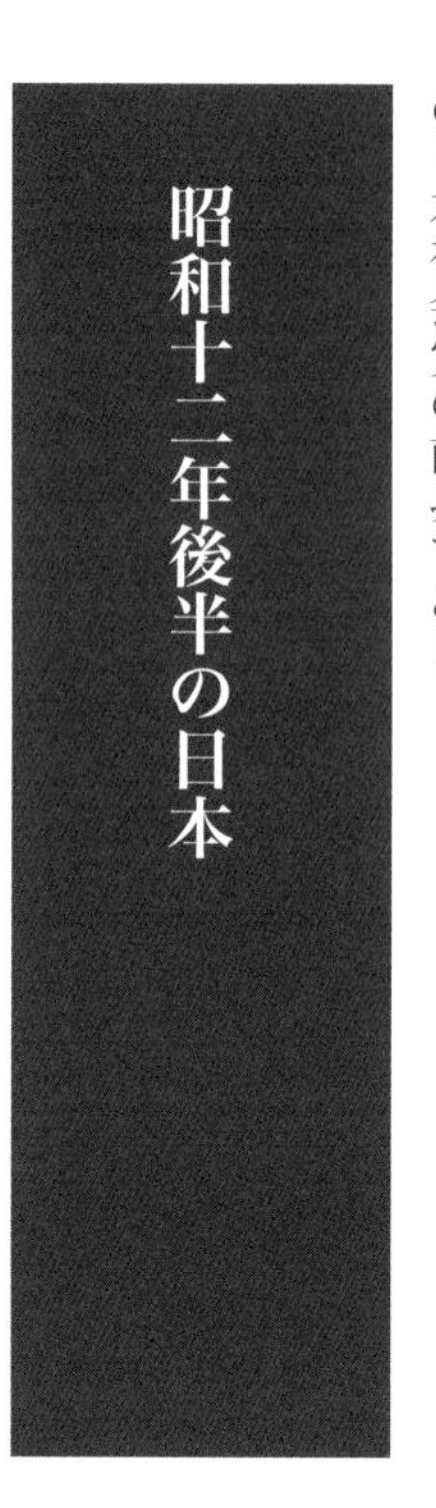

昭和十二年後半の日本

近衛内閣の誕生

腹切り問答、流産内閣、食い逃げ解散と、昭和十二年前半の日本は政変に明け暮れた。そして、政治勢力としての陸軍は、一敗地にまみれた。

こうした状況の中で、西園寺公望元老と湯浅倉平内大臣は、近衛文麿を後継首相に奏薦した。近衛は若い頃から西園寺の期待を受けており、切り札と看做されていた。近衛も、今回は受けた。組閣は各界の人材を網羅する強力な内閣になると期待された。

近衛文麿（1937-39、40-41）

杉山陸相、米内海相、塩野法相は留任。外相には佐藤尚武をはずして、元首相の廣田弘毅を据えた。佐藤の国際協調的な姿勢は、当時の世論では評判が悪かった。

蔵相には、賀屋興宣大蔵次官の昇格。主要五閣僚はすべて、その省の出身者となった。さらに、商工大臣にも元次官の吉野信次（故・吉野作造の実弟）を据えた。

なお近衛は馬場鍈一を蔵相に再任させようとし、大蔵省の猛反対にあって、内務大臣に回している。

政党からは、民政党から永井柳太郎逓信大臣と政友会から中島知久平（ちくへい）鉄道大臣と、一人ずつ任用している。いずれも親軍派と目されていた。民政党は親軍と反軍で路線が定まらず、政友会に至っては内訌で事実上の分裂状態であり、鈴木喜三郎総裁の落選から一年以上も総裁すら決められない状態だった。もはや有権者は、自分たちが選挙で選んだはずの衆議院を完全に見放していた。逆に、貴族の近衛が大衆人気を独占していた。

内閣の要の内閣書記官長（現在の官房長官）は元民政党代議士の風見章。戦後は社会党左派の代議士になる人物であり、後にゾルゲ事件でスパイとして処刑される朝日新聞記者の尾崎秀実（ほつみ）を近衛内閣のブレーンとして招き入れる人物でもある。

六月二日に大命降下、四日に組閣が完了する。同日、賀屋は吉野とともに、「生産力の拡充、国際収支の適合、物資需給の調整」による、「財政経済三原則」を発表した。いわゆる「賀屋三原則」あるいは「賀屋吉野三原則」と呼ばれる原則である。かつて高橋是清の下で自由主義政策による民間経済の活性化によって景気回復を達成した賀屋の手によって、統制経済の路線が敷かれた。たった三か月前に大軍拡を前提とする予算が可決されたばかりであり、これをひっくり返すなど、もはや大蔵大臣個人の力量ではどうにもならなかった。既に無限の軍拡と財政出動を要求する、準戦時体制の路線は固まっていた。

盧溝橋事件

そして運命の七月七日を迎える。この日より大日本帝国は昭和二十年八月十五日の敗戦まで、一日も休まず戦闘を続けることとなる大事件である。だが、その時点でそのような未来は、誰にも予想できなかった。

盧溝橋事件が勃発した。北平（北京）郊外の盧溝橋で夜間演習をしていた日本軍に対し何者かが発砲し、日本軍と国民党軍が交戦状態になった。

そもそも、なぜ日本軍がこの地に駐屯していたのか。清朝時代の一八九九年に発生した北清事変の事後処理として、一九〇一年北京議定書が結ばれた。結果、清朝は日本軍の駐屯を認め、清国の後継国家である中華民国も北京議定書を継承した。たとえるならば、日米安保条約に基づいて米軍が日本に駐屯しているようなものである。では、在日米軍に対し何者かが発砲し、自衛隊と交戦状態に入ったとしたら、どうであろうか。

なお、中国国民党軍の兵舎も銃撃され、日中双方が相手に攻撃されたと判断し、交戦状態に陥る。だが、両軍ともすぐに不可思議な状態に気付き、現地軍同士は十一日に停戦協定を結んだ。では、発砲は誰の手によるのか。中国共産党の劉少奇による陰謀とも、中国国民党による偶発的な事件であるともされるが、真相は不明である。ただ、日本軍による計画的行動とだけは、考えにくい。

六年前の満洲事変は、明らかに現地関東軍の計画的行動であった。だから緻密な作戦に基づいて迅速な軍事行動が行われ、またたくまに日本本土の二倍の面積の満洲全土を制圧した。一方で、盧溝橋事件後の北支方面軍には、緻密な計画に基づく迅速な行動など片鱗も見られない。

たった一か月前、陸軍は政争において「食い逃げ解散」で手痛い敗北を喫したばかりだった。組織の立て直しをはかる立場にある杉山元陸相は主体性のない人物で、部下の言いなりに押されるままに動くから、「便所のドア」とあだ名された。参謀総長は閑院宮載仁親王。実務に携わる人物ではない。よって、実務を預かるのは参謀次長である。次長は中将が就く。結果、大将級の司令官を中将の次長が事実上指揮することとなる。いわば、「下剋上」の制度化のために閑院宮は担ぎ出されたのだが、「宮様総長」が長年にわたり居座ることで、このような状態が日常化していた。

ただ、昭和十二年七月七日の時点で参謀次長であった今井清は重病であった。さらに、現地の田代皖一郎支那駐屯軍司令官も天津にあり、これまた重体だった。支那駐屯軍に、田代を抜きに積極的行動を行おうとする軍人など、皆無であった。このような状態なので、第一部長である石原莞爾少将が参謀本部を取り仕切っていた。石原は中佐の時に満洲事変を計画断行した軍人だが、満洲国建国後は中華民国との和議を志向していた。事変を断行した石原の目的はソ連への警戒であり、中国との紛争は回避したかった。

このように、日本には中華民国に対し侵攻を仕掛ける、意思も能力も欠如していた。日本と中国だと、当時は日本の方が圧倒的な大国である。戦いを仕掛ける権利は強い側にあるのが、世の常である。だから、日本が不戦の意思を貫けば、日中両国が全面戦争に突入するなど、ありえない状況であった。現に、交戦直後に不可思議な状態に気付いた日中双方の現地軍が、十一日に停戦協定を結んだ。

北支事変から支那事変へ

ところが、政治状況の変化が、両国を全面衝突へとかりたてる。

事件勃発から一夜明けた八日、中国共産党が対日全面抗争を呼びかけた。中国人の愛国心に訴えかける共産党のプロパガンダは、国民党の大半を抗日戦へと駆り立てる。約半年前に西安事件で遭難した蔣介石の政治基盤は弱く、共産党は抗日全面戦争を大義名分に揺さぶりをかけた。

日本でも、及び腰な陸軍（特に参謀本部）に対し、文官たちが強硬論だった。首相の近衛も強硬で、こうした姿勢に陸軍省を中心に対支強硬論が勢いを増し、日に日に石原は孤立を深めていく。

現地で停戦協定が結ばれた十一日、政府は北支への出兵を決定。北支事変と命名した。朝日新聞などマスコミは「暴支膺懲」を鼓吹し、世論も強硬論一色となっていく。では、戦争目的は何なのか、つまり何がどうなれば戦いは終わるのか。約三十年前の日露戦争においては「朝鮮半島の北緯三十九度線の北にロシアを追い出す」と明確だったが、近衛内閣の政府高官や軍には統一した意思など無かった。十二日、大谷尊由拓務大臣が閣議で「どこまで進むのであるか」と問うたのに対し、杉山は「このような席で軍の作戦行動を語ることができぬ」と返答を拒否した。何がどうなれば「膺懲」は達成されるのか、現実の「暴支」の状況が日本で報道されるにつれ、冷静な議論を行える余地はなくなっていった。たとえば十三日、日本陸軍のトラックを爆破され四人が死亡した大紅門事件が発生している。

もし政府同士が和平を行おうとするなら、テロにより戦闘を起こし全面戦争に持ち込もうとする意志が、中国の中には明確にあった。それを中華民国の指導者の蔣介石が抑えるのは、至難の情勢だった。

十七日、蔣介石は「最後の関頭」演説を行う。先に満洲を奪われ、さらに関内（万里の長城の中）で敗れれば、蔣介石の威信は失墜、命の危険すらある。日本に対し、強硬論を言わない訳にはいかなかった。

二十五日には廊坊事件、翌二十六日には広安門事件と、第二十九軍が日本軍に戦闘を仕掛けてきた。第二十九軍は蔣介石の統制に服しておらず、独断で日本との全面戦争を企図していた。だが、現地居留民を守らねばならない支那駐屯軍は、中国軍に最後通牒を発する。

日本政府は二十七日、「自衛行動」を声明し、三個師団を内地より派遣すると決定する。まだ日本に全面戦争の意図はなく、居留民保護が主な目的であった。ただし、自衛のためには敵戦力を破壊せねばならない。二十八日に平津作戦を開始、北平と天津一帯の占領に向け動いた。

通州事件、「支那事変」命名

こうした緊張の中で起きたのが、二十九日の通州事件である。日本の傀儡政権であるはずの冀東防共自治政府が突如として裏切り、民間人をも含めた二百人以上の日本人に対し猟奇的な虐殺を行った。自ら樹立した傀儡政権を統御できなかったのであるから、日本陸軍は無能の誹りを逃れられまい。

それはともかく、通州事件に日本の国民世論は怒り狂う。単なる怒りだけではない。もし日本が何の制裁もせずに引き下がれば、大日本帝国の威信は失墜する。東アジアにおけるプレゼンスは極端に下がるし、中国人が「日本与しやすし」と、さらにテロを行う可能性も高い。

現地日本軍は遠慮なく軍事行動を展開し、三十日には天津を制圧した。世論は喝采をあげる。

こうした熱狂の中、少数ながら戦いのやめ際を考えていた要路者もいた。軍では石原莞爾である。外務省では、廣田外相は近衛に同調して強硬論だったが、石射猪太郎東亜局長は必死に和平工作を行っていた。交渉の中心は、在華日本紡績同業会（在華紡）の総務理事の船津辰一郎だった。船津は参事官で外務省を退官していたが中国通の熟練外交官（現在で言うなら所謂ノンキャリア）だった。八月三日、石射は船津に和平を託す（船津工作）。船津は政府や軍の監視をかいくぐり蒋介石側と接触、交渉を進めた。しかし、突如として中国大使の川越茂が自ら交渉すると乗り出し、暗礁に乗り上げる。

そして九日、上海で大山勇夫海軍中尉と運転手の斎藤与蔵一等水兵が、中国軍に虐殺された。これが大日本帝国と中華民国の運命を決定づける大事件となった。

それまでも通州事件を筆頭とするテロや虐殺事件は頻発していた。ただし、すべて北支における事件である。ところが、今回は中支での不祥事だった。当時の日本の行政において、北支は陸軍の、中南支は海軍の管轄とされていた。それまで海軍は北支の出来事に無関心だったが、自己の縄張りで身内が虐殺されるに及び、態度を一変させる。

閣議で米内光政海相は、大規模派兵に反対する賀屋蔵相を怒鳴りつけ、優柔不断な杉山陸相を無視して、上海に海軍陸戦隊をあげると宣言、実行する。十三日の閣議は上海への派兵を決定し、空爆も敢行する。第二次上海事変の開始である（満洲事変の戦闘と区別して、第二次とされる）。中支の国民党軍は蒋介石の直衛部隊でドイツ軍人の顧問団に訓練されており精強だったので苦戦したが、着実に歩を進めた。むしろ海軍が陸軍を引きずり、首都の南京を目指すような有様だった。十五日からは、南京への空爆を開始した。

近衛首相は「断固膺懲！」と鼓吹し、世論は喚起した。こうして、中華民国との早期和平の見込みは、完全に潰えた。それを象徴するように、九月二十七日に石原莞爾は関東軍参謀長に左遷された。中央での意思決定にかかわらせまいとする、軍の総意であった。

九月二日、政府は「北支事変」を「支那事変」と改称する閣議決定を行った。中国全土で戦闘を展開する意思が示された。財政状況などは全面戦争の如く、戦費が最優先された。準戦時体制は完全に戦時体制となった。以後、増税に次ぐ増税が行われ、国民生活への統制が強められた。これに国民は耐えた。同時に、異を唱える者は「非国民」として社会から抹殺する、強力な同調圧力が生まれた。国家総動員体制に突入したのである。十月二十五日には、企画院を創設。

だが、「支那事変」は戦争ではない。日本はアメリカから石油を輸入していたので、戦争ではなく事変を選んだ。戦争では中立国が交戦国に戦時物資を輸出するのは国際法違反である。その代わり、戦争でないがゆえに、中立国を設定できず、戦時封鎖も行えない。居留民保護の権限は外務省にあるので、軍は敵を撃破する以外に自国民を守る方法が無い。何より宣戦布告が無いので、平和と戦争のけじめがつかない。そして中華民国は、外国の支援で苦しい状況を耐え抜くこととなる。

国共合作、ドイツを仲介に和平工作、泥沼化

軍事的に劣勢の中国は、外交・宣伝戦に活路を求めた。

九月二十一日、ソ中不可侵条約が締結された。スターリンは蔣介石に武器供与を約束する。十月十二日には国際連盟に提訴、蔣介石夫人の宋美齢が流暢な英語で日本の非道を訴えた。これに連盟は応じ、日本を「侵略者」と非難した。十一月三日には国際連盟は、九か国条約違反の声明も出した。

十月二十三日には第二次国共合作が正式に成立したが、これはスターリンが中国共産党に命じたから可能だったし、蔣介石もソ連の援助を求めていた。

十月五日、アメリカのフランクリン・ルーズベルト大統領は、日本・ドイツ・イタリアを病原体にたとえ、隔離せよと演説した（隔離演説）。

これに対し日本は、蔣介石の背後にいる独ソ英米を断ち切ろうとする外交努力にのめりこむが、ドイツとの友好が深まるにつれ、英米との対決は抜き差しならなくなっていく。

十月三十日、蔣介石は重慶遷都を決定し、列強の後ろ盾で徹底抗戦する構えを示す。

当時、日本以外の列強は蔣介石を応援していた。上海を中心に利権を扶植しているイギリス、アジアで覇権を握る日本を嫌うアメリカ、日本に対し隣国として脅威を感じているソ連、軍事顧問団を派遣しているドイツ。

軍事的には連戦連勝の日本は、和平工作を本格化させる。日本は日独防共協定を結んでいるドイツを、仲介者として選んだ。

十一月二日、廣田外相は、オスカー・トラウトマン駐中国ドイツ大使に交渉を依頼する。トラウトマンは、駐日本大使のヘルベルト・フォン・ディルクセンとともに和平に動いた。トラウトマン工作である。

その間も、日本軍の猛攻は続き、十一日には上海を占領した。十八日、大本営設置を決定。二十日、正式に発足させる。大本営とは戦時における陸海軍の調整機関である。宣戦布告が無いので正式の戦争ではないが、このあと全面的な戦時体制に突入

していくこととなる。

当時の日本人が本音では事変を止めたいと思っていても、止められない空気があった。戦時体制で政府の民間に対する統制は強まるが、これは官僚にとって居心地が良い。そこにマスコミが大義名分を掲げて煽れば、政治的経済的自由を放棄し、政府を批判せず統制に耐えるのが愛国者だとの雰囲気が広がる。異論は許されなくなる。

和戦両様とも評価できるが、明らかに戦略目的を見失っていた。そもそも、事変の発端が「暴支膺懲」である。日本人は、中華民国の積年の挑発に怒っていた。そこに盧溝橋事件を発端に、通州事件と大山中尉虐殺事件が勃発、日本国内で「暴支膺懲」の声に逆らうなど不可能であった。ただ、上海を攻略、首都南京をもうかがう情勢となって、「膺懲」が成しえたとの議論も可能であった。当時、日本政府の文武官で「中国全土を征服しよう」などと意見した者は、一人もいない。目の前の現状に対処すべく、「官僚作文」が飛び交うだけであった。トラウトマン工作とて「官僚作文」によって、進展した。戦闘の勝利を続け発言力を向上させたい陸軍、身内を殺され逆上したが適当なところで引き上げたい海軍、外国の顔色を窺い一刻も早い和平を望む外務省、そのすべてに八方美人的に対応する近衛首相。ヒトラーやスターリンの侵略のような計画性は、微塵も存在しなかった。

十二月二日、蔣介石・トラウトマン会談が行われる。蔣介石は、日本が約束を守り、自分の地位が保証されるか、不安だった。七日、蔣介石は南京を脱出、重慶に逃げた。列国の在外公館も重慶に移ることとなり、トラウトマン工作も続けられる。

十日、南京総攻撃が開始された。これが「南京陥落」と伝わり、翌十一日に新聞各紙で報じられるや、祝賀のちょうちん行列がなされた。

十二日には海軍機がアメリカ船パネー号、陸軍機がイギリス船レディーバード号を誤爆する。避難を怠った米英の方に非があるのだが、さすがの日本もここで米英を敵に回す愚を悟り、謝罪と賠償金の支払いで決着させた。中国人に激昂する世論も、米英に対し謝罪の意を熱烈に示す。後の「鬼畜米英」のような風潮は、この時点では存在しなかった。

十三日、日本軍は南京を攻略した。はるか後になって日本軍が大量の中国人を虐殺したとされる南京事件が問題となるが、当時の国際世論では問題となっていなかった。なお翌日、『東京日日新聞』が二人の軍人が「どちらが先に中国人百人を殺すかを競った」とする所謂「百人切り」の記事を掲載したが、これは捏造だった。中国人への侮蔑記事ならば何でも売れる時代だったが故の現象である。

その間もドイツを通じた和平交渉は続く。十四日、大本営政府連絡会議で廣田外相はディルクセン駐独大使に提示した、穏健な和平案を提示した。すなわち、日本軍が占領している地域に戦後の駐屯を認め、日本の権利を尊重せよとの内容だった。そもそも事変前から日中間では殺人事件も含む不祥事が続発し、むしろテロを使嗾するかのような中華民国に条約遵守を求めていた。廣田案は事実上、事変前の原状復帰である。これは他の閣僚の同意を得られなかった。むしろ南京陥落の勢いで、満洲国承認と賠償金の支払いを求めるべきだとの強硬論が飛び出した。

二十二日、廣田は日本政府の総意である過酷な条件をトラウトマンに伝えた。これに蔣介石は逡巡する。日本政府は、蔣介石に誠意無しと看做す。

年が変わり昭和十三年一月十一日、日本では御前会議が開かれた。主導したのは多田駿参謀次長だった。多田は「支那通」で、勝者が敗者に過酷な条件を突きつける愚を理解していた。日本が真に警戒すべきはソ連であり、後顧の憂いを絶つ為の「対支一撃」を離れ全面戦争に突入するのはソ連を利する。むしろ、蔣介石と提携して共通の敵であるソ連に当たるべきだと考えていた。

しかし、多田は孤立無援、政府の閣僚は強硬論一色だった。

十二日、蔣介石に回答を督促。十四日に、蔣介石から内容確認の照会が届いた。十五日、これを遅延工作と断じた大本営政府連絡会議は打ち切りを決定、その旨をドイツにも伝える。

一月十六日、「国民政府を対手とせず」との近衛声明が発表された。自ら和平交渉の相手を否定し、中国全土で泥沼の戦闘を続けることとなる。

一九三七年後半の国際情勢と世界史の中の昭和十二年

国際情勢概観

アジアで支那事変が拡大している間も、独ソ代理戦争のようなスペイン内戦は継続していた。

八月二十七日、バチカンがフランコ政権を承認した。ローマ・カトリック教会は第二次大戦中のファシズム国家に寛大だったが、反共が理由である。バチカンからすれば、民族的なつながりがある英米、防共協定を結んでいる日独が、いがみ合うのではなくソ連を相手に提携するのが理想だった。

十一月十九日、イギリスのハリファクス外相がヒトラーを訪問、英独協調を確認した。

十一月六日、イタリアが日独防共協定に参加する。二十八日にイタリアは満洲国を承認する。十二月一日には、日本もフランコを承認、フランコ（二日に総統に就任）のスペインも満洲国を承認した。十一日には、イタリアも国際連盟を脱退する。日独伊の三国はすべて国際連盟脱退国となった。

こうした流れは、日独伊が国際協調体制の現状打破国となっていると看做された。既に十月五日に、アメリカのフランクリン・ルーズベルト大統領が、日本・ドイツ・イタリアを病原体にたとえ隔離せよと演説した「隔離演説」を行っている。ルーズベルト政権は明らかにソ連よりも日独を敵視していた。日独と英米による対ソ提携は現実味が無かった。

もちろん、この時点で米英ソが日独を滅ぼすのが歴史の必然などではないが、当時の現状を打開するのは極めて困難となっていた。

その最大の理由は、東アジアから西太平洋にかけて最強の大国だった、大日本帝国の当事者能力喪失である。昭和十二年の時点で日本は生存のための明確な国家戦略も政治指導力も存在せず、惰性で支那事変を続け、国力を疲弊させていく。その原因は政府が国民に対し統制を強め、国民もまた統制されるのを歓迎する風潮があったからだ。明らかに当時の正論である和平の道は探られ続けるが、そのすべてが失敗した。

トラウトマン工作を通じドイツとの関係は深まり、最終的には昭和十五年に日独伊三国同盟を結ぶ。そして破滅した。

小国である中華民国は大国の日本の猛攻によく耐えたが、蒋介石の権力は削られていった。第二次大戦後、毛沢東率いる中国共産党に大陸全土を奪われる原因となる。

各国にとって「一九三七年」をどう見るか

大日本帝国、中華民国、中華人民共和国にとって、一九三七（昭和十二）年は重要な年である。

では、他の大国にとっては、どうであろうか。

まずアメリカにとっては、一九四一年よりも重要ではありえない。ルーズベルト大統領個人がいかに反日親中であっても、南北アメリカ大陸の外への介入を拒否する孤立主義を国是とするアメリカがアジアやヨーロッパで大戦争を行うなど、歴史の必然でも何でもない。一九四一年の日米戦争そして米独戦争に至るまでには、多くの紆余曲折がある。

次に、ドイツにとっても重要ではない。翌一九三八年がチェコ進駐とミュンヘン会談であり、一九三九年が第二次大戦開始である。しばしば「もしヒトラーが一九三八年で拡張政策をやめていれば」との仮定がなされる。ドイツにとって決定的な年は、一九三七年ではなかろう。

ならば、イギリスにとっては、どうか。二つの世界大戦の前、大英帝国は世界の覇権国家だった。それが、ドイツ、ソ連、アメリカの挑戦にさらされ、大戦後は「名ばかり大国」に落ちぶれた。その過程で日本との角逐を重視する論者は少ない。だが、日英同盟の喪失に始まり、中国問題をめぐる日本との対立は、イギリスの国益を損ねた。

一九二一年ワシントン会議や一九三〇年ロンドン会議において、日英米三国は多くの面で深刻な対立を引き起こしたが、決定的ではなく、国際協調体制の枠組みを維持した。このとき日英米三国は現状維持国として勝者の側にいた。ドイツやソ連は明らかに敗者の側にいた。ところが、イギリスは日本を現状打破国に追いやり、ドイツとの戦争で亡国寸前に追い詰められ、大戦で勝利した果実は米ソに奪われた。

無理に一九三七年と特定する必要はないが、大英帝国崩壊過程での対日関係と中国問題は重視してよいであろう。

そしてソ連である。ソ連は建国以来のロシア革命干渉戦争で、日米英仏を敵としていた。そこにナチスドイツが敵として加わった。日英、日米英、日独など常に挟撃を恐れねばならない地政学的環境だった。そしてその挟撃は、常に隣国の日本を脅威とする。

世界の中の日本の「昭和十二年」

一九三七年以降の日本は、二度と挽回することなく亡国に転がり落ちた。逆にソ連は九死に一生を得ただけでなく、地球の半分に覇権を及ぼした。

この間、およそ国策とよべる代物が不在だった日本は言うに及ばず、独英米も多くの錯誤を犯した。ドイツはイギリスが片付かない間にソ連に攻め込み、さらに日本の宣戦布告になぜか付き合いアメリカと戦争を始めた。ナチスがなぜソ連に攻め込んだのか、また義務が無いにもかかわらず条約やぶりの常習犯のヒトラーが律儀に日本との同盟だけ遵守したのか、歴史の謎だが、とにもかくにもソ連は助かった。

米英は大戦の勝者だが、第二次大戦の戦争目的は何だったのか。ヨーロッパではドイツに占領された東欧の解放であり、アジアでは中国からの日本の駆逐である。ところが大戦後、東欧はソ連の勢力圏に、中国は共産主義者の手に落ちた。

結局、日独と米英のいがみ合いでソ連は漁夫の利を得たのである。

その起点は一九三七年なのである。

アメリカやヨーロッパの立場では、一九三八、一九三九、一九四一年といった年が重要かもしれないが、欧米にとって重要なソ連にとってみれば、一九三七年は極めて重要な年である。無視してよい年ではなかろう。

確かに日本史の立場では昭和十二（一九三七）年は決定的に重要な年だが、単にアジアの国にとってだけ重要な年ではない。特定の年をキーワードとし、歴史事象を研究する試みの一つの成果として提示する。

主要参考文献

昭和十二年、あるいは一九三七年に関する研究は膨大である。よって、日中戦争／支那事変を取り扱った主な研究書のみを提示、簡単な解説を付す。著者別。

鳥海靖

『大世界史23　祖父と父の日本』（文藝春秋、一九六九年）

→「マルクス史観」で書かれていない、おそらく初めての昭和戦前史の概説書。

伊藤隆

『日本の歴史（30）十五年戦争』（小学館、一九七六年）

→日本近現代史の碩学が、「ファシズム論争」により、戦前日本をファシズム体制であるとした通説を否定、実証史学を開いた。題名に反し、「十五年戦争史観」を徹底的に否定する。

伊藤隆

『昭和期の政治』（山川出版社、一九八三年）

『昭和期の政治 続』（山川出版社、一九九三年）

→「近衛新党」「近衛新体制」を軸に、昭和十年代の政治状況を膨大な史料に基づき再現する。

藤原彰

『昭和史』（遠山茂樹・今井清一との共著、岩波書店、一九五〇年）

→ある意味で記念碑的な著作。日中戦争を「日本の侵略」との歴史観で描く。

藤原彰

『昭和天皇の十五年戦争』（青木書店、一九九一年）

→著者の歴史観は一貫している。

吉田裕

『天皇の軍隊と南京事件』（青木書店、一九八六年）

『日本の軍隊――兵士たちの近代史』（岩波新書、二〇〇二年）

『日本軍兵士』（中公新書、二〇一九年）

→「天皇の名による侵略戦争」「天皇の軍隊による残虐行為」という歴史観は、一貫している。

笠原十九司

『南京事件』（岩波新書、一九九七年）

『「百人斬り競争」と南京事件』（大月書店、二〇〇八年）

『海軍の日中戦争』（平凡社、二〇一五年）

『日中戦争全史〔上〕〔下〕』（高文研、二〇一七年）

→「南京事件」の代表的研究者。海軍の責任にも言及しているのが特徴的。

古屋哲夫

『日中戦争』（岩波新書、一九八五年）

→伝統的な「十五年戦争史観」に立脚、満州事変と日中戦争の連続性を強調。

加藤陽子

『戦争の日本近現代史』（講談社現代新書、二〇〇二年）

『戦争の論理』（勁草書房、二〇〇五年）

『満州事変から日中戦争へ』（岩波新書、二〇〇七年）

↓最近は一般向けの概説書も多い。

小林英夫『日中戦争　殲滅戦から消耗戦へ』（講談社、二〇〇七年）
↓日本の満洲政策の専門家。

戸部良一
『日本陸軍と中国』（講談社、一九九九年）
『ピース・フィーラー――支那事変和平工作の群像』（論創社、一九九一年）
『日本の近代（9）逆説の軍隊』（中央公論新社、一九九八年）
↓詳細に事実関係を集積する。

秦郁彦『南京事件――「虐殺」の構造』（中公新書、一九八六年）
↓南京「大」虐殺も、「まぼろし」も双方を否定。

井上寿一
『日中戦争下の日本』（講談社、二〇〇七年）
『昭和の戦争』（講談社、二〇一六年）
↓外交史の中に日中戦争を位置付ける。

波多野澄雄『「大東亜戦争」の時代』（朝日出版社、一九八五年）
↓外交史の立場でイデオロギー色は薄いが、結論は通説と同様。

盧溝橋（マルコポーロ・ブリッジ）周辺の航空写真

各論［満洲、モンゴル］

満洲国の内政と四つのモンゴル

【日本における「満蒙」とは何だったのか】

宮脇淳子

●みやわき・じゅんこ　一九五二年生。京都大学文学部卒業、大阪大学大学院博士課程修了。博士（学術）。専攻は東洋史。公益財団法人東洋文庫研究員。主著に『日本人が教えたい新しい世界史』（徳間書店）、『モンゴルの歴史』（刀水書房）、『最後の遊牧帝国』（講談社）他。

はじめに

一九三一年九月に日本の関東軍が起こした満洲事変の結果、翌年に建国された満洲国は、日本の傀儡国家だったことは間違いない。ただし、ロシア革命のあと北モンゴルに建国されたモンゴル人民共和国は、唯一ソ連だけが承認した傀儡国家だったし、第二次世界大戦前、世界中で独立国家と呼べるものは六十あまりしかなかった。そのうちの二十カ国以上が満洲国を承認し、ソ連とは建国以来国境紛争を繰り返したが、事実上承認の関係にあった。

清朝最後の皇帝溥儀を国家元首とした満洲国は、シナ史の文脈では後清朝である。だから、これを中国は偽満洲国と呼ぶ。そうしなければ、中華民国が偽中国になるからである。

満洲国は、国家として十三年半しか存在しなかったと批判されるが、日清戦争から数えて五十年、日本はその地に深く関与した。満洲は今は中国であるから、日本史の範疇から外れる、外国を侵略した負の歴史である、としか考えないのは、戦争責任をすべて日本に押しつけた東京裁判史観であり、現代中国の主張をそのまま受け入れる政治的忖度に過ぎない。

一九四五年八月に日本が大東亜戦争に敗れたとき、満洲には軍人を含め約二百二十万人の日本人がいた。六十万を超す軍人が共産圏に抑留され（モンゴルや中央アジアやコーカサスにも連れて行かれたから、「シベリア抑留」は言葉を言い換えた史実の矮小化である）、六万人が命を失った。一般人も、引揚げまでの収容生活で十三万人が亡くなった。残る日本人はほとんど全員が内地に引き揚げたが、彼らすべてを侵略者と見なし、満洲の歴史を日本近現代史の一部として教えない、戦後の日本教育のほうに問題があると筆者は考える。

　本論ではまず、学校教育でほぼ教えられない、満洲国の建国から昭和十二年にいたる日本人の関与を見ていく。真面目な日本人は、いったん国家が建国されたからには全力を尽くし、内地と同様に官僚的に国家運営をした。当時の満洲国にとって、支那事変は別の地域の出来事であり、それよりも、すでに日本領になっていた朝鮮半島との関係のほうが満洲国にとっては重要懸案だった。

　続いてモンゴルに話を移す。戦前の日本でなぜ「満蒙」と呼ばれたかというと、日本が建国した満洲国の西三分の一は、清朝時代にはモンゴル王公が統治していた草原で、二十世紀になって漢人が入植した土地だったからである。中華民国になったあと、草原に勢力を拡大する漢人農民に反発して満洲事変に呼応したモンゴル人も多く、満蒙国という国名にならずに失望したと言われる。

　筆者の専門であるモンゴル史は、戦後の日本人にとって、満洲以上に縁のない分野になってしまったが、戦前には日本と深い関係にあったことは本文にある通りである。一九三七年に焦点をあててはいるが、そこにいたる清朝時代からの歴史概説と、日本が彼らの運命に深く関与した日露協約についても詳細に見ていく。

一　満洲国建国

　一九三一（昭和六）年九月十八日、日本の関東軍が奉天郊外の柳条湖で満鉄線路を爆破して始まった満洲事変は、一万数百人の関東軍により、奉天、営口、安東、遼陽、長春など南満洲の主要都市がたちまち占領され、独断越境した約四千人の朝鮮軍の増援を得て、陸軍中央や日本政府の事変不拡大指示にもかかわらず、管轄外の北満洲に進出、十一月には馬占山軍との激しい戦闘の結果、黒龍江省の首都チチハルを占領し、翌三二年二月のハルビン占領によって、東三省を制圧するにいたる。

　一九三二（昭和七）年二月十六日、奉天に張景恵、臧式毅、熙洽、馬占山の四巨頭が集まって、東北行政委員会が組織され、三月一日、彼らの他に、熱河省の湯玉麟、内モンゴル哲里木盟長の斎黙特色木丕勒、ホロンブイル副都統の凌陞を委員とし、張景恵が委員長をつとめる東北行政委員会が、満洲国の建国宣言を行なった。前年十一月に土肥原賢二・奉天特務機関長によっ

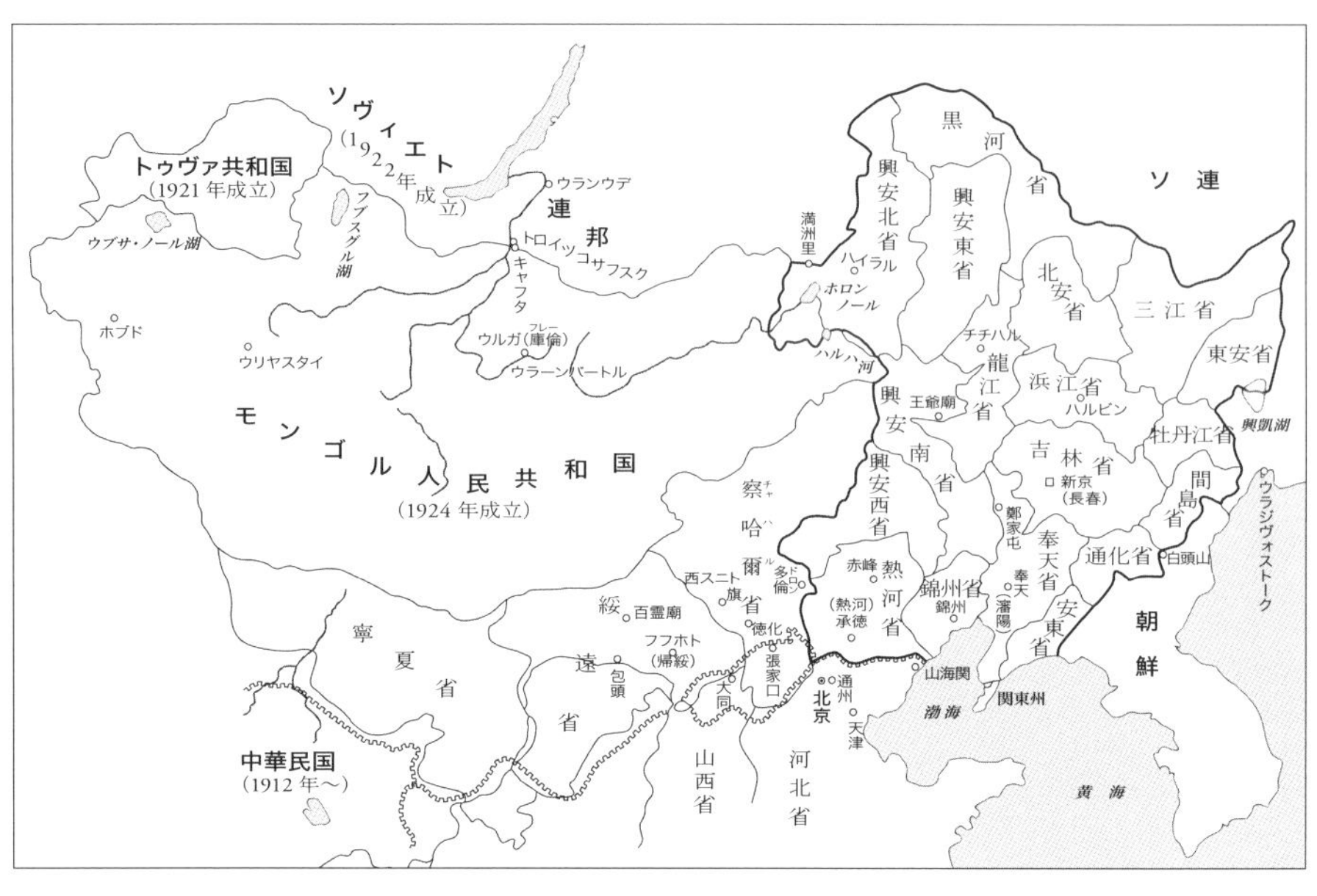

出典：宮脇淳子『モンゴルの歴史』刀水書房、2018年

地図1　満洲国（1932-34）から満洲帝国（1934-45）時代

て、天津の日本租界から連れだされていた清朝最後の皇帝・溥儀が、執政という名の元首についた。

国体は民本主義、国旗は赤・青・黒・白・黄色の新五色旗、年号を大同、首都を新京（長春）と定め、王道楽土の建設と五族協和を綱領とした。この五族は、漢人・満洲人・モンゴル人・日本人・朝鮮人を指すが、満洲国の「五族協和」は、清朝の満・漢・蒙・蔵（チベット）・回（ウイグル）を起源とする、中華民国の「五族共和」を強く意識していた。五という数は語呂合わせのようなもので、満洲国ではこの他、ロシア人が構成民族としてポスターに描かれるなど、多民族国家を標榜した。

一九三四年三月に執政溥儀は皇帝に就任し、満洲帝国が成立する。このとき年号は康徳と改められ、溥儀の紋章は、日本皇室の菊の御紋章にならって、蘭の花となった。

建国時に話を戻すと、天津から脱出したあと、関東軍によって旅順に隔離されていた溥儀は、三月九日に長春で執政に就任する直前、秘密裏に、本庄繁関東軍司令官あての書簡に署名させられていた。その内容は、次の四項目である。

一、満洲国は、国防および治安維持を日本に委託し、その経費は満洲国が負担する。

二、満洲国は、日本軍が国防上必要とする鉄道・港湾・水路・航空路などの管理や敷設を日本または日本が指定する機関に委託する。
三、満洲国は、日本軍が必要とする各種の施設を極力援助する。
四、日本人を満洲国参議に任じ、その他の中央・地方の官署にも日本人を任用し、その解職には関東軍司令官の同意を必要とする。

この書簡は一九三二年九月一五日に締結された日満議定書の附属文書とされたが、戦後になるまで公表されることはなかった。その日付も、執政就任後と改竄されている。

溥儀夫妻

満洲事変勃発からほぼ一年後にようやく、日本国は満洲国を正式に承認した。国際連盟をおそれた日本政府、とくに犬養毅首相は、満洲国承認をしぶったのである。五・一五事件で犬養首相がテロにたおれた一カ月後、衆議院が満場一致で満洲国承認を決議したので、リットン委員会が報告を提出するのに先立って、関東軍司令官兼駐満全権大使の武藤信義と満洲国総理の鄭孝胥の間で日満議定書の調印が行なわれた。議定書は以下の二カ条からなり、さらに先の秘密書簡の内容が確認された。

一、それまで日本国または日本国民が、日華両国間の取り決めおよび公私の契約によって満洲国領内に持っていたすべての権利と利益を無条件で承認する。
二、日満両国による共同防衛を約し、日本軍が満洲国内に駐屯することを定める。

二　満洲国の行政組織

満洲国建国から表題の一九三七（昭和十二、康徳四）年にいたるまでの内政をまず見ておきたい。

満洲国の行政組織は、執政のもとに、立法、行政、司法、監察の四権分立制を採ることとされ、具体的には、立法院、国務院、法院、監察院の四院によって中央政府が構成されることになった。しかし立法院は、執政のもつ立法権のうち法律案と予算案に対して可決するだけの機能しかもたなかった。立法院が

満洲国建国時の日本軍人と現地人

否決しても執政は再議に付すことができるし、否決されても、参議府にはかって裁可公布できるなど、立法院の権限はきわめて限定されていた。その立法院ですら、関東軍は名目的なものにとどめ、開設しない方針だった。

国務院が行政府で、日本の内閣にあたる。国務院総理大臣（当初は国務総理）が唯一の国務大臣で、初代が鄭孝胥、二代目が張景恵であった。その下に総務庁があり、総務長官は日本人が任命されて実質的な権力をにぎり、実際の行政を担当した。これが総務庁中心主義ないし国務院中心主義と呼ばれた統治形式である。

総務庁は、日本でいうなら、内閣書記官長と企画院と法制局と内閣情報部を合わせたようなものであるが、その権限も仕事の内容も、これら三者を合併したものにくらべて著しく大きく、満洲国の中枢神経のような役目を果たした。総務長官主宰のもとで、日系の各部総務司長ないし次長、処長などが参加して開かれる定例事務連絡会議、言ってみれば官制上なんら根拠のない会議で、満洲国の政策が実質的に決定された。

日本の省にあたるのが部で、財政部、軍政部、民政部、文教部、司法部、外交部、蒙政部、実業部（経済部、産業部とも）、交通部があった。日満定位といって、部長や司長は満洲人が任命されたが、副部長や次長、代理の日本人官僚が実際の業務を牛耳っていた。

関東軍は、日本人官吏に対する任免権をもっており、政治、行政上の重要事項および日系官吏の採用などの決定に関しては、総務庁から関東軍参謀部第三課（のちの第四課）に連絡をし、その審査を経て承諾を得ることが要求された。これが関東軍の内面指導と呼ばれたものである。

一九三二年八月、板垣征四郎をのぞいて、建国を主導した幕僚たちは関東軍から転出し、関東軍司令官が、満洲派遣特命全権大使と関東庁の長官を兼任して三位一体制をとることになった。関東軍司令官が本庄中将から武藤信義大将に、参謀長が橋本少将から小磯国昭（こいそくにあき）中将に格上げされたのは、日本軍部の満洲国への組織的進出と、日本政府内での満洲国統治に対する発言力の強化をめざすものであった。

三四年十二月、在満行政機関を統合する対満事務局の設置と関東庁の廃止によって、二位一体といわれる体制が実現した。この機構改革によって、それまで日本の外務省、拓務省がもっていた在満行政権のほとんどを、関東軍司令官が統括することになった。

日本の陸軍大臣を総裁とする対満事務局には、日本の大蔵、外務、内務、拓務、商工、陸軍などの関係各省の局長をもって構成する参与会議が付設され、各省の満蒙に関するエキスパートが事務官として集められた。日本政府が総体として満洲国統治に参画し、政策調整にあたることになったのである。

三　一九三七年の満洲国重要事項

ここではまず、満洲国における一九三七年の重要事項を列挙しておくが、いずれも、同年の支那事変とは無関係に、満洲国の国内政治が積み重ねられてきた結果である。


一月、満洲国と朝鮮の間で鴨緑江共同技術委員会設置。

三月、満鮮で、鴨緑江、図們江の国際橋架設協定。

四月、第一次産業開発五カ年計画が始まる。張国務総理大臣が訪鮮して南次郎朝鮮総督と会談し、満鮮関係の協力促進を話し合う。

五月、重要産業統制法が公布される。

六月、黒龍江乾岔子（カンチャズ）沖で、日満、ソ軍交戦（乾岔子島事件）。新京東京間定期航空開始。

七月、行政機構改革が行なわれる。監察院が廃止され、刑法、刑事訴訟法、民法、商人通法などの商事諸法、民事訴訟法、強制執行法などの法令の日本化が達成される。各部総長は大臣に、総務庁長は総務長官に改称される。

八月、建国大学令公布（学長は張景恵国務総理、副学長に作田荘一博士）。満洲拓殖公社が設立される。満鮮で鴨緑江および図們江発電事業協定。

十月、新学制公布（初等教育、中等教育、高等教育と三段階、この他、師導教育と職業教育の二部門）。満鮮直通客車貨車乗り入れ協定。

十一月、日満間の郵便規則制定。

十二月、日本は関東州の治外法権を撤廃し、満鉄の附属地行政権を満洲国に移管する。

四　日本の対満投資と産業開発五カ年計画

日本の対満投資は、満洲国建国までは累計一七億五〇〇〇万円といわれたが、建国以来一九三七年に至るまで、二五億円におよぶ新たな投資が行なわれた。このほか関東軍の軍事費を全部日本が負担したことが、実質的に満洲国の財政を援助し、その国際収支に格段の好影響をもたらしたのであった。

知られているように、建国当初の関東軍は反資本主義的傾向が強く、日本の財閥資本の排除と一業一社主義の統制経済を唱えたので、開発が進まなかった。そこで関東軍は一九三四年に声明を発し、国防上重要な事業や公共公益事業の他は、広く民間の進出経営を歓迎する、と一般企業に呼びかけなければならなかった。

一九三四年十二月に実業部の外局として設けられた臨時産業調査局、通称「産調」は、一九三七年七月に廃止されるまでの三年足らずの間に、農業水利をはじめとする農村経済の実態調査、水力発電の調査、とくに第二松花江・鴨緑江におけるダムの建設計画、東辺道をはじめとする鉱産資源の調査、開拓移民の適地調査、牧畜、淡水漁業等に至るまで広範な実地調査を行ない、満鉄の調査とあいまって産業開発五カ年計画に必要な基礎データを提供した。

一九三六年、日本の商工省文書課長だった岸信介（のぶすけ）が陸軍に嘱望されて渡満し、満洲国の実業部部長と総務庁次長を兼ねて、産業開発計画を推進した。岸はもともと国家主義的計画経済の提唱者で、商工省の椎名悦三郎（えつさぶろう）ら十七名がその手足となって働いた。

当初の計画は、鉄鋼、石炭、アルミ等の重工業物資、車輌、自動車、飛行機等の軍需品、食糧飼料等の農産物について、所要資金二五億円、年平均五億円という計画であった。しかし二五億円といえば、当時の日本の財政規模（一九三六年度一般会計歳出総額二四億円）を超えるものであったから、積極財政の馬場鍈一蔵相も快く承知しなかった。

産業開発計画が論議されている間に、関東軍は日本の産業資産家を現地に招き、意見を徴したが、なかでも日産会長の鮎川（あゆかわ）義介（よしすけ）の所論は、関係者をして大いに傾聴させるものがあった。鮎川は、限られた自動車や飛行機製造工業部門のみ移駐しても、関連産業がこれに伴わなければ生産は軌道に乗るものではないとし、外資導入の必要を説いたのである。

結局大蔵省は外資導入に賛意を表し、翌一九三七年三月、大蔵、商工両省の留保付きで対満事務局の決定を見ることができた。

ところが、満鉄による資金導入が困難となったために、同年末、岸は鮎川義介の日産財閥を日本から招いた。日産は、傘下に日立製作所・日産自動車・日本鉱業・日本化学工業など一三〇社、一五万人を擁した大コンツェルンだった。

日産側の事情として、新たに満洲国法人を設立するのは、外部からの激しい反対が予想されたので、公然と日産解散の手続きを取ることは許されなかった。しかし、先の三「重要事項」に挙げ、詳細は後述するように、一九三七年十二月一日を期して、満洲国内における日本の治外法権が撤廃され、満鉄附属地の行政権が満洲国に委譲されることになっており、それまでに日産が本社を満鉄附属地に移転させておけば、十二月一日には自動的に満洲国法人となるのだった。

こうして満洲に進出するにあたって、日産は満洲重工業開発株式会社（満業）と社名を変更し、資本金二億二五〇〇万円で、同額を現物出資した満洲国と折半出資となった。満洲国の現物出資とは、満鉄からとりあげた工場や鉱山のことである。

日本内地では、鮎川構想の核心をなす外資導入に激しい非難の矢が向けられたが、盧溝橋事件のあとでも鮎川は、日産移駐のめどがつき次第アメリカに出かけ、財界の有力者たちを説いて外資導入を実現し、さらにこれを通じて一般の世論を満洲国承認の方向に引っ張ろうと考えていた。しかし、船室の予約もすませた十二月、米国の対日世論が一挙に硬化し、渡米の機会はついに訪れることなく終わってしまった。

満鉄は鉄道部門と撫順の炭鉱と調査部門だけに改組縮小されたが、当時の満鉄総裁松岡洋右（ようすけ）は岸の叔父の義兄だったから、岸の人脈によってこれが成功したといわれる。

しかし、この第一次産業開発計画は、支那事変の進行にともない、欠乏した軍需原料を求める日本の物動計画にはめこまれることになる。修正の重点は鉄・石炭・液体燃料・電力部門の拡大で、資金計画も当初の二倍以上になったが、開発資材がともなわなかったために、一九三八年日満伊通商協定、満独通商協定をむすんで、農産物（大豆）の輸出によってこれを獲得しようとした。しかし一九三九年のドイツの開戦によってこれも期待はずれにおわり、満業の外資導入は失敗し、資材不足に悩み続けたのである。

五　治外法権の撤廃

満洲国における治外法権の撤廃は、建国直後からの懸案であったが、一九三四年十二月の対満事務局設置によりようやく機運が高まり、一九三五年二月外務省内に「満洲国治外法権撤廃に関する委員会」が設置された。同年八月の閣議において、日本政府は「撤廃に関する大綱方針」を決定したが、そこでは、関東州租借地は、満鉄附属地とはその法源、性質を異にするので別個の問題とし、全体として漸進主義を表明している。

当時、満洲国に居住する日本人は、満鉄附属地を含め内地人四〇万人、半島人一〇〇万人で、満洲国の課税法規適用について相当の不安を抱いていた。満鉄附属地に関しては、原則として満洲国の課税法規が適用されることになるが、附属地行政権の満洲国への移譲が実施されるまでは、附属地内外の日本人の課税負担公平化のため、附属地外の日本人に対しては関東局が満洲国側の税率に従って国税を課し、地方税については満鉄が経営している土木、教育、衛生等の諸施設に対する処理を経た後に課税する方針を立てた。

一九三六年六月、第一次撤廃条約が、新京外交部において植田謙吉全権大使と張燕卿外交部大臣の間で調印され、七月より実施の運びとなった。骨子は次のようである。

「日本の有する治外法権を漸進的に撤廃し、満鉄附属地行政権を調整ないし移譲する。まず日本人の居住および各種権利利益の享有ならびに満洲国の課税、産業等に関する法令の適用につき左のとおり協定する。

一、日本人は、満洲国の領域内において自由に居住往来し、農・商・工業その他に就くことができ、かつ土地に関する一切の権利を享有する。

二、日本人は、満洲国の領域内で、満洲国の課税、産業に関する行政法令に服する。本法令は満鉄附属地においても属地的に施行する。

前一、二項とも、適用に際し、日本人は満洲国人民に比し不利益な待遇を受けることはない、かつ日本国法人にもこれを適用する。」

附属協定においては、「一、従来旧東北政権が日本人に対し『商租権』を認めながら事実上行使させなかったのを改めて、これに代わる土地所有権の規定を急ぐこと。二、日満両当局間で、満洲国の課税、産業関係法令の範囲、態様につき協議決定すること、ただし当分の間日本人に対しては一部軽減税率の適用を考慮すること。三、法令の適用および執行につき司法手続によるべきものは司法権撤廃まで日本領事館において処理する。四、行政警察権はおそくとも一九三七年十二月末までに撤廃または移譲する」ことを相互に確認した。

一九三六年のこの治外法権の一部撤廃は何ら紛糾を起こさず、成功であることが確認されたので、早くも翌三七年十二月末までに完全実施する方針が決定された。

一九三七年九月、日満共同の現地委員会が準備折衝を終了、条約案は日満両国政府の手に移され、十一月五日、新京において植田謙吉特命全権大使と張景恵国務総理大臣の間で歴史的条約調印式を挙行した。その撤廃および移譲に関する条約文の要旨は左の通りで、同年十二月一日より実施された。

一、日本の有する治外法権を全面的に撤廃し、満鉄附属地行政権を満洲国に移譲する。
二、日本人は満洲国の領域内において満洲国の法令に服し、満洲人民に比し不利益なる待遇を受けることはない。以上はいずれも日本国法人にも適用する。
三、満洲国領域内における日本国法人は、同時にこれを満洲国法人と認定する。

さらに附属協定により、一、日本の領事裁判制度は終止し、日本人は満洲国の裁判に服する。二、満鉄附属地の課税、警察、通信その他の行政を満洲国政府に移譲する。三、日本人は満洲国の警察その他の行政に服する。四、ただし神社、教育、兵事に関する行政は日本国が行なう。五、前記の撤廃および移譲に伴い、日本側の施設、人員を満洲国政府が引き継ぐ、という約束が取り交わされた。


治外法権撤廃後なお日本機関に残された行政は、附属協定の四にあるとおり、教育、兵事、神社の三行政であって、これが関東州の返還問題とともに将来の問題として残された。

在満日本人は、日本国に対しては国民教育を受けることと兵役に服する義務があり、かつ日本の国籍法により、日本の国籍を離脱しない限りこの義務を免れることはできない事情にあった。建国以来満洲国の国籍法については各方面で研究されたが、ついに成案を得るに至らずして終戦となり、在満日本人は、日本国籍のまま敗戦を迎えたのである。

十三年半しか存在しなかった満洲国では結局憲法は制定されず国籍法もないままだった。戦後の日本人がもっとも忸怩としているのはこのことである。しかし同時代の中華民国に憲法はあったかというと、各地の政権が憲法草案はつくったが、すべて自己の正当化をはかるもので、当時の中華民国は立憲国家でもなく全国が統一されていた国民国家でもなかったことをわれわれは知ったほうがよい。

治外法権撤廃に先立って、満洲帝国では、一九三七年七月に監察院が廃止され、刑法、刑事訴訟法、民法、商人通法などの商事諸法、民事訴訟法、強制執行法などの法令の日本化が一応達成している。

六　四つに分かれたモンゴル

さてここからは、「満蒙」の「モンゴル」に話を移すが、モンゴルは国ではなく、領域も各国にまたがっているため、話の進め方が満洲とは大きく異なることを了解せられたい。

この頃のモンゴルは、大きく四つに分かれていた。北からソ連領のブリヤート、中国と日本が「外蒙」と呼んだモンゴル人民共和国、満洲国の興安省となった東部内蒙古、中華民国領の内蒙古である。当時の史料にはすべて「蒙古」と書かれているが、これは野蛮人であるからとわざわざ悪い意味の漢字を発音に当てた中華思想なので、本項ではなるべく「モンゴル」と書くことにする。

中華民国領の内モンゴルは、実際は二つに分かれていた。満洲国領の内モンゴルを東部と呼ぶので、中華民国領には中部と西部が残ったわけであるが、中部のシリーンゴル盟とチャハル盟は、モンゴル人王公・徳王の勢力圏で、日本の関東軍の後援を得て中華民国からの独立を志していた。西部は蒋介石配下の軍閥、綏遠省長傅作義の勢力下にあった。

ソ連領のブリヤートだけは、十七世紀からロシア帝国臣民であったが、一九二四年にモンゴル人民共和国となった「外モンゴル」、一九三二年に満洲国領になった「東部内モンゴル」、徳王配下の「中部内モンゴル」、中華民国下の「西部内モンゴル」は、すべて一九一二年までは清朝領だった。

一九三七年だけに焦点を当てても理解出来ない事柄が多いので、ここで歴史を遡って、十九世紀末からのモンゴル史を簡単に説明しておきたい。

清朝時代には、モンゴルとチベットと回部（今の新疆）は藩部と呼ばれ、満洲皇帝に臣属しているが自治を許され、漢人の移住は禁止されていた。内モンゴルと外モンゴルの区別はなく、チンギス・ハーンの子孫の遊牧領主たちは清から旗長（ジャサク）に任命され、清朝皇族と同じ爵位を与えられていた。草原は旗ごとに牧地が指定され、旗の上には盟が置かれ、旗長が互選で盟長を選び、三年に一度の会盟で各旗を越える問題が処理された。のちの内モンゴルには四十九旗あり六盟に分かれていた。

山東省から始まった義和団の乱を、一九〇〇年、清の西太后が義兵と歓迎し列国に宣戦布告したため、一九〇一年の北京議定書により、清は十一カ国に莫大な賠償金を支払うことになった。このために清朝政府は、それまでの満洲とモンゴル草原に対する保護政策を一八〇度転換させ、税金を取るために草原への漢人農民の入植を奨励するようになる。このことが、モンゴル人が清朝の支配から離れようと考える原因になったのである。

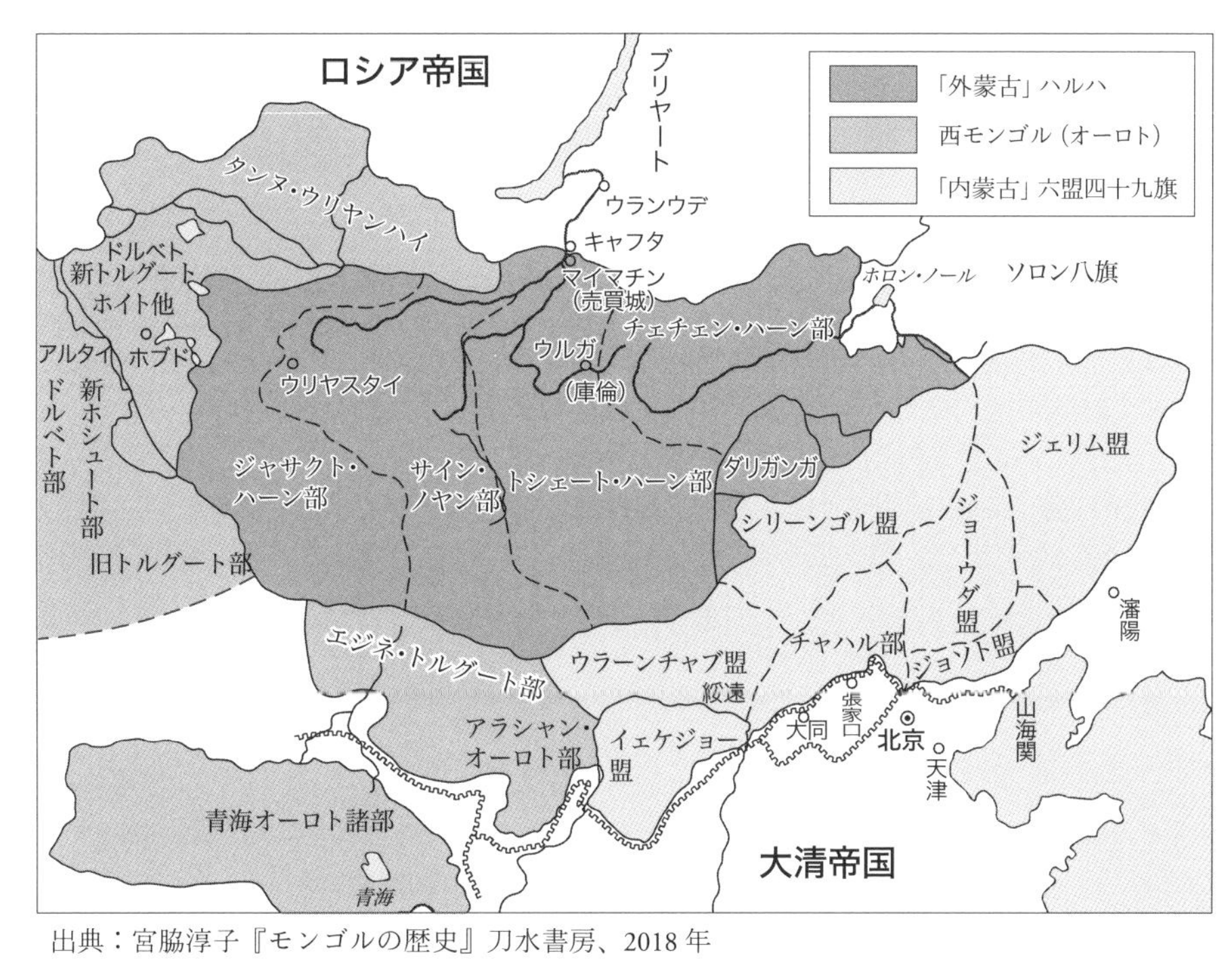

出典：宮脇淳子『モンゴルの歴史』刀水書房、2018年

地図2　清朝末期のモンゴル

日露戦争後は日本とロシアの間で満洲分割が始まる。ロシアが敷設を始めていた東清鉄道南満洲支線の東側は満洲平野、西側はもとのモンゴル草原だった。日本が進出する直前に漢人農民が合法的にモンゴル草原に入植し始めたのであり、漢人の有力者たちは自警のために張作霖のような保険隊を雇った。保険隊も「保険区」外では馬賊に転じるのだった。

一九〇六年、清は対モンゴル新政策を打ち出し、それまでの旗長による間接支配を排し、モンゴル駐留軍を増加した。

一九〇七年、清はそれまで軍政を敷いてきた満洲を内地並みに扱うことを決め、奉天、吉林、黒龍江に巡撫を設け、東三省総督を置いた。これが現在の中国東北三省の起源である。

七　内モンゴル、外モンゴルに分かれるのは日露密約が根源

日露戦争後、一九一七年のロシア革命まで、日本とロシアの関係は良好である。日本がロシアから得た南満洲鉄道は、ロシアが運営する鉄道に接続しているのだから、旅客や貨物を載せた車両を安全に引き継ぐため、ロシアと協議する必要があった。

一九〇七年の第一次日露協約は、北満洲と南満洲の分界線を決め、北満洲はロシア、南満洲は日本の勢力範囲とする秘密条款を含んでいた。また、ロシアは朝鮮における日本の行動を承認する代わりに、日本は北モンゴル（外蒙）におけるロシアの

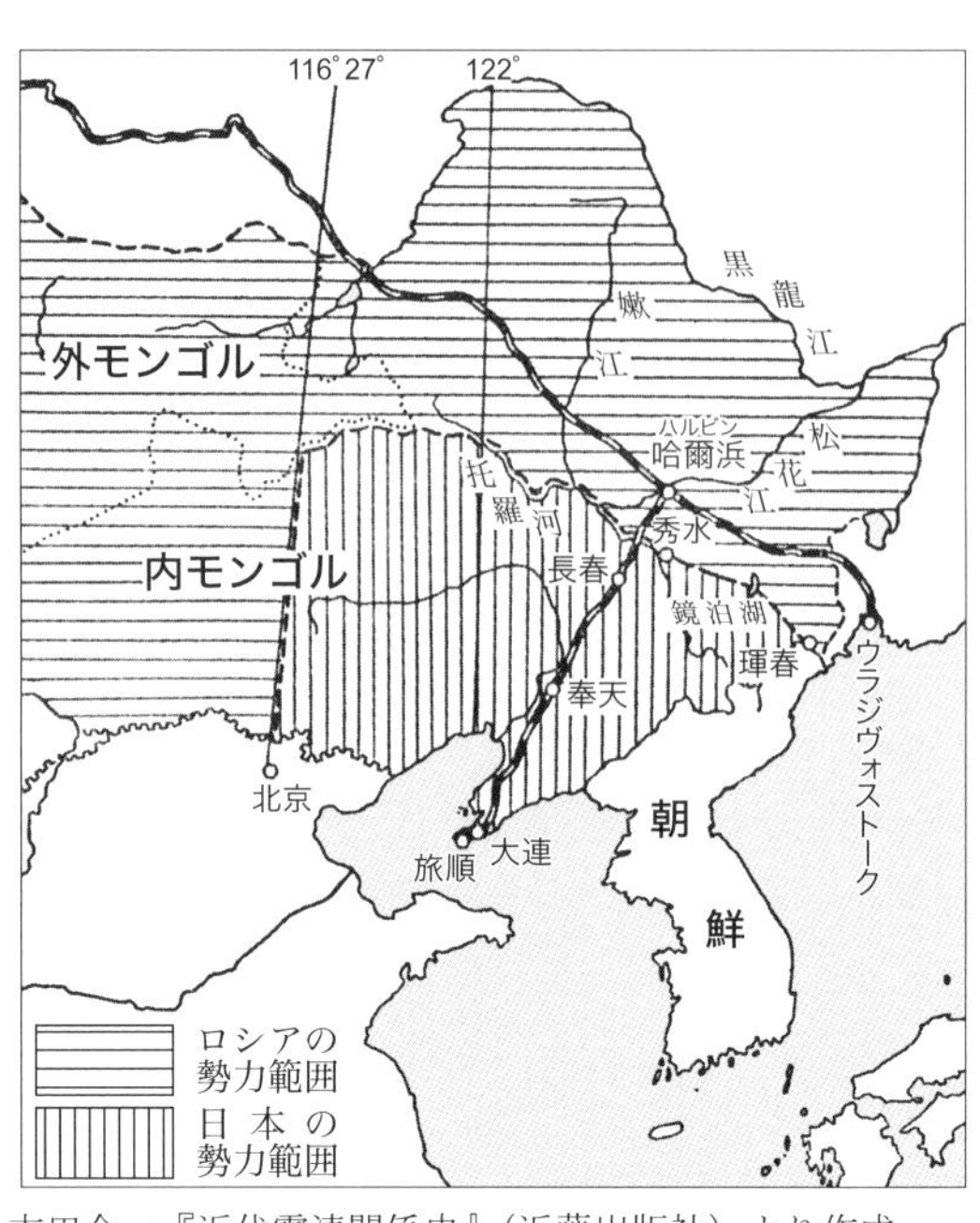

吉田金一『近代露清関係史』（近藤出版社）より作成

地図3　日露協定によってさだめられた日本とロシアの勢力範囲

行動を承認した。

一九一〇年の第二次日露協約の秘密条款では、一九〇七年に定めた勢力範囲の中でそれぞれ行動の自由を持つことを認め合い、満洲を両国の特別利益地域に分割した。同年、清はモンゴルにおける漢人の活動を制止する法令を完全に廃止した。

一九一一年十月、清朝南部で辛亥革命が勃発した直後の十二月、北モンゴルの王公と高僧たちが清からの独立を宣言し、チベット仏教の高僧ボグド・ハーンを元首に推戴した。これを、翌十二年一月に誕生した中華民国は「外蒙古」と呼んだ。のち中華民国内蒙古と呼ばれる四十九旗中三十五旗までが、このときボグド政府の下に合流することを望んだが、内モンゴル各地では、張作霖や袁世凱（えんせいがい）など、中国側の辺境軍閥との間で戦闘が始まり、モンゴル軍はたちまち劣勢になった。日本の川島浪速（なにわ）が、旧知の清朝皇族、粛（しゅく）親王の妹の婿であるハラチン王をはじめ、その他のモンゴル王公に武器弾薬を援助した第一次満蒙独立運動は、このころのことである。

日本は、北モンゴルがロシアの勢力圏であることを容認していたが、一九一二年二月に清朝が崩壊したあと、満洲に隣接する南モンゴル（内モンゴル）における日露の勢力圏を確定する必要に迫られた。同年七月に調印された第三次日露協約では、「内蒙古」に関して、北京を南北に通る線の東は日本、西はロシアの特殊権益とすることが決まる。

こうして「東部内蒙古」（のちの満洲国興安省）が日本の勢力圏に入ることをロシアが承認したので、ボグド政権が頼みとしたロシアは、外モンゴルの地域に限って、それも中華民国の宗主権下での高度自治しか支援できないと、全モンゴル独立の支援を願うモンゴル側の要請をつっぱねた。

一九一三年一月、モンゴルとチベットは、相互の独立を確認し合う条約を締結した。しかし十一月の露中共同声明は、ロシアは「外蒙」に対する中国の宗主権を認め、中国は内政・通商・産業にわたる「外蒙」の自治権を認めるというものだった。一九一四～一五年、この内容をモンゴルにおしつけるため露蒙中の三者会議がキャフタで開催され、モンゴルは中国の宗主権を認めさせられた。しかも「外蒙自治」だけで、「内蒙古」は中国領に留め置かれた。

　ボグド政府の下でさまざまな官職についていた内モンゴル王公のほとんどは、中国側がもと通り領地の領有を許す恩赦の約束をしたので、それぞれの故郷へ帰った。しかし、第一次満蒙独立運動のときから活躍していた熱河出身のバボージャブは、全モンゴルの統一を望んで日本の援助を求め、一九一五年六月、再び川島浪速が動き、大陸浪人や予備将校、満洲駐留軍の一部も加わって、大規模な第二次満蒙独立運動が進められた。日本政府も当初は袁世凱を牽制するため、この運動を暗に諒解していたが、翌一六年六月袁世凱が急死したため、急ぎ挙事工作中止の命が出た。バボージャブは、各地で張作霖軍と戦闘を続けながら北の草原に引き揚げる途中、戦死した。川島浪速は彼の遺児たちを引き取って日本の陸軍士官学校に留学させ、次男ガンジュルジャブは、短い期間だったが、粛親王の十四女の川島芳子と結婚している。

　一九一七年にロシア革命が勃発すると、日本はシベリア出兵を行なうとともに、モンゴル系のブリヤート人を母とするコサックの頭目セミョーノフの汎モンゴル国運動を支援した。セミョーノフは一九一九年二月、チタで汎モンゴル国建設会議を開催したが、ボグド政府は反対し、日本からの援助は期待外れとなったため、この運動は一九二〇年初頭に壊滅した。

　一方、中国は「外蒙古」の完全回復をたくらみ、ボグド・ハーンの宮殿を囲んで自治返上を迫った。一九二〇年六月に結成されたモンゴル人民党は、五月に成立したばかりの極東共和国に代表を派遣してソビエト政府に援助を求めた。一九二一年七月、人民義勇軍が極東共和国側のキャフタからソビエト赤軍と極東共和国軍とともに進撃し、ボグド・ハーンを元首とする連合政府を樹立、一九二四年、ボグド・ハーンが死去したあと、モンゴル人民共和国となった。ソ連最初の衛星国である。

八　関東軍と徳王

日本の勢力圏以外の内モンゴルは中華民国領となり、隣接する各省の漢人軍閥が自己の利益を求めてそれぞれ勝手に蒙地開拓運動を押し進めた。モンゴル人の牧地は減少し、遊牧民の生活は疲弊するばかりだった。

　一九二八年、北伐に成功した蔣介石（しょうかいせき）が北京を占領すると、蒙地に省制が施行される。シリーンゴル盟とチャハル左翼はチャハル省に、チャハル右翼とウラーンチャブ盟は綏遠（すいえん）省に帰属することになった。当時のシリーンゴル盟長は索王（さくおう）で、のちに独立運動で日本でも有名になる徳王（とくおう）（西スニト旗長・郡王）は副盟

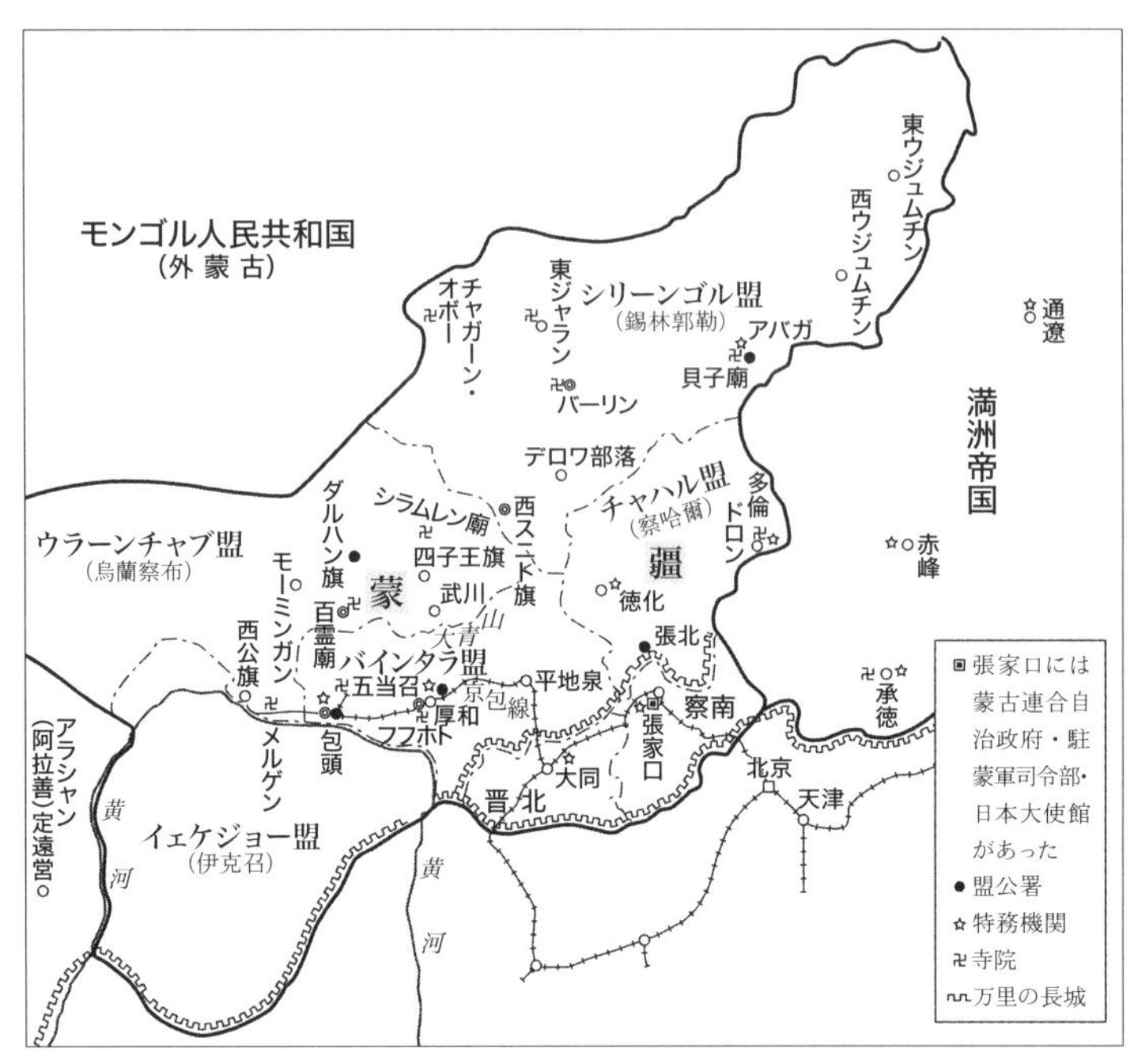

出典：宮脇淳子『モンゴルの歴史』刀水書房、2018年

地図4　日本占領下（1937-45）の西部内蒙古

長だった。徳王はチンギス・ハーンの子孫の一人であるが、前述のように、清朝時代の内モンゴルには四十九旗あり、旗長のほとんどがチンギス・ハーンあるいはその弟の子孫だったし、清から与えられた爵位である郡王は、親王に次ぐ二番目の位である。

一九三三年、徳王が主宰して百霊廟で内モンゴルの王公会議を開催し、省制の廃止と内蒙古自治政府設立を国民党に要請した。蒋介石の国民党は地方自治を承認し、翌三四年、徳王を秘書とする蒙政会（蒙古地方自治政務委員会）が成立した。しかし、この百霊廟蒙政会委員会は、漢人人口の多い省・県の圧迫と財政難に苦しむことになる。

一九三五年一月、関東軍がチャハルに侵攻し、国民政府との間に、土肥原・秦徳純協定が結ばれる。この協定は、関東軍は満洲から越境せず、二九軍は張家口北から撤兵することを約束したものだった。それで関東軍は、熱河省の承徳と赤峰においた特務機関を使って、内モンゴルを中国から独立させるための工作を進めた。チャハル省の多倫には、関東軍に帰順した東北軍騎兵のモンゴル人将軍李守信率いる漢軍が入り、察東特別自治区が成立した。

一九三五年七月、関東軍から六人乗り飛行機を贈られた徳王は、十一月に百霊廟で開催された第三回蒙政会大会で、対日提携を正式に決定する。同月末徳王は満洲帝国の首都新京に行き、関東軍首脳から蒙古建国への軍事・経済援助の約束をとりつける。しかし日本人はまったく知らなかったが、蒙政会委員長雲王は、日本の支配下に入った場合「敵と表面だけの妥協」をする許可を蔣介石から得られるように工作し、呉鶴齢が蔣介石と会見し、蒙政会の「自救自全」（自ら身を安全に保つ）の許可を得ていた。

一九三六年一月、日本の影響下でチャハル盟公署が成立した。徳王は、このとき中華民国の年号を使うことを止めて、チンギス・ハーンが即位した一二〇六年を紀元とする「成紀（成吉思汗紀元）七三一年」を名乗る。内モンゴル独立運動と徳王にとっては、一九三七年よりも一九三六年こそが重要な年であると筆者が考える所以である。

徳王（1902-66）

チャハル盟の人口は、漢族四～五〇万人、モンゴル人約三万人で、財政基盤は漢人地帯にあった。領域は、形式的には左翼八旗と右翼四旗だが、右翼は傅作義を省長とする綏遠省に帰属していたので、蔣介石は日本への対抗上、綏遠蒙政会の設立を命じた。

二月、徳王は西スニト旗に蒙古軍総司令部を設置し、二十数名の日系顧問が関東軍から派遣された。蒙古軍政府の支配地域は、名目的にはチャハル、シリーンゴル、ウラーンチャブ、イェケジョー四盟だが、実際の支配地域はチャハル盟のみで、他盟に行政は及ばなかった。

三月、関東軍が百霊廟に特務機関を設置する。四月、徳王はシリーンゴル草原のウジュムチン右旗の王府所在地で、第一回蒙古大会を招集した。モンゴル人将軍李守信も帳北特務機関長田中久も参列した。五月、徳化に蒙古軍政府（徳王総司令官、李副司令官）が置かれ、六月、徳王が満洲国皇帝溥儀を公式訪問し、相互援助条約が結ばれた。

日本政府と陸軍中央部は、関東軍が綏遠省に帰属するチャハル右翼四旗で内蒙工作を行なうことを禁止し、同地の工作区分を支那駐屯軍とした。しかし、支那駐屯軍を「隷下軍団」と見下していた関東軍はこの工作区分を無視して、「西部内蒙古」（満洲国興安省が「東部内蒙古」であるから、日本の史料にあるこの言葉は、残りの内モンゴルすべてを指している）の中国からの独立を目指した。

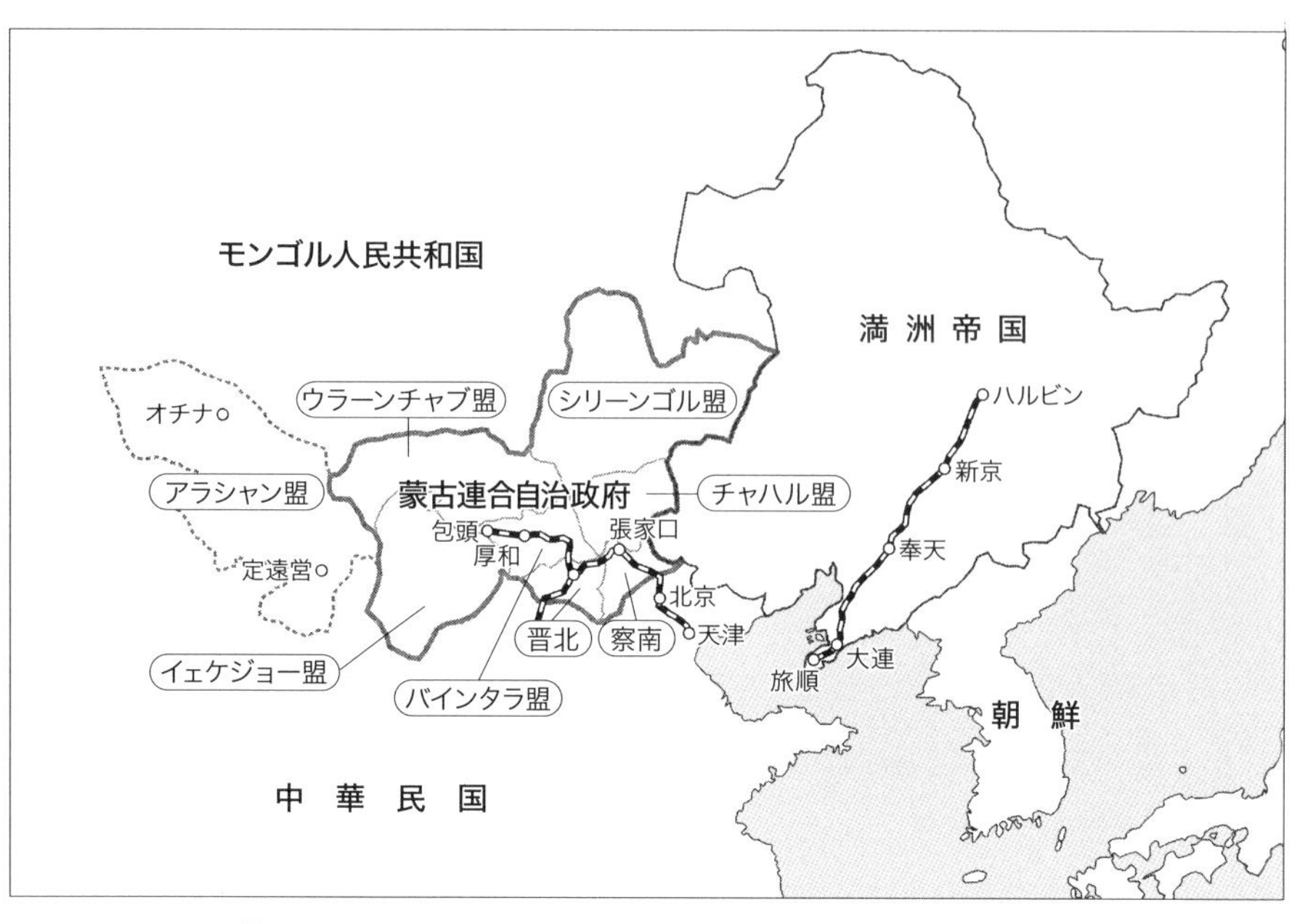

出典：関岡英之『帝国陸軍見果てぬ「防共回廊」』祥伝社、2010年、をもとに作成

地図5　満洲帝国と蒙古連合自治政府（1940年頃）

関東軍は航空路を開拓して対ソ制空権を握るため、参謀長板垣征四郎中将は航空機で綏遠各地を視察して回り、寧夏省のアラシャンにも足を伸ばした。「対蒙施策要領」に基づき、新京から内モンゴルの包頭（パオトウ）、アラシャン、オチナ、東トルキスタン各地、アフガニスタンのカブールを結ぶ航空路の開拓をもくろんだのである。これを「防共回廊構想」という。

関東軍の後援で徳王は綏遠侵攻計画を進めたが、十一月傅作義軍が百霊廟を占領する。田中隆吉参謀の命令で漢人謀略部隊の王英軍が百霊廟を奪還しようとするも失敗、退却したシラムレン廟で王英軍が叛乱を起こし、特務機関員ら日本人二十九名が殺害されるという綏遠（すいえん）事件が起こった。

日本の外務省は日本軍の関与を否定したが、満洲事変以来、無敵と恐れられた関東軍初の敗退の報に中国の民衆は狂喜した。アラシャン特務機関も撤収を余儀なくされ、オチナ特務機関は孤立し、翌一九三七年七月、盧溝橋（ろこうきょう）事件が勃発すると、機関長以下十名は全員銃殺された。

一九三六年十一月、日独防共協定（反コミンテルン協定）が締結される。

九　支那事変から蒙疆政権樹立へ

一九三七年七月、盧溝橋事件が起こると、日本軍は北平・天津・華北へ侵攻したが、モンゴルへは、傅作義軍がこの機に乗じて侵攻し、徳化は傅作義軍に占領され、徳王は多倫まで撤退せざるを得なかった。八月十八日ようやく関東軍参謀長東条英機率いるチャハル派遣兵団が多倫に到着、モンゴル軍の協力を得て八月末張家口を占領、九月四日に日本軍支配下でチャハル省の長城以南に察南自治政府が設立される。

関東軍は十月中旬までには傅作義の配下にあった大同・綏遠・包頭一帯も軍事占領した。十月十五日山西省北部に晋北自治政府、帰綏（フフホトに改称）には蒙古聯盟自治政府（徳王副主席のち主席）が成立した。蒙古連盟自治政府の領域は、五盟二市（シリーンゴル盟、チャハル盟、ウラーンチャブ盟、バインタラ盟、イェケジョー盟、フフホト厚和市、包頭市）だったが、この中のバインタラ盟は、旧チャハル右翼四旗とトメト旗および十県を含む新設の盟で、漢族が大多数を占める農業地域だった。

陸軍中央部は察南・晋北両自治政府を華北新政権に合流させる意向だったが、関東軍は中央の支配の及ばない蒙疆政権の樹立を目指した。蒙古独立を究極の目標とした徳王は、一九三八年十月訪日して天皇に拝謁し、旧知の陸軍大臣・板垣征四郎に蒙古の独立建国を訴えたが、蒙疆連合委員会の最高顧問・金井章次は蒙疆地域の一体的支配を目指し、蒙古独立を否定した。徳王は「蒙疆」という呼称を非常に嫌ったし、彼の自伝では、金井は中国人に負けず劣らずモンゴル人の敵として描かれる。

十　ノモンハン事件までのソ連とモンゴル人民共和国

最後に、ソ連配下のモンゴル人民共和国の当時の事情について述べておきたい。満洲国とモンゴル人民共和国の国境紛争であるノモンハン事件は一九三九（昭和十四）年のことであり、本項で述べるには紙幅が足りないが、その前史だけ、ここで概説する。

一九三二年三月満洲国が建国されると、モンゴル人民共和国内で、満洲国側にも同族がいるブリヤート人に対する粛清が始まった。さらにソ連からモンゴルにこのような忠告がされた。「あなた方の政党には現在一万二千人の党員がいる。各党員につきチベット仏教の僧侶という敵が十人いる。封建的領主を公然と擁護し、外国の諜報員（もちろん日本）から有害な影響をこうむっている宗教施設は敵である」。

ソ連崩壊後に明らかになったのだが、日本の満洲国建国と、五族協和政策を知ったモンゴル人民共和国では、共産主義を標榜する親ソ政権に対して「われわれの宗教を守ろう」暴動が起こり、当時八〇万人のモンゴル人口の四五パーセントが支持したという。

一九三五年一月ノモンハン事件の前哨戦というべきハルハ廟事件が起こり、満洲里会議が開かれた。席上、満洲国外交部は日本の国策に従い、ハルハ河が国境であると主張した。当時のモンゴル人民共和国首相ゲンデンは、互いの背後にソ連と日本がいるという似たような立場どうし、モンゴル国と満洲国が対等に平和な隣国関係を結ぶことを願い、国境確定に柔軟な態度で臨んだらしい。ところが、ゲンデンはスターリンに呼びつけられ、一九三六年首相兼外相を解任された。同年、会議の満洲国側代表の一人だったダグール人の興安北省長凌陞(リンシェン)は、ソ連のスパイという名目で日本憲兵隊に処刑された。

スターリンはこのあとモンゴルに対して本格的な軍事援助に乗り出し、一九三六年三月ソ連とモンゴルの間で相互援助条約が締結される。

支那事変勃発直後の一九三七年八月二十一日、「中ソ不可侵条約」が締結された。スターリンは満洲国建国直後から、日本軍がモンゴルを経由してソ連へ侵攻しようとしていると考えていた。中国軍が後退して日本軍がモンゴルに突入する口実となってしまうことを恐れ、モンゴル領内にソ連軍を急遽進駐させたのである。

このあと、「モンゴルおよびモンゴルとの兄弟同盟に反する日本協力者の陰謀」を理由として、ソ連が問題視する著名人一一五人のリストをモンゴルの内務大臣チョイバルサンに渡し、十月には「特殊全権委任委員会」が設立されて、一九三九年までに二万九九人のモンゴル人が処刑された。

一九三七〜三八年、ソ連は対テロ措置により、モンゴル人民革命軍の四〇パーセントの指導者を抹殺したという。一九三八年八月までに、モンゴルにあった七七一寺院のうち六一五寺院が廃墟となった。モンゴルにおいてもスターリンの粛清がこのようになされた。

おわりに

一九三七年の世界を俯瞰するとき、一九四五年の日本の敗戦にいたるまで、もう少し巧みに立ち回れる選択肢が、まだどれだけでもあったのではないかと思わざるを得ない。歴史にイフはないとしても、何があったかを正確に知ることによって、今後、同じ失敗をしないための教訓を得ることはできるだろう。

歴史学は、起こったできごとの因果関係を明らかにする学問である。個人や国家の行動が道徳的に正義だったか、罪悪だったかを判断する場ではない。現代の特定の国家にとって、よかったか悪かったかを判断する場でもない。それが、政治学やイデオロギー(主義)とは異なる利点であると、筆者はつねづね考えている。

歴史学者として、史実を正確に提示することを心がけたが、他地域の歴史を知り、他分野の学者のものの見方や判断を知ることは、視野を広げると同時に、さらなる史実追究のエネルギー源となる。昭和十二年からさらに対象枠を広げ、議論の土台を深めて行けたら嬉しい。

主要参考文献

『滿洲國史 総論・各論』満洲国史編纂刊行会編 満蒙同胞援護会 一九七〇、七一年

『環 Vol.10 〔特集〕満洲とは何だったのか』藤原書店 二〇〇二年

太平洋戦争研究会『満洲帝国』河出書房新社 一九九六年

西澤泰彦『図説 満鉄「満洲の巨人」』河出書房新社 二〇〇〇年

宮脇淳子『世界史のなかの満洲帝国と日本』ワック株式会社 二〇一〇年

同右『日本人が知らない満洲国の真実』扶桑社新書 二〇一八年

同右『満洲国から見た近現代史の真実』徳間書店 二〇一九年

同右『モンゴルの歴史 遊牧民の誕生からモンゴル国まで』増補新版 刀水書房 二〇一八年

同右「昭和12年のモンゴルと徳王」『昭和12年研究』創刊号 二〇二一年 一五三～一八三頁

札奇斯欽『我所知道的徳王和當時的内蒙古』(一)(二) 東京外国語大学アジア・アフリカ言語文化研究所 一九八五年、一九九三年

鈴木仁麗『満洲国と内モンゴル 満蒙政策から興安省統治へ』明石書店 二〇一二年

関岡英之『帝国陸軍見果てぬ「防共回廊」』祥伝社 二〇一〇年

田中克彦代表『ノモンハン・ハルハ河戦争 国際学術シンポジウム全記録 一九九一年東京』原書房 一九九二年

ドムチョクドンロプ・森久男訳『徳王自伝』岩波書店 一九九四年

ボルジギン・フスレ編『国際的視野のなかのハルハ河・ノモンハン戦争』三元社 二〇一六年

森久男編著『徳王の研究』創土社 二〇〇〇年

楊海英『日本陸軍とモンゴル 興安軍官学校の知られざる戦い』中公新書 二〇一五年

同右『最後の馬賊「帝国」の将軍・李守信』講談社 二〇一八年

京劇を通して見た庶民の「反日」

【梅蘭芳と一九三七年の中国】

樋泉克夫

●ひいずみ・かつお　一九四七年生。愛知県立大学名誉教授。中央大学法学部、香港中文大学新亜研究所、中央大学大学院博士後期課程を経て外務省専門調査員として在タイ日本国大使館勤務。著書『華僑コネクション』『京劇と中国人』『華僑烈々』『「死体」が語る中国文化』（以上、新潮社）他。

はじめに

一九三七年の中国に流れた時代の空気を総体的に捉えようとした場合、どのような方法があるのかと考えてみた。

オーソドックスな方法としては、毛沢東、蔣介石、汪兆銘など当時の中国政治の中心にいた人物の振る舞いを追うことが考えられる。だが、部分を合わせたとしても必ずしも全体を捉えられるとは限らない。これと同じように、彼らの言動を比較検討して繋ぎ合わせたとしても、それ自体が困難な作業であることは承知しつつも、当時の中国社会の動きを総体的に捉えられるとは必ずしも言えそうにない。

一九三七年の中国社会全体を包んでいた空気を総体的に捉まえることは、やはり容易ではなさそうだ。それは国土が広大で、人口が膨大で、民族構成が複雑で、政治の中心が定かではなく、余りにも多様な社会が分断されながら併存していたうえに、なによりも国家としての態を成していなかったからだろう。であればこそ、中国を国家として一体化して捉えることは至難であり、敢えて中国として一括りに表現しようとするなら、現実とのズレが生じてしまうことに繋がるはずだ。

たとえば日本に対する政治勢力にしても、蔣介石が率いていたとはいえ国民党は内部で利害が渦巻いていた。汪兆銘も酷評するなら〝政治的情緒不安定〟と表現できそうな言動を見せていただけに、確固たる政治勢力の芯にはなりえなかった。共産党も毛沢東の下で一枚岩に統御されるには、激烈な内部闘争を経る必要があった。国民党にも共産党にも与さない政治勢力の中には日本との提携を模索した人々もいた。だが、弱小な上に四分五裂状況にあり、実態的に確固とした政治勢力とはなりえなかった。そして、それぞれが入り組んだ政治思想に基づき中国の将来像を描いて対立しながら、一面では互いに水面下の微妙な人脈で結ばれていただけではなく、それぞれが背後にアメリカ、ソ連、日本など外部勢力の思惑を背負わされていた。それだけに、あの当時、やはり中国という国家は存在しなかったと見做されても致し方ない状況だったと思える。

極論するなら、どの勢力も自らの影響下にある地域に広狭の違いはあったにしても、一九三七年時点での中国という像を形作るジグソーパズルのピースの一つに過ぎなかった。だが、それらを組み合わせたからといって、一九三七年の中国の社会状況を包括的に表すことは出来そうにない。

そこで、敢えて政治という側面から離れ、京劇界の動きを追ってみることで《一九三七年の中国》を、有態に言うなら当時の中国を包んだ空気感のようなものを表してみようと考えた。

では、なぜ京劇か。

それというのも、かつて中国では上は皇帝から下は名もなき庶民に至るまでが芝居好きであり、大衆の大部分が文字を知らなかった時代、芝居は人々を縦に貫き、また横に結び付ける唯一ともいえるメディアであったと考えるからだ。

芝居の持つメディアとしての機能を最も巧みに援用して革命という政治目的を達成したのは、やはり毛沢東を第一とする。彼は大多数の中国人に馴染んでいるような古典演目に手を加え、あるいは文化大革命の時代にみられた革命現代京劇のような現代京劇を通して、自らの考えを国民に周知徹底教育し、自らの政治目的を達成しようと試み、それに成功した。中国では、芝居は数限りない方言(=文化)で分かたれている社会を包括的に結びつける共通言語の役割を担っていた。

たとえるなら京劇であれ、片田舎の廟会(縁日)で演ぜられる地方劇であれ、真っ赤な臉譜(隈取り)の関羽は正義・赤誠の人であり、真っ白の曹操は狡猾・奸計の塊であり、岳飛は祖国防衛に命を捧げた救国の英雄でなければならず、悪辣な関羽、誠実な曹操、漢奸の岳飛などが舞台に登場するわけはなかった。梁山泊の英雄たちは、横暴な官憲を懲らしめんと立ち上がり「造反有理」「官逼民反」を体現する庶民の英雄だったのだ。

加えて、梅蘭芳(メイランファン)のような名優の振る舞いが表す社会的影響力に注目したい。

一九三七年当時の中国社会を考えた時、蔣介石であれ、あるいは毛沢東であれ、ましてや汪兆銘であれ梅蘭芳を超えて内外

梅蘭芳
(1894-1961)

に知られてはいなかっただろう。じつは梅蘭芳のみならず同時代の名優である程硯秋（チョンイエンチュウ）、周信芳（チョウシンファン）、馬連良（マーリエンリャン）など、時に《政治的記号》として役者のワクを超えた想定外の役割を果たしていたのである。

——以上の視点に立ち、かつての中国社会の各層に浸透していた京劇を芸能としてではなく政治的メッセージを伝えるメディアと捉え直し、一九三七年の中国社会を再現してみたい。

モスクワの『打漁殺家』

一九三七年の梅蘭芳の動きを追うことで、一九三七年の中国社会の雰囲気を素描しようと思うが、誰しもが、なぜ、梅蘭芳なのかという疑問を抱くはずだ。そこで当時の中国において彼が果たした役割を振り返ってみることにする。

すでに日本公演などの海外公演を重ねることで外国にその名を知られた梅蘭芳はソ連文化協会の招待を受け、一九三五年二月二一日に上海からソ連派遣の「北方号」に乗船し、ウラジオストックに上陸した後、シベリア鉄道経由で三月一二日にモスクワに到着している。その折の心境を、梅は「一九三五年春、ソ連文化協会から劇団を帯同してソ連を訪問し公演して欲しいという要請を受けた。出国前、日本帝国主義者が侵略した中国の土地を経由したくないことを申し出ると、ソ連は特に『北方号』を派遣して我われを遇してくれた」と記している。

ここに示された「日本帝国主義者が侵略した中国の土地」が一九三二年に成立した満洲国を指すことは明らかだ。梅が「日本帝国主義者が侵略した中国の土地を経由したくない」と申し出たかどうかは不明だが、「ソ連は特に『北方号』を派遣して我われを遇してくれた」ことからしても、梅蘭芳という京劇役者が持つ京劇役者を超えた国際的影響力を知っておくべきだろう。もちろん、ここに示した梅の回想にせよ、以下に引用する関係者の回想などにせよ共産党政権成立後に著されたものもあり、当然のように共産党政権に対する〝配慮〟が見られることは十分に考慮しておきたい。

梅はモスクワ駅に出迎えたソ連対外文化協会、ソ連外交人民委員会、ソ連戯劇家協会の幹部を前に、「ソ中両国民族の力を合わせ、必ずや人類の新しい芸術を創出することができる」と挨拶するなど、まさに両国の友好と団結の象徴としての振る舞いを見せている。

三月一四日に幕を開けた公演は四月一二日まで、約一カ月間、モスクワ、レニングラードで続けられたが、興味深いのが『打漁殺家（漁師の網元殺し）』が最も数多く公演され、しかも好評を博した点だ。

『水滸伝』に材を取った『打漁殺家』は、宋朝の招安を受けた仲間とは袂を分かち、梁山泊を後にして漁師になった蕭恩を主人公に配す。権力を背景に近在の漁師に対し暴虐の限りを尽くす網元に堪忍袋の緒が切れた蕭恩が、ついには一人娘と共に反撃に出る。網元の屋敷を襲撃し、夜陰に乗じて一族郎党を殲滅するという粗筋である。終幕近くの立ち回りが豪快華麗であることもあって、古くから根強い人気のある演目だ。

五〇〇〇本を遥かに超えると言われるほどに数多い演目を持つ京劇は神話から現代まで、地獄の底から天国・極楽まで、ありとあらゆる人間模様を描き出し、中国人が思いつき、語り継ぎ、文字なり言葉なりで表現してきた世界の全体、いわば中国人が培ってきた想念の全体を舞台の上に表現しようとする芝居だ。『打漁殺家』は、その中でも権力対庶民、搾取対被搾取というハッキリとした役柄で構成された勧善懲悪劇の典型でもあり、古典京劇の中では民衆に大いに好まれ続けた演目だ。プロレタリア独裁の政治体制と親和性を持っている代表的演目でもあり、毛沢東式歴史認識である「官逼民反」「造反有理」――

権力の横暴に対し民衆が決起することには道理がある――の典型的図式を舞台の上に描き出す。

京劇の持つ「借古諷今（古を借りて今を諷める）」という機能を考えれば、この演目が梅蘭芳からするソ連への連帯という政治的メッセージであったと見做すことは可能だろう。

四月一二日のモスクワにおける最終公演会場としてオペラとバレエ専用の劇場として知られるモスクワ大劇場が用意されるなど、ソ連側は破格の扱いを以て応じた。最終公演でも『打漁殺家』が演ぜられ、大盛況の客席にはゴーリキーを始めとするスターリン御用達の文化人・芸術家たちが顔を揃えたというから、ここからもソ連側の大歓待ぶりが見て取れるはずだ。

加えるに、劇場に足を運んだソ連のコンスタンチン・スタニスラフスキー、亡命中のドイツのベルトルト・ブレヒト――世界の演劇界を代表する二人の演出家・演劇理論家の絶賛を浴びたことで、「梅蘭芳（メイ・ランファン）」という名前は世界的な注目を集めることになる。この時を起点に、一介の京劇役者とはいいながら、梅蘭芳は中国を表す《記号》へと変質したと見做すことができそうだ。その姿は、あるいはルーズベルト政権時のアメリカにおける宋美齢（蔣介石夫人）の、日本の理不尽な侵略に抵抗する中国を強く印象づけようとする試みに似通っているかもしれない。おそらく宋美齢もまた、中国における親米反日の《記号》だったに違いない。

一九三六年の『生死恨』

ここで敢えて毛沢東を振り返ってみたいのだが、その名が世界的に知られるようになったキッカケは、延安を訪れたエドガー・スノーが『中国の赤い星』を著したからと言われる。それまで中国の奥地で蠢く匪賊の頭目（事実、国民党の呼称では「赤匪」でしかなかった）とされ、毛沢東の実像は必ずしも中国の外の世界には正確には伝わってはいなかった。

だが、一九三七年一〇月におけるロンドンでの『中国の赤い星』（初版本）に続いて翌一九三八年一月にニューヨーク版が出版されたことをキッカケに、短時日に版を重ねたことから毛沢東という存在が西欧世界に知られるようになったことを考えるなら、やはり中国を表す《政治的記号》としては、梅蘭芳の存在に注目しないわけにはいかない。だから梅の振る舞いは京劇役者のレベルを超え、中国全体の空気を象徴すると捉えてみたいのである。

因みに一九三八年に、延安で『打漁殺家』を種本に改編した現代劇『松花江上』が創作されている。これは時代を『打漁殺家』が描いた宋代から満洲事変発生後に移し、満洲を象徴する大河の松花江一帯を舞台とした抗日をテーマにしている。中国風に表現するなら「九一八（チューイーバー）の屈辱を忘れるな！」と言えるだろう。

網元の横暴に耐えかねた漁師の父と娘が網元を襲撃するという筋立ては同じだが、後者では「東北抗日聯軍」を登場させ、これに共産党の教育を受けて立ち上がった漁民が合流し、父と娘を支援して人民の敵である網元と、その背後の日本軍を打ち破り抗日戦争を勝利に導くというストーリーである。

終幕近くになって登場する共産党指導者は、「我ら軍民が一丸となって鬼子（日本軍）を打ち破り、漢奸（民族の裏切り者）を取り除き、悪覇地主（悪徳地主）を抹殺し、二度と圧迫と搾取を受けないようにしようではないか！ 戦士（同志）よ、郷親（皆の衆）よ、いまこそ抗日戦争が始まったのだ。四億同胞が心を団結させ、日本を打ち破り、中国を救うのだ。鬼子に残された命は短い。満洲国も倒れるのだ！ 奴隷を望まない者よ、立ち上がれ！」と民衆を煽る。

ここからも、一九三五年のモスクワで『打漁殺家』が好評を博した背景が朧気ながら感じられる。あの時代の中国において、京劇は政治的プロパガンダとしては最良のメディアだった。であればこそ、梅蘭芳自身が意識するしないに拘わらず、彼は中国における抗日という空気を表す《政治的記号》として振る舞うことを運命づけられることになる。

梅蘭芳は一九三六年二月にはチャーリー・チャップリン夫妻を上海に迎え旧交を温めている。梅蘭芳の名前は、世界的名優であるチャップリンの動静と共に世界に向けて配信された。

チャップリンを送って後、梅は自らの筆頭ブレーンで京劇研究家の斉如山（チールーシャン）が明代伝奇小説『易鞋記』を種本にして創作した『生死恨』を引っ提げて、上海を代表する舞台として知られる天蟾（ティエンチャン）舞台に登場する。巷に漲る抗日・反日の雰囲気を読み取った斉如山が梅のために書き上げた新作といったところだろうが、いつしか時代の空気となっていた抗日・反日を劇作に生かした斉如山のプロデューサーとしての企画力の冴えとも言える。抗日・反日が興行というビジネスを動かすほどになっていたというわけだ。

この時の梅の心境を『梅蘭芳年譜』は「淪陥区（日本側統治地域。中国側からするなら敵の支配地域）の人々が嘗める苦痛と悲惨な日々を表し、全国人民の民族的心意気を励まし、積極的に抗日闘争に身を投じた」と記している。

その後、梅蘭芳の当たり芸の一つになった『生死恨』の粗筋は、金軍の侵略に苦しむ北宋末年が舞台である。士人の程鵬挙と少女の韓玉娘は共に金軍の捕虜となり、奴隷とされる。金による「奴隷結婚制度」で夫婦となるが、玉娘に励まされ程鵬挙は故国に逃げ帰って抗金軍に加わる。夫を逃がした後、彼女は筆舌に尽くしがたい苦労の末に、やっと故郷に戻ることが出来た。金軍との戦で輝かしい軍功を上げたことで襄陽の太守に抜擢された程鵬挙は、肌身離さずに持っていた靴を頼りに玉娘を探す。やっと再会を果たすのだが、その時、彼女は不治の病に冒されており、憾（うら）みを残して亡くなった――。

『生死恨』は天蟾舞台を三日連続で満員にし、日本軍統治下の上海の市民に大いに迎えられた。観客は北方から中国を侵略する金を日本に見立て、時代の荒波に翻弄されながらも侵略者と戦う程鵬挙と韓玉娘に自らを重ね合わせたに違いない。「借古諷今」の手法である。

『生死恨』に激怒した上海社会局の黒木顧問は社会局長を通じ、非常時局に鑑み、公演許可を経ていないことを理由にして上演禁止を申し入れた。『生死恨』という京劇が劇場を飛び出し、上海における抗日・反日の気運を醸成することを危惧したからと思われる。だが梅蘭芳は観客の要求を理由に黒木の申し出を拒否し、公演継続を明らかにした。

上海での三日間の公演を閉じた後、二月二九日には南京に向かい、大華戯院で三日連続で『生死恨』を公演している。ここでも市民は大華戯院に押し掛け切符売り場を破壊したと伝えられる。梅の人気もさることながら、南京でも抗日・反日の気運は認められよう。

ところで『生死恨』の天蟾舞台における公演初日である二月二六日、日本では雪の帝都を震撼させ、その後の日本の進路に大きな影響を与えた「二・二六事件」が勃発している。偶然の一致に違いないが、その後の日中両国の関わり合いを考えるなら不思議と言うしかない。

一九三七年の『四郎回令』

この年二月一六日から、梅蘭芳は南京の大華電影院で公演をする。演目の『王宝釧』は中国を侵略する異民族との戦いの前線に赴いたまま帰らぬ夫の軍功を願いつつ、懸命に家を守る貞淑の妻が主人公である。

二二日の演目は『探母回令』だった。この演目は、宋代に北方から国境を侵す異民族（契丹族）に対し、宋朝の干城たらんと立ち上がる楊一族の尽忠報国の奮戦ぶりを綴った章回小説『楊家将演義』を種本とした『四郎探母』の一部を抜き出したものだ。『四郎探母』は伝統京劇のなかでも屈指の出し物――いわば〝京劇十八番〟のうちの一本といっても過言ではない。

宋朝防衛の要である楊一族では、祖父から父へ、父から孫へ。祖母の佘太君を筆頭に一族の女性も武器を手に戦場に赴く。一族は世代を重ねて国土防衛の戦いに斃れていったが、楊家の四男（四郎）である楊延輝だけは激戦の末に敵に生け捕りにされてしまった。だが、異民族を統べる蕭太后の王女である鉄鏡公主に見初められ結婚し、「駙馬（皇帝の娘婿）」となり、一子を得て幸せな家庭生活を送る。

一五年が過ぎたある日、母親の佘太君が一族と共に大軍を率いて国境に迫っていることを風の便りに知る。敵国でおめおめと安穏な生活を送っているばかりか駙馬となり果てたがゆえに一族に合わす顔がない。だが懐かしい母親の膝に縋りたい。かつての妻にも会いたい。兄弟とも話がしたい。苦悶する四郎の胸の内を察した鉄鏡公主は蕭太后の目を盗んで国境関門通過許可証を持ち出し、「これを手に母様をお探ね下さいな。だけど一夜でお戻りを」と囁きながら、そっと四郎に渡す。

四郎は通過許可証を手に国境を越え、楊軍の陣営に辿り着き、佘太君をはじめ懐かしの一族との再会の一時を過ごす。

以上が『探母回令』の粗筋だが、習近平政権下の現在でも「中華民族が尊崇する国家観、民族観、文化観、英雄観を体現しているがゆえに、楊家の将軍たちの物語は最も生命力と影響力を持った歴史物語であり、今に至るも京劇の舞台で生き活きと演じられている」と評価されている。

南京では『探母回令』に次いで『生死恨』を演じ、長沙、漢口に転じている。

ところで長沙滞在中、なにやら騒動が起きたようだ。長年、梅蘭芳との共演の長かった姜妙香は、その時の様子を「一九三七年春、梅劇団にとっての初めての公演地である長沙で、梅の客応対が悪いと当時勢いのあった一団からネジ込まれた。奴らは新聞を使って梅も耄碌したなどと悪罵の限り。中に立った人が、それなりの対応を勧めたが、梅は断固として拒否し、『耄碌したと言われたところで気にしない。四〇歳を超え、たしかに歳を取ったのだから。だが、奴らの物言いはお話にならない。罵らせておけばいい。私は私の芝居をするだけだ』」と記している。

ここで梅蘭芳に言いがかりをつけてきた連中の狙いは不明だ。彼自身も「私は私の芝居をするだけだ」と並々ならぬ決意を口にしているが、長沙大戯院における演目――『宇宙鋒』『西施』『鳳還巣』『洛神』『太真外伝』など――からして、『打漁殺家』『探母回令』『生死恨』などに較べると反日・抗日・愛国のメッセージは感じられない。こんな点からして、梅蘭芳が持つ政治的な《記号》に着目した一群が、彼の舞台から抗日・反日色を消そうと試みたとも考えられる。

これ以後、七月七日に至るまで梅蘭芳に目だった動きは見られない。

七月七日以後を、『梅蘭芳年譜』では次のように綴っている。

「〝七・七事変〟の後に程なくして、日寇は直ちに上海を占領した。梅蘭芳は外地から上海に戻った後、門を閉ざして外部との付き合いを断った。当時、上海のいくつかの劇場の小屋主たちは舞台に立つよう懇請を重ねたが、彼は断固として拒絶した。某日、偽分子と地元のゴロツキたちが入れ替わりやって来て、『梅の老板（旦那）にお出まし願えさえしたなら、金塊をすぐにでもお宅に送り届けます』と金銭を持ち出して誘いを掛けた。だが梅は笑い飛ばしている。当時、刎頚の友である馮幼偉はすでに香港に居を移していた。そこで香港移住計画の準備を託し、（後略）」

七月一三日には、中国側が「松滬抗日戦争」と呼ぶ戦争が上海で勃発する。

当時、上海にあった日本軍政当局もまた梅蘭芳の果たす《記号》に注目していたからだろう、彼には丁重に接し、しばしば宴会などに招待したが、梅は断固として応じなかった。おそらく「偽分子と地元のゴロツキたちが入れ替わりやって来て」が、このことを指すように思える。

だが、日本軍当局は梅の態度を非礼だと非難することはなかった。それというのも、「梅蘭芳が国際的に、ことに日本人の気持ちの中に重要な位置を占めていたからである」。

たしかに一九一九（大正八）年に最初に日本公演を試みて以後、梅は日本の歌舞伎界の重鎮であった五代目中村歌右衛門、十五代目市川羽左衛門、二代目市川左團次、十三代目守田勘彌、初代中村鴈治郎、三代目中村雀右衛門などに加え、内藤湖南や永井荷風、さらには大倉喜八郎ら経済人など、日本要路の人々の心を鷲づかみにしてしまった。そのうえ梅は中国を表す《記号》である。じつは日本軍政当局は公演は不可能でも、せめてラジオ出演だけでもと懇請した。それというのも、「せめてラジオで梅蘭芳の声だけでも流せば、抗日勢力の勢いを殺ぎ瓦解させる一方、梅蘭芳が親日分子であることを示すことが出来る」ことになるからだ。

上海の『保衛盧溝橋』、武漢の『盧溝落日』

これを言い換えるなら日本軍政当局は梅蘭芳という《政治的記号》を、抗日・反日から親日へと大転換することを狙ったということだろう。

日本軍政当局の意図を読んだからだろう、梅は喉の調子が悪い、体調がすぐれないなどと口実を設けてラジオの出演さえ拒否したが、遂に危険を感じたのか一九三八年の初めに家族と劇団員とを引き連れて上海を離れ香港へと向かった。

七月七日の前日、上海のレコード会社である勝利公司でレコードの吹込みが行われているが、『四郎探母』に加え、祖国の山河を侵略する金を討つための復仇心を固めよと我が子・岳飛の背中に「尽忠報国」の文字を刻んで励ました母親の思いを描いた『岳母刺字』などの演目が選ばれている。

盧溝橋事件が勃発した七月七日当日、『京報』は「我われは『ふるさとは打ち砕かれた』『故国を還せ』と大声で叫ぶだけだ」と、新作された『山河破砕』『還我河山』の創作意図を報じている。一週間後の七月一五日には上海で中国劇作家協会が組織され、短時日の間に抗日宣伝のための『保衛盧溝橋』が創作され、「奴隷になることを拒否する全ての人々よ立ち上がり、盧溝橋を守れ、河北を守れ、祖国を守れ」が叫ばれた。

さらに一週間が過ぎた七月二八日には、文学、芝居、映画、美術、音楽、教育界を糾合した上海救亡協会が成立し、抗日の統一戦線づくりが進んだ。八月一五日には中国劇作家協会が上海の卡爾登大戯院を会場に抗日宣伝活動に関する会議を開催し、一三の演劇宣伝隊の組織を決定している。

一〇月三日、郭沫若、田漢、欧陽予倩、于玲ら後の共産党文芸政策の中核が周信芳（当時の芸名は麒麟童）、高百歳、金素琴ら上海を拠点とする華麗で革新的な芸風の「海派」と呼ばれる京劇を専らとする役者と集まりを開き、古典京劇を抗戦意識高揚向けに改編する方策を討論している。その際、郭沫若らは大衆の抗戦意識高揚のために民族防衛の史実を種本に京劇を新作することを主張し、周信芳ら役者からは古典京劇の改良問題が提起されている。

半月ほどが過ぎた一〇月一六日には、再び卡爾登大戯院で田漢、欧陽予倩らと周信芳、高百歳、金素琴らの座談会が開催され、京劇を武器としての抗日戦線への積極の参加が役者の側から表明された。

一連の討論を経て、周信芳を主任とする上海文化界救亡協会歌（平）劇部が結成され、以後、上海での京劇による抗日宣伝活動が統一的に行われるようになった。

七月一五日以降の活動の概要を振り返って見ると、その〝手際の良さ〟に驚くばかりであり、想像を逞しくするなら、あたかも七月七日を想定したうえでの布陣のように思えないわけでもない。

九月二四日、二五日、二六日、上海では梅蘭芳、周信芳ら役者たちによる慈善公演が行われ、前線で犠牲になった兵士や難民の救済が呼び掛けられた。二六日には梅蘭芳と周信芳を軸にして、異民族である満洲族の侵入を受けて恨みを残して滅んだ漢族の明王朝の姿を描いた『明末遺恨』が公演されている。

周信芳は政治的意思を積極的に舞台に表現する役者で、一九三七年後半は、『徽欽二帝』『文天祥』『史可法』などの公演に努めたが、これらの演目が救国・愛国を訴えていることは中国人なら常識だろう。それが中国における共通言語としての京劇の役割でもあるからだ。

徽宗と欽宗の両皇帝は漢民族にとっては史上空前の大王朝である宋朝最末期に位に就いたものの、異民族である金の侵略を許し、悲劇的な最期を迎える。文天祥は金に追われた宋朝が都を南京に移した南宋朝における救国の英雄だ。異民族の侵入から祖国を護るべく力戦敢闘の果てに捕虜となるが、断固として降伏を認めず、「生気歌」を遺して果てる。明末、揚州の総鎮を務めていた史可法は、満洲族の侵略軍に対し揚州の官民を指揮し必死の抵抗を試みた。衆寡敵せず。ついには異民族の軍門に下ったものの、降伏を肯ぜずして死を選んだ。

こう見てくると、『徽欽二帝』『文天祥』『史可法』が上海における一連の集まりに沿った演目であることは明らかだろう。

七月七日以降、短期間ながら武漢は中国政治の中心の役割を担ったが、この時、『盧溝落日』『万里長城』『岳飛』『木蘭従軍』『威継光平倭伝』『民族英雄朱洪武』などが公演されている。演目名からだけでも、これらの芝居が抗日・救国を訴えようとしていることは容易に想像できるはずだ。

一二月一三日、日本軍が南京に入城する。不思議なことに、七月七日から程なくして『保衛盧溝橋』が公演されているのに、「南京大屠殺」への抗議の意思表示を示す芝居が見当たらない。

一二月三一日、武漢の大光明劇院に四〇〇人ほどの演劇関係者が集まり中華全国戯劇界抗敵協会を設立した。「戯劇界の団結を以て戯劇芸術を発展させ、抗戦工作を推進する」ことを掲げると同時に、「我われの団結はなによりも抗戦のためであり、全国の広範な民衆に対する宣伝工作における最も有効な宣伝武器は疑いもなく戯劇である」と宣言している。

むすびにかえて

一九三八年初、上海を離れて香港に居を移した梅蘭芳は、外部との関係を断つ。もちろん舞台にも立たない。その後、上海に戻るが依然として蟄居生活を続ける。この間、香港で、あるいは上海で重慶に移った国民党政府、香港駐屯日本軍、汪兆銘率いる南京政府、さらには日本軍の華北駐屯軍などから公演を求められたが、体調不良を理由に、あるいは鼻の下に蓄えた鬚(ひげ)を口実に、それらの申し出の一切を断っている。鬚によって舞台で「旦(女形)」を演ずる意思のないことを表した。「蓄鬚明志(鬚を蓄えて志を明らかにする)」である。

一九三八年以降の梅蘭芳の動きを考えるなら、自らに課せられた《政治的記号》を封印することで、逆に《政治的記号》を内外に強く印象づけたと言えるだろう。そのことを自らが意図したか否かは別にして。

共産党が国共内戦勝利を目前にした一九四九年六月二八日からの一カ月間、北京では全国三五の文芸団体が公演を行っている。そのうちの某日、梅蘭芳は舞台に立った。演目は十八番の『覇王別姫』。主賓はもちろん毛沢東。この時点で梅蘭芳は新しい中国を表象する《政治的記号》に生まれ変わったと言えるだろう。

梅蘭芳は京劇役者であると同時に中国を表象する《政治的記号》であった。こう考えた時、一九三七年に収斂し、一九三七年を起点に動き出す諸々の政治的動きの背景に中国庶民の素朴な反日感情が浮かび上がって来る。中国における曖昧模糊として移ろい易い庶民感情をどのように受け止めるべきか。中国の一九三七年が突きつけている難題のように思える。それはまた、日本が中国と向き合う際の永遠の課題ではなかろうか。

主要参考文献

中国語：

『梅蘭芳年譜』(王長発　劉華著　河海大学出版社　一九九四年)

『徳芸双馨　芸術大師梅蘭芳』(朱振華・呉迎・梅葆玖著　山東大学出版社　一九九四年)

『民国戯曲史年譜』(劉潔編　文化芸術出版社　二〇一〇年)

『中国京劇史(上・中・下巻)』(北京市芸術研究所　上海芸術研究所　組織編著　中国戯劇出版社　一九九九年)

『延安芸術叢書　第十巻　戯曲巻』(金紫光　李倫主編　湖南人民出版社　一九八五年)

『毛沢東年譜　一八九三—一九四九　(上・中・下巻)』(中共中央文献研究室編　中央文献出版社　一九九三年)

『偉人　毛沢東　一八九三—一九七六　(上・下)』(何明　中央文献出版社　二〇〇三年)

『毛沢東伝　(一八九三—一九四九)』(金冲及主編　中央文献出版社　二〇〇四年)

中国語雑誌：
『中國京劇』（主管：中華人民共和国文化和旅游部／主辦：文化和旅游部人材中心　中国京劇雑誌社）
日本語：
『世界紀行文學全集　第十一巻　中国編　Ⅱ』（修道社　昭和四六年）
『対日協力者の政治思想　日中戦争とその前後』（関智英　名古屋大学出版会　二〇一九年）

各論［ソ連］

大粛清が始まった年

福井義高

●ふくい・よしたか　一九六二年生。青山学院大学教授。東京大学法学部卒。カーネギー・メロン大学Ph.D.、米国CFA。専門は会計制度・情報の経済分析。著書に『たかが会計』（中央経済社）、『日本人が知らない最先端の「世界史」』、同『不都合な真実編』（祥伝社黄金文庫）他。

一九三七年は不可欠だったのだ
ヴャチェスラフ・モロトフ

1　大粛清前の状況

一九三七年すなわち昭和一二年は、ソ連そしてロシアをはじめとするソ連の後継国家の人々にとって、特別な年である。この年、ソ連史を画する大粛清（Great Terror）が始まったのだ。ヨシフ・スターリン治下のソ連では、継続的に反政府分子の摘発がおこなわれていた。しかし、一九三七年夏に始まり、一九三八年秋に終息した大粛清は、それまでとは桁違いのスケールで断行される。スターリンの独裁は一九五三年の死まで続くけれども、このような大弾圧が繰り返されることはなかった。

一九三〇年代の粛清というと、ある程度ソ連の歴史に通じた人にとって、まず頭に浮かぶのは、革命以来、ソ連政府・軍を担ってきた指導者たちが、海外に追放されたトロツキーと結託したり、日本やドイツなど外国のスパイとなったりして、政権転覆を謀ったという、にわかには信じられない容疑で捕らえられ、処刑された一連の事件である。具体的には、一九三六年から一九三八年にかけてモスクワで三度開かれた公開裁判で被告となり処刑されたグリゴリー・ジノヴィエフ、レフ・カーメネフ（一九三六年第一回裁判）、ゲオルギー・ピャタコフ、グリゴリー・

ソコリニコフ、カール・ラデック（一九三七年第二回裁判）、ニコライ・ブハーリン、アレクセイ・ルイコフ、ゲンリフ・ヤゴダ（一九三八年第三回裁判）、一九三七年に秘密裁判で処刑されたミハイル・トハチェフスキー元帥らの粛清が挙げられる。

一九三四年一二月一日にレニングラードを掌握する政権幹部セルゲイ・キーロフが殺害された際、ジノヴィエフやカーメネフらが関与していたとして逮捕され拘束された――ただし、この時は死刑にならなかった――ことから、キーロフ暗殺が大粛清開始の合図であったという説が、従来から唱えられてきた。

ジノヴィエフやカーメネフが事件に全く関係なかったのはもちろんのこと、スターリンがキーロフ暗殺の黒幕であるという説は根強い。しかし、研究者の間では、スターリンがこの事件を利用しはしたものの、キーロフ殺害は精神的に不安定な単独犯レオニード・ニコラエフの個人的な恨みに基づく偶発的な事件であり、スターリンの関与はなかったというのが通説となっている。その最重要証拠とされるのが、NKVD（内務人民委員部、KGBの前身）幹部ゲンリフ・リュシコフの証言である。リュシコフはキーロフ事件捜査に直接かかわり、その後、栄転しNKVDの極東での責任者として、大粛清を実行したものの、自らも粛清対象となったため、一九三八年六月に日本に亡命した。

リュシコフは『改造』一九三九年四月号に「スターリンへの公開状」と題して寄稿し、「先づ私はキーロフ暗殺が、ニコラエフの個人行動であつたことを断言する」としたうえで、スターリンの関与を否定し、事件の詳細を語っている。その経歴からスターリンをかばうことは考えられないうえ、ソ連側文書との整合性も高いリュシコフ証言の信憑性は高い。

たしかに、キーロフ暗殺事件は、スターリンが自らの独裁体制を確固としたものにするため、すでに影響力を失っていたかつてのライバルを完全に取り除くきっかけとなったとは言えても、一般民衆が犠牲となった一九三七年と一九三八年の大粛清の始まりとはいえない。

表1は、一九三〇年から一九五三年までソ連で処刑された政治犯の数を示したものである。この二四年の間に処刑された七八・六万人のうち、実にその八七パーセント、六八・二万人が一九三七年と一九三八年の二年間に集中している。もし、一九

表1　政治犯処刑者数

年	処刑者数
1930	20,201
1931	10,651
1932	2,728
1933	2,154
1934	2,056
1935	1,229
1936	1,118
1930～36計	40,137
1937	353,074
1938	328,618
1937・38計	681,692
1939～53計	64,267
1930～53計	786,096

出典：Getty et al. (1993), Thurston (1996) より一部筆者推計

表2　1人当たりGDP

年	指数（1913＝100）
1928	96
1929	97
1930	101
1931	102
1932	100
1933	106
1934	118
1935	134
1936	143
1937	155
1938	154
1939	161

出典：Davis et al. (2018) より筆者推計

三四年のキーロフ暗殺が大粛清の始まりだとすると、一九三四年に処刑されたのが二千人だったのに対し、一九三五・三六年には一千人まで減少していること、そして突然一九三七年に三五・三万人と三百倍以上増えたことを説明するのは難しい。

ちなみに、一九三七・三八年の処刑者数計六八・二万人は当時のソ連人口の〇・四パーセント、一五歳以上の〇・六パーセントで、大半が男性であることを考えると、一〇代後半の青少年や老人も含め、大粛清では大人の男性の百人に一人が処刑された勘定となる。

処刑者数の推移からもわかるように、農業集団化にクラークと呼ばれる比較的豊かな農民がはげしく抵抗した一九三〇年をピークに処刑者数は減少し、一九三六年まで治安維持体制の正常化が進みつつあったのである。数百万人の餓死者を出した農業集団化をやり遂げ、五カ年計画の下、国民の生活水準向上よりも重工業・軍備強化優先だったとはいえ、飢饉で経済活動が低下した一九三二年から大粛清が始まった一九三七年まで、経済は順調に成長する。**表2**に示したように、第一次大戦前の一九一三年と大粛清が終わった一九三九年を比べると、一人あたりGDPは六割上昇したけれども、そのほとんどは一九三二年から一九三七年に成し遂げられた。

こうしたなか、スターリンは一九三六年にそれまで労働者・農民などに限定されていた参政権を全国民に認め、秘密直接投票を保障した、見かけ上は自由民主体制の憲法と変わらない、いわゆるスターリン憲法を導入する。一九三六年の段階では、革命以来の激動の時期を終え、ライバルをすべて蹴落としたスターリンが全権を掌握し、ソ連社会は安定期に入ったかに見えた。

共産党の最高意思決定機関である政治局の一員であり重要閣僚——人民委員は日本の大臣に相当——でもある、クリメント・ヴォロシロフ（国防人民委員）、ラーザリ・カガノヴィチ（運輸人民委員）、アナスタス・ミコヤン（食品産業人民委員）、セルゴ・オルジョニキーゼ（重工業人民委員）といったスターリン側近たちも、配下の幹部を掌握し信頼していることを公にしていた。

2　幹部粛清の始まり

一九三六年九月、スターリンは、ヤゴダに代えて、ニコライ・

エジョフをＮＫＶＤ長官に据える。スターリン側近の最高幹部でさえ予期していなかった、幹部粛清（nomenklatura purge）の始まりである。

スターリンの意向であることは明白であり、誰もがその指示に従い行動するなか、スターリンと同郷（ジョージア）で個人的にも親しかったオルジョニキーゼは、部下のピャタコフ――第二回モスクワ裁判被告――の逮捕は受け入れたものの、それ以上の幹部粛清に抵抗する。しかし、スターリンとの争いに勝てるはずもなく、追い詰められたオルジョニキーゼは、共産党中央委員会総会を直前に控え、一九三七年二月一八日に自殺した。表向き「病死」と発表され、総会開始を延期し、大々的な葬儀が行われた。

スターリンは三月三日の総会基調演説で、党幹部が経済建設の成功に目を奪われ、ソ連が資本主義国に包囲されているという基本的状況を忘れていると批判し、資本主義国家間でさえ互いに謀略活動を行っているとしたうえで、こう述べる。

> マルクス主義の観点から、ブルジョア国家が他のブルジョア国家に対する二倍三倍の破壊工作員、スパイ、後方攪乱者、暗殺者をソ連の内部に送り込んでいると考えるほうが真実に近いのではなかろうか。

そして、スパイの有用性をこう指摘する。

> ドニエプル発電所を建設するには何万人もの労働者を投入する必要がある。しかし、これを爆破するには、数十人が必要なだけだ。戦時に戦闘で勝利するには何軍団もの赤軍兵士が必要である。しかし、この前線での勝利を台無しにするには、どこか軍司令部あるいは師団司令部でもいい、作戦計画を盗んで敵に手渡す数名のスパイがいれば十分だ。自ら行っていることは、当然、敵も行っているはず、ということであろうか。

総会を契機に、政府・党幹部の逮捕・処刑が進み、一九三六年夏の時点での経済関連の人民委員二〇名のうち、一九三九年初頭の段階で残っていたのは、カガノヴィチとミコヤンの二人だけで、オルジョニキーゼは自殺、他の一七名は処刑された。

スターリンは三月五日の総会閉会に当たっての総括報告で、こう述べている。

> 経済関連部署、なかでも農業関連部署には、最良の人材を送り込まねばならないし、こうした部署には任された仕事を完遂できる能力を持った新たな最良の働き手を配置せねばならない。

スターリン独裁が確立してからキャリアを積み、過去のライバルたちとはつながりのない若い世代を要職につけるには、絶対忠誠の最側近以外、古い幹部を除去する必要があったのだ。

一方、スターリンは同じ総括報告で、見境のない摘発を戒めてもいた。

> 日独エージェントのトロツキスト（японо-германских агентов троцкизма）の粉砕と根絶という仕事を如何に現実に成し遂げるのか。これは、本当のトロツキストだけではなく、かつてトロツキズムの方向に傾いていたけれども、その後、もうかなり前にトロツキズムと決別したものも打倒し根絶することを意味するのか。……少なくともこの総会でこうした主張が繰り広げられた。総会決議のこうした解釈は正しいであろうか。否、決して正しくない。こうした問題では、他のすべての問題同様、個々の例に対応し区別した対応が必要だ。

スターリンはさらに、トロツキストであった過去を断ち切り、現在はトロツキズムとたたかっている同志に汚名を着せることや、トロツキズムに反対しつつもトロツキストと知りながら付き合っていた同志をトロツキストと十把一絡げにすることは「馬鹿げている」（глупо）と、厳しく批判している。

幹部粛清と同時に、大粛清が始まったわけではなかったのである。スターリン研究の第一人者、ロシアのオレーク・フレヴニュークHSE教授が指摘しているように、粛清がかつての反対派（oppositionists）、政府・党官僚そして軍人の除去でとどまっていたら、スターリンの弾圧を大粛清と呼ぶことは正当化されなかったであろう。

3　大粛清の始まり

トハチェフスキーら赤軍幹部が逮捕された直後の一九三七年六月二日、スターリンは軍事評議会（Военный Совет）拡大会議で、現在、ソ連政権に対する軍事・政治的陰謀が存在することは疑う余地がないと断言する。スターリンによれば、こうした陰謀の中枢にいるのが、スパイマスター（обершпион）であるレフ・トロツキーを筆頭に、ブハーリン、ルイコフ、ヤゴダ、トハチェフスキーら一三人で、ドイツのファシスト、とくにドイツ国防軍とつながっており、彼らはドイツ国防軍の手の内にあるマリオネット、操り人形であるとされた。

スターリンは、謀略をすぐに摘発できなかったことを批判し、こう述べる。

すべての党員、誠実な非党員、ソ連人民は自ら気づいた問題点を報告する権利があるだけでなく、そうすることが義務である。たとえそのうち五パーセントが本当であったとしても、かなりのことだ（Если будет правда, хотя бы на 5%, то и это хлеб）。

五人の真犯人を捕まえるために、一網打尽に一〇〇人を処罰し、九五人の無実の者が犠牲になるのはやむをえないと、スターリンは宣言したのである。トハチェフスキーら逮捕されていた軍幹部は、この演説の直後、六月一二日に処刑された。

六月二八日、もはやスターリンの個人的決定の追認機関となっていた政治局は、西シベリアにおける追放されたクラークの反乱に極刑で対処するため、「トロイカ」（тройка）設置を決議する。トロイカとは、内戦や農業集団化強行の際にも用いられた、通常の刑事司法の枠外で大量弾圧を効率的に進めるため、地域のＮＫＶＤ責任者、共産党第一書記、検察官の三人で構成され、逮捕・処刑の全権を与えられた委員会である。

七月二日、政治局は「反ソ分子について」と題した決議を行い、直ちに全国の共産党地方機関に伝達した。その内容は次のようなものであった。すべての反ソ破壊活動の主たる張本人は、農地から追放された旧クラークや犯罪者という認識の下、こうした人物をすべてリストアップし、特に敵対的な者はトロイカを通じて逮捕・処刑し、それほど活動的でないにしてもやはり敵対的な者は追放する。さらに地方機関に、トロイカの人選とともに、処刑・追放されるべき人数の報告を求めた。

この決定こそ大粛清の幕開けであった。そして、七月三〇日に、大粛清研究の泰斗アーチ・ゲッティＵＣＬＡ教授らが「現代史でもっとも冷酷な文書の一つ」と評したＮＫＶＤ作戦命令（оперативный приказ）〇〇四四七号が発令された。七月二日決議の具体化である。

この「元クラーク、犯罪者、その他反ソ分子の処罰に関する作戦について」（Об операции по репрессированию бывших кулаков, уголовников и других антисоветских элементов）と題された秘密命令では、全国六四の地域ごとに、特に悪質な処刑対象の第一分類と、それ以外の強制収容所送りとなる第二分類の人数割り当てが行われ、第一分類は既に収容所に収監されている一万人を含め七・六万人、第二分類は一九・三万人、あわせて二六・九万人と設定された。トロイカによって進められる作戦の実行開始期日は八月五日、期限は四か月とされた（七月三一日政治局決議）。ちなみに極東地区トロイカの一人が日本に亡命したリュシコフである。

このＮＫＶＤの秘密作戦は、主対象がかつてのクラークであったことから「クラーク作戦」（kulak operation）と呼ばれる。当初設定された人数は、正確には割り当てではなく、上限であっ

表3　作戦別処刑・収容者数

	処刑者数	収容者数	有罪者計
クラーク作戦	386,798	380,599	767,397
（うち当初上限	75,950	193,000	268,950）
民族作戦	247,157	88,356	335,513
幹部その他	47,737	184,073	231,810
合　計	681,692	653,028	1,334,720

出典：Davies et al. (2018), Binner & Junge (2001)

た。しかし、上限の変更が可能であり、実際には、スターリンへの忠誠の証を立てるべく、「成果」を競う地方機関からの要望で上方改定され、期間も大幅に延長されて、一九三七年内では終わらず、大粛清は一九三八年の一一月まで続くことになる。

一九三七・三八年の処刑・収容者数とその内訳を示したのが**表3**である。クラーク作戦による実際の処刑者数は当初設定上限の七・六万人の五倍となる三八・七万人、収容者数も当初上限一九・三万人の二倍で三八万人、あわせて七六・七万人となった。しかし、クラーク作戦の犠牲者は、この二年間の政治犯処刑者総数六八・二万人、収容者総数六五・三万人のそれぞれ半分強に過ぎない。

クラーク作戦は大粛清の中核をなしていたけれども、あくまでも一つの作戦に過ぎない。とくに処刑者数でみると、「民族作戦」（national operations）で二四・七万人が処刑されており、全体の四割弱を占めている。

民族作戦とは、クラーク作戦と同時並行で行われた、外国政府とのつながりが疑われた国内少数民族を対象とする複数の秘密作戦である。クラーク作戦と異なり、上限は設定されず、有罪者数に占める処刑者の割合が七割を超えている。一方、クラーク作戦では処刑者の割合は半分程度、幹部その他の粛清では二割にとどまっている。

代表的な民族作戦としては、一九三七年七月二五日付NKVD命令〇〇四三九号に基づくドイツ作戦、八月一一日付〇〇四八五号に基づくポーランド作戦がある。さらに、日本と関わりが深いものとして、九月一九日付〇〇五九三号に基づくハルビン帰還者（Харбинцы）作戦がある。この作戦は、帝政ロシアが建設しソ連が引き継いでいた、満洲北部を通る東支鉄道が一九三五年に満洲国に売却されたことに伴い帰国した従業員と家族——ほとんどがロシア人——を対象としたもので、三・一万人が日本のスパイとして処刑された。

一九三七年一一月七日の革命記念日式典後、ヴォロシロフ主催の昼食会で、スターリンはヴォロシロフ夫妻を始め出席者二五名を前に、祝いの席に相応しくないかもしれないけれど、乾杯の前に一言述べたいという前置きに続いて、以下のように語ったことが、出席者のひとりコミンテルン書記長ゲオルギ・ディミトロフの日記に記されている。

社会主義国家の統一を破壊し、その一部や民族たちを切り離そうと画策するものはすべて、国家そしてソ連人民の不倶戴天の敵である。そして、我々はすべてのこうした敵を、たとえ古参ボルシェビキであっても、根絶する（уничтожать）。我々は彼らの一族も家族も完全に根絶する。その行動で、その思考で、そうだ思考であっても、社会主義国家の統一への打撃を企てる者を我々は容赦なく根絶する。すべての敵、彼ら自身、その一族の根絶に向けて！

出席者は、このスターリンによる敵とその一族の根絶に向けた呼びかけに、「偉大なスターリンに」という賛意の叫びで応えた。

ニコライ・エジョフ
（1895-1940）

4 大粛清の終わり

大量逮捕・処刑が続くなか、スターリンは大粛清の終結を見据えた手を打ち始める。

大粛清はロシアで「エジョフシチナ」（Ежовщина、エジョフ時代）とも呼ばれ、一九三七年から一九三八年にかけて、エジョフは政治局員より下位の政治局員候補でありながら、スターリンに次ぐ権力者といってよかった。エジョフはほぼ毎日、多忙なスターリンの執務室を訪れ、過ごした時間は二年間で合計八五五時間弱で、その長さは内政・外政全般を掌る首相（人民委員会議議長）のモロトフに次ぐものであった。エジョフとの面会時間の長さが示すように、スターリンは大粛清の実際の遂行にも深くかかわり、エジョフに細部にわたる指示を出していた。

一九三八年四月八日、エジョフはNKVD長官のまま、水上交通人民委員に任命される。エジョフは二つの人民委員部（日本の省に相当）の長を兼ね、全国で各種施設にその名が冠されるなど、スターリンのエジョフへの信頼は揺るぎないもののようにみえた。しかし、エジョフの人民委員任命に続いて、NKVD幹部の水上交通人民委員部への大量異動が始まり、NKVDの人事体制大幅刷新が進む。

六月一二日深夜に、粛清される前に自ら先手を打ってNKVD

極東地区トップのリュシコフが日本に亡命したことは、上司であるエジョフにとって大きな打撃となった。さらに、エジョフの意向を無視して、八月二二日にジョージア共産党第一書記のラヴレンチー・ベリヤがNKVD第一次官に任命される。エジョフは自らに粛清の手が迫っていることを悟り、酒に溺れるようになる。

一〇月八日、政治局はエジョフを長とする委員会を立ち上げ、逮捕、検事局監督及び取調べ方法に関する新しい方針に向けた決議草案を一〇日以内に提出するよう命じた。エジョフ以外のベリヤを含む四人の委員に、エジョフの味方は一人もいなかった。ただし、草案は期限を過ぎても提出されず、この間、NKVDの幹部は次々とベリヤの息のかかった人物にすげ替えられていく。

提出期限から一か月過ぎた一一月一七日、ついに政治局は大粛清終結の決議を行い、人民委員会議（議長モロトフ）及び共産党中央委員会（書記長スターリン）決定として、次の内容が関係各機関に通知される。NKVDが共産党の指導の下に、多くの人民の敵を粉砕し、外国諜報機関と結託した破壊工作者をソ連から取り除いたことは評価できるものの、まだ完全に敵対勢力を除去できたわけではない。これまでのNKVDによる行き過ぎを非難する。NKVDと検事局が犯した許しがたい問題点の原因は、内部に人民の敵が入り込んでいたからである。今後は通常の司法手続きに沿って、法律に従い捜査を行い、トロイカは廃止し、大量逮捕・追放は禁止する。

一一月二三日、スターリンに辞表を提出するというかたちをとってエジョフが解任され、代わって一一月二五日にNKVD長官に就任したベリヤは、一一月一七日の政治局決議に基づき、クラーク作戦命令と民族作戦命令を正式に廃止するNKVD命令を一一月二六日に発令する。

一一月一七日の決定から明らかなように、スターリンは大粛清の責任をすべてNKVDに押し付け、エジョフ解任に続き、NKVD幹部の粛清が進む。エジョフは水上交通人民委員の職に名目上はとどまったものの、全く実権を失い、一九三九年四月一〇日に逮捕され、一九四〇年二月四日に処刑された。

大粛清の終結を目前に控えた一九三八年一〇月一〇日、スターリンは政治局会合でこう述べていた。

> ブハーリン派の人間は、一万人、一万五千人、二万人あるいはもっといたかもしれない。トロツキー派の人間は同じくらいか、それ以上いただろう。それで、全員がスパイだったのか？　決してそんなことはない（Конечно, нет）。

一方、反政府組織・活動を理由とする逮捕者のうち、右派すなわちブハーリン派は三・二万人、トロツキー派は六・一万人にのぼった。エジョフ率いるＮＫＶＤの「暴走」は、スターリンの「五パーセントが本当であったとしても、かなりのことだ」という大粛清前の言葉を忠実に実行したに過ぎない。

フレヴニューク教授が指摘するように、大粛清を実際に遂行した地方機関がスターリンの命令に唯々諾々と従うだけでなく、ある程度の自主性をもって行動したことは確かだとしても、大粛清は最初から最後まで完全なコントロール下にあった。スターリンに従った地方機関の「行き過ぎ」には、エジョフというスケープゴートが用意されていたのである。

1937年、亡命先のトロツキー（1879-1940）

5　反ソ謀略活動は完全な捏造だったのか

逮捕・処刑のもととなった容疑は完全なでっち上げであったのか。当時、一九二九年から亡命中のトロツキーは一切の関与を否定したけれども、今日では、一九三〇年代前半にトロツキーが、ソ連国内の支持者を通じて、ジノヴィエフやカーメネフをリーダーとする左派グループと接触していたことが明らかになっている。ゲッティ教授が指摘しているように、「一九三二年に統一左派反対ブロック（united left oppositional bloc）が形成されたのは確かである」。

さらに、トロツキーは共産党政治局に宛てた一九三三年三月一五日付秘密書簡で、自らがソ連に帰国し、再度、政権に参加することを申し出ていた。農業集団化強行による政治的経済的混乱で、このままだとソ連が立ち行かなくなるとして、これまでの対立を乗り越えて、一致団結が必要だと訴えたのである。トロツキーは五月一〇日にもう一度書簡を送ったものの、政治局すなわちスターリンからの返事はなく、この後、トロツキーのスターリン批判は激化する。

また、当時、コミンテルン本部書記でブハーリンと親しかったスイス人ジュール・アンベール＝ドローの回顧録によれば、一九二九年春、スターリンと対立し影響力を失いつつあったブハーリンは、政治的立場の異なるジノヴィエフとカーメネフのグループと連携し、スターリンと対抗しようとした。アンベール＝ドローは、スターリン打倒は政治的プログラムではないとして、そうした無原則な連携に反対したと述べたあと、こう記している。

> ブハーリンは私に、スターリンを取り除くため、彼らはすでに個人的テロを用いること（utiliser la terreur individuelle）を決めているとも語った。

アンベール＝ドローはスイス帰国後、共産主義運動と決別し、戦後、社会民主党の有力政治家として活躍した。回顧録は晩年に執筆したものであり、スターリンを擁護している可能性はゼロである。

加えて、トロツキーが亡命した後、一九四〇年にメキシコで暗殺されるまで秘書を務めた側近のジャン・ヴァン・エジュノールは晩年、トロツキーによる反スターリン策謀があったことを認め、「もっとやるべきだった」（There should have been much more）と述懐している。

それがどれほどの規模であったかはともかく、トロツキーやブハーリンらの反スターリン活動、スターリンからすれば反ソ謀略は実際に存在し、スターリンの全くの妄想、でっち上げというわけではなかった。

最後に、スターリンがなぜ一九三七年に始めたのかという、大粛清に関するもっとも重要な論点のひとつについては、いまだ研究者の間でも議論が続いている。筆者には、フレヴニューク教授や黒宮博昭インディアナ大名誉教授が主張しているように、迫りくる不可避の――とスターリンが考えた――戦争に備えて、社会の「第五列」を前もって根絶することが、スターリンの狙いだったように思える。黒宮教授の言を借りれば、「大粛清は戦争準備のための先制攻撃（pre-emptive strike）であった」。この問題に関して、他日機会があれば具体的に論じてみたい。

参考資料

I. V. Stalin Works, vol. 1 [XIV], 1934-1940 (1967, Hoover Institution).
The Diary of Georgi Dimitrov, 1933-1949 (2003, Yale UP)
И. В. Сталин в рабоге над «Кратким курсом истории ВКП (б)» (2003, *Врпросы Истории* 4: 3-25)
Кто руководил нквд, 1934-1941: Справочник (1999, Звенья).
Лубянка. Сталин и главное управление госбезопасности НКВД 1937-1938 (2004, Международный фонд "Демократия").

主要参考文献

R. Binner & M. Junge (2001) Wie die Terror "Gross" Wurde: Massenmord und Lagerhaft nach Befehl 00447, *Cahiers du Monde Russe* 42: 557-613.
R. W. Davies et al. (2018) *The Industrialisation of Soviet Russia 7: The*

Soviet Economy and the Approach of War, 1937-1939 (Palgrave).
A. B. Feferman (1993) *Politics, Logic, and Love: The Life of Jean van Heijenoort* (Jones and Bartlett).
J. A. Getty (1986) Trotsky in Exile: The Founding of the Forth International, *Soviet Studies* 38: 24-35.
J. A. Getty & O. V. Naumov (1999) *The Road to Terror: Stalin and the Self-Destruction of the Bolsheviks, 1932-1939* (Yale UP).
J. A. Getty et al. (1993) Victims of the Soviet Penal System in the Pre-war Years: A First Approach on the Basis of Archival Evidence, *American Historical Review* 98: 1017-1049.
J. Humbert-Droz (1971) *De Lénine à Staline: 1921-1931* (La Baconnière).
O. V. Khlevniuk (1995) The Objectives of the Great Terror, 1937-38, in J. Cooper et al. (eds.) *Soviet History, 1917-53* (St. Martin's Press).
O. V. Khlevniuk (2009) *Master of the House: Stalin and His Inner Circle* (Yale UP).
H. Kuromiya (2005) Accounting for the Great Terror, *Jahrbücher für Geschichte Osteuropas* 53: 86-101.
H. Kuromiya (2005) *Stalin* (Pearson).
M. E. Lenoe (2010) *The Kirov Murder and Soviet History* (Yale UP).
В. В. Марьина (2000) Дневник Г. Димитрова, *Врпросы Истории* 7: 32-55.
Ф. И. Чуев (1991) *Сто сорок бесед с Молотовым. из дневника Ф. Чуева* (Терра).

各論［東欧］

全体主義大国の間に挟まれた東欧

グレンコ・アンドリー

●Grenko Andrii　一九八七年、ウクライナ・キーウ生。キーウ国立大学日本語専攻卒業。早稲田大学、京都大学へ留学。アパ日本再興財団主催第九回「真の近現代史観」懸賞論文学生部門優秀賞（二〇一六年）。著書に『プーチン幻想』『NATOの教訓』（PHP新書）他。

はじめに

第一次世界大戦後、ドイツ、オーストリア＝ハンガリー、ロシア帝国は崩壊し、ポーランドとウクライナは独立し、ルーマニアは領土を大幅に拡大した。ウクライナはすぐ再占領されたので、支配者であるロシアに思うがままに蹂躙された。ポーランドとルーマニアにとって、独立と領土統一性を守ることは最大の課題となった。一九三七年を節目に、両国で次第に独裁体制が確立する。なぜそうだったのか。本稿では、三国の事情を振り返りながらこの問いに答えたい。

ポーランド

第一次世界大戦の結果、一九一八年に独立したポーランドでは、戦間期は不安定の時代であった。ポーランド・ソビエト戦争（一九一九―二一、事実上の独立戦争）で、ポーランドを勝利に導いた「建国の父」ユゼフ・ピウスツキ元帥（一八六七―一九三五）は、政治から引退し、ポーランドは民主主義国家として出発した。しかし、経済的な不安定と政治腐敗、頻繁に変わる内閣は、民主体制の脆弱性を露わにし、多くの人は強い指導者を求めるようになった。要職に就かなくても、軍において絶対的な権威を保っていたピウスツキ本人も、このままではポーランドが駄目になると考え、一九二六年、クーデターを実行した。軍の中では、当時の政府よりもピウスツキ個人に対して忠誠心を持っていた人が多く、彼は軍を集め、首都ワルシャワを制圧した。政府は、徹底抗戦すると内戦の恐れがあると、早々にピウスツキに降伏した。

ピウスツキが仲間達と一緒に確立した体制は、歴史学で「サナツィア」と称される。「サナツィア」はポーランド語で「健全化」という意味であり、ピウスツキが、腐敗したポーランド社会の道徳的な健全化を宣言したことから来ている。権力を掌握したピウスツキ派は、以前の民主的な体制から次第に強権的な政治を進めていった。憲法改正により、大統領の権限が強化され、議会の活動は制限された。最初はピウスツキ派は彼自身を大統領にしようとしたが、彼は辞退し、長年の側近であるイグナツィ・モシチツキを大統領に据えた。ピウスツキ本人は国防相と、ポーランド軍監察総監という職を兼任する形で実権を握った。

ユゼフ・ピウスツキ
(1867-1935)

法律上、大統領は強い権限を持っていたが、事実上はモシチツキは傀儡に過ぎず、ピウスツキが独裁的な権力を握った。ピウスツキが率いる体制は、最初は思想的に中道であった。ピウスツキ本人も若い頃は社会主義活動家として出発している。しかし、ピウスツキの名言の一つは「私は社会主義という列車を、独立という駅で降りた」であり、社会主義を掲げることが、独立運動のための方便だったことが伺える。

もともと中道的だったサナツィア体制は、左派の社会党や共産党と、右派の国民民主党、両方と対立していた。しかし次第に右傾化し、ナショナリズムの傾向が強くなっていく。サナツィア体制の基盤になったのは、「政府と協力する無党派ブロック」という巨大な政治団体である。

外交においては、ピウスツキは英仏との同盟を基本方針として、隣国のハンガリーとルーマニアとの関係を重視した。ポーランドの東西にあり、脅威であったドイツとソ連から独立を守るために、国軍を強化し、独ソ両方から適切な距離を取りながら、不要な対立をしないという安全保障の方針であった。ピウスッキの外交的な成功は、一九三二年にソ連との不可侵条約、一九三四年にドイツとの不可侵条約を結んだことだった。しかし、ピウスツキはどちらかというと、ソ連の方を警戒していた。何故なら、一九二〇年代、三〇年代前半は、ドイツはまだ再軍備する前であったので、ポーランドを壊滅する力がなかったからである。

しかし、ピウスツキの体調は次第に悪化していく。大黒柱である元帥の死後、どのように体制維持ができるのかが模索されていた。ピウスツキ本人は、自分の後、一人の絶対的な権力者が全てを握るのではなく、何人かの優秀な指導者が、お互いをバックアップしながら、交代で要職に就き、国家を担うという仕組みを望んでいた。そうすれば、体制は長続きすると彼は考えていた。

体制を安定化させるために、ピウスツキの死去の直前に、政権側は新憲法を制定した。それによって、大統領は絶大な権力を手に入れた。政府、議会、軍、裁判所などが大統領の下に置かれた。また新憲法により、大統領は直接選挙ではなく、選挙人(国家の要職についている者及び議会の代表者)によって選ばれることになった。また、議員は直接選挙で選ばれていたが、現政権に極めて有利な小選挙区制度が導入され、野党は立候補することと自体がかなり困難であった。

つまり新憲法は、当時権力を握っていたグループは永久的に権力を握り続けるように作られたのである。野党の猛反発の中、新憲法は議会で承認された。新憲法は一九三五年四月二三日に施行されたが、同年五月一二日にユゼフ・ピウスツキ元帥は死去した。

元帥の死後、政権内で静かな権力闘争が続いていた。それまでピウスツキの傀儡に過ぎなかったモシチツキ大統領は、憲法上、絶大な権限を持っていたので、それを利用して実権を握ろうとした。一方、軍の中で尊敬され、ピウスツキ死去後、軍監察総監に就任したエドヴァルト・リッツ＝シミグウィは政治への介入を強めた。一九三六年にそれまでピウスツキしか持っていなかった「元帥」の階級を与えられ、事実上大統領に次ぐ国家のナンバー2になったのだ。穏健なモシチツキと、強権主義やナショナリズムを掲げたリッツ＝シミグウィの間には主導権争いが続いていたが、全面対決は体制そのものを危うくするので、結局争いながらの共存となった。

一九三五年九月の国会議員選挙で、政権は圧倒的多数を獲得した。なぜなら野党の主流政党は選挙をボイコットしたからである。そこで、政権は少数民族(ドイツ人、ユダヤ人、ウクライナ人、ベラルーシ人)に接近し、選挙への積極的な参加を促した。少数民族参加のおかげで、競争のある民主的な選挙という体裁を辛うじて取ることができた。

政権が一方的に権力を握り続けることを不満に思っていた野

党の諸勢力は、それぞれ反政府運動を繰り広げた。左翼では、かつて仲が悪かった社会党と共産党が協力し、一緒に労働者のストライキを扇動し、その鎮圧を政権への批判材料として使っていた。一九三六年に、ポーランドの各地で大規模な労働者や農民のストライキが行われ、警察との衝突は何度もあった。時には死者が出たこともあった。

一方、中道派、右派、反体制派軍人という、左翼ではない野党も結束を図り、政権奪還を狙った。彼らは何度も集まって、強力な野党統一戦線の構成について話し合った。目的はサナツィア体制の打倒と、民主主義の復活だった。しかし、ナショナリストと中道派の間には根本的な思想の違いがあり、統一の綱領を作成できなかった。そのため、強大な反政府組織を形成する試みは失敗した。

野党の活発な動きを受けて、政権側は体制強化の必要性を感じた。一九三六年五月に、モシチツキとリッツ=シミグウィが話し合い、首相にフェリツィアン・スワヴォイ=スクラドコフスキ准将を任命することにした。軍人のスワヴォイ=スクラドコフスキは、厳しい軍の規律を社会全体に導入しようとしており、彼の指示の細かさは話題になっていた。

さらに、一九三七年二月に政権は、解散された「政府と協力する無党派ブロック」の代わりに、新しい政治団体「国民統一陣営」を作り、政治基盤とした。国民統一陣営の綱領は国家主義と民族主義に基づいていた。ポーランドはポーランド民族が統治する国とされ、ポーランド民族はカトリックと深いつながりがあると宣言された。必要があれば国家は社会に介入できるとも明記された。また設立宣言には、ユゼフ・ピウスツキの個人崇拝が盛り込まれた。さらに少数民族については、ポーランド国家に対する忠誠心の度合いによって、待遇は変わった。

次第に右傾化したピウスツキ派と違って、もともと民族主義や国家主義の思想を持っていた国民民主党の人達は、ピウスツキ派を「我々の思想を真似ている」と批判した。とはいえ、思想的に近くなったピウスツキ派の政権と、野党の一つである国民民主党の両勢力は、かつて険悪な関係だったけれども、接近した面もあった。ピウスツキ派は事実上の独裁政権であり、野党の弾圧もあったが、政権の右傾化と共に、弾圧の対象は主に左派や中道派に集中して、右派の国民民主党は「許された野党」の立場となった。

とはいえ、ピウスツキ派の中でも、独裁的な傾向の強い国民統一陣営に対する反発もあった。中道系のピウスツキ派は、国民統一陣営の綱領はピウスツキ思想の裏切りであると、陣営に加わらなかった。またモシチツキ大統領の派閥は陣営に入ったものの、中から極端な独裁主義に抵抗しようとした。

一方、野党側でも、統一はなかった。中道派の人民党は農民主義に傾き、農民層はポーランド社会で重要な、経済的・政治的役割を果たしているとした。一九三七年一月の人民党の大会では、人民主義は右派でも左派でもないとして、民主主義の復活を掲げた。人民党は社会党や他の中道派からの協力の要請を拒否し、単独でサナツィア体制と戦おうとした。一九三七年八月に人民党は大規模な農民のストライキを起こし、農民は農作物を売るのを拒否した。さらに、全国で大きな農民のデモが起き、政権に譲歩を迫った。しかし政権は強硬措置を取り、数カ所で警察力でデモを排除した。その際、死者や逮捕者も出た。

左翼側でも、統一はなかった。一九三七年に景気がよくなったため、左翼は労働者層を大規模なストライキに誘導できなかった。失業率が減り、給料が上がった。社会党は資本主義の終了を掲げた。共産党の方は社会党に反政府運動でも協力を提案したが、社会党はこれを拒否した。社会党は一応、ポーランド国家に対して自分なりの愛国心を持っていたので、社会党幹部は、共産党はコミンテルンに操られているのではないか、という懸念を持ち、共産党の呼び掛けに応じなかった。さらに共産党は政権から一番強い弾圧を受けていた。一九三七年、共産主義運動に参加した容疑で、約五〇〇〇人が逮捕された。

また政権側でも、どこまで体制を引き締めたらいいのか、意見が分かれていた。国民統一陣営の代表であるアダム・コツは、イタリアやドイツ方式のファシスト独裁体制の確立を訴えた。それに対して、モシチツキ大統領の派閥は穏健な政治を目指す。対立が深まったが、最終的に影響力のある軍人達は全体主義に反対し、コツは陣営の代表を辞任することになった。次の代表は軍人だったので、陣営の綱領はある程度変化した。排他的なナショナリズムは抑制され、国家の近代化とインフラ整備に重点が置かれた。

一九三七年までにポーランドは世界大恐慌から立ち直り、経済は成長に転じた。しかし、ポーランドは先進国からかなり遅れていたので、政府は先進国に近づくために、産業近代化の方法を探っていた。一九三六年六月に政府は新しい経済戦略を提案した。提案された四ケ年計画では、政府が大規模なインフラ投資を行い、新しい工場、発電所、道路などを建設する予定だった。これによって、産業の近代化と共に防衛力強化と、失業率の改善も可能になると思われた。同時にポーランド軍近代化の六ケ年計画も発表された。一九三七年の始めに国の中部に中央産業区の設立が発表された。産業区では、発電所、ガスパイプライン、製鉄所、軍事工場、航空機製造工場などが国費で建設された。一九三六年に、ポーランドは産業区建設のためにフランスから二〇億フランの借り入れをした。一九三九年に四ケ年計画は順調に達成できたが、さらなる発展を戦争が妨害した。

外交や安全保障面では、ポーランドは相変わらず英仏を頼りにしていたが、英仏の宥和政策を見て警戒心を持った。一九三六年に、ドイツがラインラント進駐を強行したことに反撃しなかった英仏を見たポーランドは、ドイツとの共存の必要性を実感した。一九三六年にモシチツキ大統領は国家防衛委員会を作った。またリッツ＝シミグウィ元帥はドイツとの戦争に向けた作戦を作るように命じた。一九三八年始めに軍幹部が作成した戦略によると、ポーランドとドイツの軍事力の差は圧倒的だから、単独ではポーランドはドイツに勝ち目がないということだった。

一九三八年、ドイツのオーストリア併合による緊張感を利用して、ポーランドはリトアニアとの国交正常化を図った。リトアニアは、当時ポーランドが統治していたヴィルノ県の一部を自国領だと主張し、それを渡さない限り国交を結ぶことを拒否していた。そして、一九三八年三月にポーランドは、国交を結ばなければ軍事行動を起こすと最後通告し、大国の後ろ盾のないリトアニアはそれを受け入れざるを得なかった。ポーランドはリトアニアとの国交正常化に成功したが、軍事的な脅しに基づく外交はポーランドの国際的な評価を悪くし、フランスはこの件について懸念を表明した。

さらに一九三八年九月に、ミュンヘン合意によってチェコスロバキアのズデーテン地方がドイツに移譲されることが決まった時、ポーランドはこの機を利用して、チェコスロバキアが実効支配したポーランドとの係争地だったチェシン・シレジア地域を獲得することにした。ポーランドはチェコスロバキア政府に最後通告を送り、骨抜きにされたチェコスロバキアはそれを呑まざるを得なかった。そして、一九三八年一〇月に、ポーランド軍はチェシン・シレジアを占領した。これによりポーランドはドイツの味方をしているように見えたので、ポーランドの国際評価はさらに悪化した。

一九三八年一〇月にドイツはポーランドに対して、ダンツィヒのドイツ領有、ポーランド領を通るドイツ本土からプロイセンへの道路建設の許可、ポーランドの防共協定への加盟を要求した。ポーランドは返事をせず、一九三九年三月にドイツがポーランドに対して返事を迫ったところ、ポーランドは要求を拒否した。拒否を聞いて激怒したヒトラーはポーランドを攻撃することにし、四月にドイツ・ポーランド不可侵条約を破棄した。

ウクライナ

ポーランドとは異なり、ウクライナはソビエト・ロシアとの戦争で敗北し、独立を獲得できなかった。その結果、ウクライナの領土はロシア（約七〇％）、ポーランド（約二〇％）、ルーマニア（約五％）とチェコスロバキア（約五％）に分割された。

しかし、ソビエト・ロシアは、占領したウクライナを併合したのではなく（事実上の併合だが）、ウクライナは自分の意思でロシアと連邦を組むという形を取った。つまり、独立国家のウクライナで共産党政権ができ、それが社会主義国家の連邦に入ることを希望したという形である。何故そうしたのかと言うと、世界革命を目指した初期のボリシェビキは、封建的なロシア帝国と違って、全ての民族は平等だという立場を取っており、従って、ある民族は無理矢理別の民族を征服してはいけないとしていた。ボリシェビキは「大ロシア・ショービニズム」（露：Великорусский шовинизм、ロシア民族の優位性を謳う、ロシアの差別的なナショナリズム）を強く否定し、それは平等を目指す共産党の敵であると主張した。

だからボリシェビキは、赤軍が征服した国々で共産党政権を樹立し、諸国が自分の意思で社会主義共和国連邦に加盟したという形を取った。さらに、一九二〇年代に共産党は、ロシア以外の諸共和国で、諸民族を宥める、いわゆる「土着化」政策を取った。ウクライナの場合は土着化は「ウクライナ化」と言われた。

共産党がウクライナ化政策を進めた理由はいくつかあった。一つ目は、先述したような形式上の平等主義。二つ目は、ウクライナで基盤がなかったことだ。ボリシェビキは軍事力でウクライナを制圧したとはいえ、ウクライナで共産党はウクライナ国民に嫌われ、反ボリシェビキの蜂起や暴動が後を絶たなかった。力だけによる支配は危うく、いずれ弾圧しきれなくなり、ウクライナを失うかもしれない、とボリシェビキは警戒していた。当時は共産党政権はできたばかりの頃なので、まだ各地で強い組織もなく、不安定な要素は多かったのだ。三つ目は、共産党の幹部は殆どロシア人やユダヤ人で、ウクライナ人はいなかった。一般党員もウクライナ人が少なかった。この状態では、ウクライナの現状を理解している人材がなく、ウクライナを順調に統治することができなかった。つまり、ボリシェビキからすれば、土着化は権力を維持して、征服した民族を宥めるやむを得ない妥協であり、決して善意で行われた政策ではない。

ウクライナ化政策によって、ウクライナ人の共産党員が増え、ウクライナ・ソビエト社会主義共和国の政府にもウクライナ人は一部の主要ポストを占めた。但し、ウクライナ共産党（ソ連共産党ウクライナ支部）の幹部は変わらずロシア人だった。

ウクライナ化のおかげで、ロシア帝国時代には禁じられていたウクライナ語の使用は認められ、新聞などのメディア、また出版物にはウクライナ語の割合は増えていた。また、学校教育はウクライナ語で行われるようになった。さらにNEP（新経済政策）のおかげで限定的な市場経済が導入され、経済も発展した。

だから全体的に、独立を失ったとはいえ、一九二〇年代の半ばは、ウクライナは明るい雰囲気だった。しかし、この状況は長く続かなかった。一九二〇年代末にスターリンが党内の権力闘争に勝ち、体制の引き締めが始まった。まず、スターリンは共産党が掲げた民族の平等主義を無視して、大ロシア・ショービニズムを復活させた。

そのため、ウクライナ化政策は中止になり、ウクライナ化の過程で各分野で働いていた人達は弾圧された。閣僚としてウクライナ化を進めていた人達は職から追放され、汚名を着せられた。さらに、ウクライナ化の過程で多くの作品を残し、ウクライナ文化の発展に貢献した文学者達は、ことごとく殺された（冤罪による処刑、自殺の強要、シベリアへの強制移住による衰弱死など、形は様々だったが）。ウクライナ語の使用範囲は次第に縮小されて、ウクライナで再びロシア化が進んだ。ロシア帝国の時代と同じく、ウクライナ語というのは教養のない農民が話す言葉で、高度な話には使えないとされた。教養のある人はロシア語を話すという雰囲気が戻った。

スターリンは事実上、レーニンの世界革命を諦めて、ロシア帝国へ回帰した。ロシア民族の優位性を謳う大ロシア・ショービニズムを復活させ、「一国社会主義」という名の下で、世界帝国の構築に取り組んだ。そのためにスターリンは国内をまとめるために、少しでも反対意見のある人を、例え共産党幹部であっても粛清するようになった。

同時にスターリンはウクライナ人の大虐殺を起こした。農業の集団化に反発したウクライナ人はまた頻繁に蜂起を起こすようになった。そこで、スターリンはウクライナ民族アイデンティティそのものをなくすために、アイデンティティを最も濃厚に持っているウクライナ農民層を潰すことにしたのだ。一九三二年にスターリンの命令によって、治安部隊はウクライナの農業地帯の広い領域で農民から全ての食糧を没収した。毎年行われていた徴収を遥かに超えており、明らかに飢え死にさせるための没収だった。文字通り、全ての食糧、家畜や翌年の播種のための種子、さらに既に調理され、加熱された料理まで没収された。そして、その地域から飢えている農民が脱出しないように、道を封鎖して、それでも脱出を試みた人は逮捕、若しくはその場で射殺された。

その結果、ウクライナ人は大量に餓死した。死者数は確定されていないが、当時の人口統計に基づいた推測によると、二〇〇万―七〇〇万人とされている。その代わりに、ソ連の政策によってロシア人が大量に入り、人口構造は大幅に変わった。

一九三三年以降、ウクライナで粛清時代が始まった。それまでは、反共、反ソ連の人間が弾圧を受けていたが、一九三三年から、共産主義者であっても、少しでもウクライナの自主性を容認した人や、恐怖政治に疑いを持った人は全員、粛清の対象となった。そのために、スターリンはモスクワから、粛清に前向きなロシア人のパーヴェル・ポスティシェフを派遣した。彼はウクライナ共産党第二書記という職に就いたが、事実上、スターリンから強い権力を預かっていた。その頃、ウクライナ共産党内の粛清は目立った。二〇年代のウクライナ化政策に関わっていた人達や、早急で無条件な農業の集団化に疑問を持っていた人はことごとく粛清された。また、作家や芸術家、学者や教育者も大量に粛清され、体制に対する絶対服従を誓った一部の文化人しか、生き残らなかった。同時にウクライナ語の使用は縮小され、さらなるロシア化が進んだ。

その中で、ウクライナをあざ笑うかのように、スターリンは形式だけのウクライナ優遇措置として、一九三四年にウクライナの首都をハルキウからキーウに遷都することを認めた。一九三六年、残虐な粛清が続いている中、スターリンはソ連の新憲法を制定した。その条文もまた、ソ連国民を小馬鹿にするように、言論、信仰、出版の自由を保障するという内容だった。これに合わせて、一九三七年一月にウクライナソビエト社会主義共和国の新憲法が制定された。

しかし、それでも、スターリンは粛清の規模に満足しなかった。一九三七年には、少しでも疑わしい人まで粛清の対象になった。つまり、実際は根拠がなく、体制に逆らう意図が全くなかった人でも、決定権のある人に疑われたら、すぐに粛清された。一九三七年六月に赤軍の有能な指導者ミハイル・トゥハチェフスキー元帥をはじめ、多くの赤軍幹部は冤罪で処刑された。

一九三七年七月にソ連の内務人民委員部（略名：NKVD、内務省に当たる）は共産党中央委員会政治局の指示に基づいて、反ソ連分子などの弾圧についての命令を発令した。この命令はいわゆる大粛清（もしくは大テロル、露：Большой террор）の始まりとされている。粛清を指導していたのは内務人民委員（内務大臣）のニコライ・エジョフである。その過程で、農民や聖職者、文化人、インテリをはじめ、少しでも疑いのある人は対象となった。当然共産党幹部もそうだった。

共産党はソ連の各地方に対して、粛清のノルマを指定した。つまり、各地方で、何人を死刑にし、何人を収容所（ラーゲリ）送りにしなければならないかという数字は予め決まっていた。だから、現地で実行する人は、実際は疑われる人間はそんなにいないので、全く無実な人間を大量に手当たり次第、冤罪でつかまえ、死刑や収容所送りにしていた。

現地で粛清を実行していたのは、いわゆるトロイカ（露：тройка 数字「3」という意味）である。トロイカはソ連の各州にあり、構成員は州のNKVD（内務人民委員部）長官、州の党支部の書記、州検察官の三人である。この三人が人を捕まえ、罰を決めた。時に死刑もその場で執行していた。当然、形だけであっても裁判も捜査も行っていない。

大粛清はおおよそ、一九三七年七月から一九三八年一一月まで行われた。最初は共産党が決めたノルマは収容所送りは約二〇万人、死刑は約七万人だったが、数字は何度も引き上げられ、最終的に約一年四か月で約一五五万人は粛清され、その内六八万人は処刑された。大粛清が終わった後、その証人を減らすため、一部の大粛清の実行者も粛清された。エジョフは一九三九年に逮捕され、一九四〇年に処刑された。

ウクライナでは、スターリンは一九三七年にポスティシェフを解任した。最初にポスティシェフは粛清に前向きだったが、彼ですらスターリンの殺人欲についていけず、粛清の規模に疑問を持ち始めた。彼は一九三九年に処刑された。ポスティシェフと同じく、ウクライナ共産党第一書記（トップ）のスタニスラフ・コシオールもスターリンの粛清規模に疑問を持ち、一九三八年一月に解任され、一九三九年に処刑された。

この二人の代わりに、一九三七年にスターリンはウクライナへ、後の外務委員のヴャチェスラフ・モロトフと、後のソ連トップのニキータ・フルシチョフを派遣した。フルシチョフは一九三八年一月から一九四七年三月までウクライナ共産党第一書記だった。フルシチョフとモロトフは大粛清に対して何の抵抗感も持たず、スターリンの要望通り、残虐な殺戮を実行した。

ウクライナ共産党中央委員会の委員と委員候補の一〇二名の内一〇〇名が粛清された。政治局員の一一名の内一〇名は処刑。政治局員候補五名の内四名は処刑。組織局員九名は全員処刑。さらに、閣僚や最高会議の幹部、各地方の党支部など、ウクライナ指導層の多くが逮捕された。その代わりに、ロシアから派遣された人が全ての要職を占めた。粛清が終わった頃、フルシチョフは「ウクライナはピカピカになるまで清掃された」と発言している。

ルーマニア

第一次世界大戦の結果、領土を大幅に拡大したルーマニアにとって、一九二〇年代の最大の課題は新領土の同化と国家の統一であった。国王フェルディナンド一世（在位一九一四―二七）は、国家の統一と近代化の為に全力を尽くした。

しかし突然、王位継承に大きな問題が起きた。フェルディナンドの息子であるカロル皇太子が一九二五年に突然、愛人と一緒に国外へ移住し、王位継承を拒否した。そのため、一九二七年にフェルディナンドが崩御した時、その孫で、カロルの息子である六歳のミハイ一世が即位し、摂政が置かれた。

ところが一九三〇年に、政権与党だった国民農民党が実施したカロルの帰国運動が成功し、カロルはルーマニアに戻った。彼はミハイを退位させ、自身が国王カロル二世として即位した。ミハイは父の皇太子となった。

一九二〇年代は国民農民党と国民自由党が二大政党であり、連綿と政権を争っていた。農民党は、即位に協力した事でカロルに恩を着せ、これによって自由党より有利な立場に立とうとした。しかし、カロルは自分の権限強化だけを考え、特定の政党を優遇しなかった。カロル二世は民主主義をあまり信じず、一九三〇年代に自分がトップに立っている独裁体制を築いた。とはいえ、カロル二世時代（一九三〇—四〇）のルーマニアは、一応独裁だったが多くの周辺国（独ソ伊など）よりずっと民主的で、むしろあの時代のヨーロッパのなかでは普通の国だった。

一九三三年末に、自由党系首相、イオン・ドゥカが極右ファシスト団体「鉄衛団」に暗殺された。これを機にカロル二世は極右に対する弾圧を始めた。しかし王は極右だけの弾圧にとどまらず、首相の暗殺を体制強化に利用し、反体制勢力全体への弾圧を実施した。七〇年ぶりにメディアの検閲が復活した。

多くの政治家が王の権力強化に反発している中、王に協力的なゲオルゲ・タタレスク（国民自由党）が首相になった。彼の在任期間（一九三四年一月—三七年一二月）は戦間期ルーマニアで最長となった。

タタレスク内閣はかなりの経済成長を実現させた。政府は産業と農業の近代化に力を入れ、支援をした。また厳しくなりつつあった国際情勢を考慮し、軍の近代化も進められた。タタレスク内閣の政策は全体的に成功だったが、それでも一九三七年に自由党の人気は翳り始めた。

一九三七年一二月二〇日の総選挙で、自由党は第一党になったとはいえ、得票率の三六・五％で、過半数を確保することができなかった。国会でどの勢力も過半数を占めなかった状態を、カロル二世は最大限に利用し、議会制民主主義を潰し、完全な独裁体制を形成した。まとまらない国会は王に抵抗できず、王はまず、得票率が九％しかない第四党、極右の国民キリスト教党の代表オクタヴィアン・ゴガを首相に任命した。

しかし、ゴガのファシスト政治に王は危険を感じ、四三日でゴガを退陣させた。一九三八年二月一一日、王は政治家ではなく、ルーマニア正教会のミロン総主教を首相に任命した。総主教は完全に王の意向に従っていた。王は政党の活動を停止し、憲法を停止し、王の勅令で国を統治し始めた。二月二〇日に、王の専制を確立する新憲法が発布された。王は新しい政党「国家復活戦線」を作り、それを政治基盤にした。全ての国家公務員は国家復活戦線の党員にならなければならなかった。これは就職の条件だった。

戦間期の外交においては、ルーマニアの最重要課題は、第一次世界大戦の結果できた国境線を守ることであった。ベッサラビア地方（現代のモルドバ共和国に当たる）をソ連から、トランシルヴァニア地方をハンガリーから守らなければならなかった。ルーマニアは国際連盟の活動に積極的に参加し、現存の国境を固定化する国際的な仕組みの形成を目指していた。だから当時締結された多くの国際条約に加盟した。また近隣諸国に対しても積極的な外交を行った。一九三四年にアテネで、バルカン条約（バルカン協商）が締結され、参加国はルーマニア、ユーゴスラヴィア、ギリシャ、トルコだった。その目的は、第一次世界大戦によってできた現状（国境や秩序）が変更されないことであった。

一九三四年に、それまでに何度か中断されていたソ連との交渉は再開された。ルーマニアとソ連は、お互いに内政干渉をしないことを約束した。交渉で、ルーマニアはソ連との基本条約を結ぶことを目指した。しかし、ソ連はベッサラビア地方の帰属について異議があったので、交渉は難航した。結局一九三六年にソ連が交渉の継続を拒否し、ルーマニアがソ連と条約を結ぶ戦略は頓挫した。

一方、ハンガリーは常にトランシルヴァニアを取り戻すことを外交戦略の要にしていた。当然、ルーマニアは全く譲歩するつもりはなかったので、ハンガリーは独伊との関係を強化し、強国を利用してルーマニアに圧力をかけようとした。しかし、最初にヒトラーはハンガリーとルーマニアの間に紛争を起こすのを嫌がり、ハンガリーに領土主張を自粛するよう要請した。

ルーマニアは一九三〇年代後半、独伊などの独裁国の台頭を警戒し、英仏などとの関係強化を目指した。しかし、英仏の宥和政策を見て、頼りないと判断し、孤立を避ける為に、止む無くドイツへ接近せざるを得なかった。ドイツの機嫌をとるために、対独従属をするしかなかったルーマニアは、一九四〇年にヒトラーの指示に従って、ベッサラビアをソ連に、トランシルヴァニアをハンガリーに割譲した。そして、多くの領土を失い、国内不満に爆発したルーマニアでクーデターが起き、カロル二世は退位させられた。その代わりに完全にファシスト系のイオン・アントネスク独裁体制が確立した。カロルの息子であるミハイは再び即位したが完全な傀儡であった。

おわりに

第一次世界大戦後、ヨーロッパ大陸から専制君主の帝国が消えた。しかし、これで大陸が安定したのではなく、今度は全体主義国家ができた。ポーランド、ルーマニア、ウクライナは、三国ともに一九三七年前後に、全体主義大国であったソ連とナチスドイツに振り回されていた。ウクライナはロシアに支配されていたので、対抗する術がなく、二〇世紀の最も残虐なスターリン体制に蹂躙され、人工飢餓で何百万人も殺された。ポーランドとルーマニアは独立維持と近代化、領土保全を実現するために必死だった。両国では、民主的な動きもあり、選挙も行われた。しかし、増していく独ソの脅威を目にして、両国内に不安が広まった。その不安に乗じて、体制強化が進み、次第に権威主義体制が出来上がった。外的要因によって民主主義から権威主義に転じることと、全体主義大国の脅威に内外政策が左右されることは、一九三七年前後の東欧諸国の状況である。

その後の命運を分けたのは何だったか

【国内外からの影響力を考察する】

小野義典

●おの・よしのり　一九七二年生。城西大学現代政策学部准教授。国際法、外交史、EU法、憲法。地域研究としてハンガリー法。著作に「ハンガリー憲法と欧州人権条約」（『憲法論叢』一九号、二〇一二年）、「ハンガリー基本法改正の意義と背景」（『法政治研究』創刊号、二〇一五年）、「ハンガリー中世・近世の法文化」（羽場久浘子責任編集『中欧・東欧文化辞典』丸善出版、二〇二一年）等。

はじめに

本論は、一九三七年のハンガリーの状況と政策決定に対して、国内外から、いかに影響力が行使されていたのかを明らかにすることを目的とする。ここでは一九三七年のハンガリーに焦点を当てているのであるが、先行研究は、一九三六年以前と一九三八年以降に主眼を置いているきらいがあり、エアポケットのように一九三七年に起こった事象が抜け落ちているように思われる。

それはなぜかというと、一九三六年一〇月まで首相を務めたゲンベシュ・ジュラ（Gömbös Gyula　一八八六〜一九三六年。首相在任：一九三二年一〇月〜三六年一〇月）がドイツ系の軍人出身で右派であり、首相就任前には反ユダヤ主義を闡明しており、さらに、一九三三年にドイツで首相となったアドルフ・ヒトラーに、外国首脳としては初めて訪問するなどの注目を浴びていたからである。（なお、ハンガリー人の人名は姓名の順とする。）

さらに、一九三八年に首相となったイムレーディ・ベーラ（Imrédy Béla　一八九一〜一九四六年。首相在任：一九三八年五月〜三九年二月）の下では、第一次ウィーン裁定（一九三八年）によって、ハンガリーが第一次世界大戦後の講和条約であるトリアノン条約で失った旧領のうち、南部スロヴァキア、カルパチア、ルテニアがハンガリーに割譲されて領土回復したことで着目されているからであろう。

しかし、本論の射程に収めている一九三七年こそが、ハンガリーの命運を左右する重大な政策決定の年である、と筆者は考える。にもかかわらず、先行研究としては、この年に政権にあったダラーニ・カールマーン（Darányi Kálmán 一八八六〜一九三九年。首相在任：一九三六年一〇月〜三八年五月）の評伝が近年に出された程度であり、また、一九三七年に起こった事柄が五月雨式に紹介され、先行研究それぞれが関連づけられていない状態で記述が存在する、という状況にある。

それゆえ、本論の意義は、これまであまり日の目を浴びなかった時期の事柄を纏め上げ、さらに、そこに潜む問題を浮き彫りにさせることにあると自負するものである。

一　一九三七年に至る前史

❶一九三七年に向かう補助線

一九三七年は、ハンガリーにとって、国家としての命運を左右する重要な年だったのであるが、そこに至るまでの歴史的展開を押さえておきたい。歴史は連続するものであるから、一九三七年を切り取って、その年だけを云々することは大変難しい。それゆえ、幾つかの補助線を引いて、その上で、なぜ、一九三七年にハンガリーの命運を左右する出来事が重なったのかを紐解いていくことが必要である。

例えば、ハンガリーの人口は、ハンガリー（マジャール）系が多数を占めているが、（一九三七年当時も）ドイツ系住民も少数ながら一定数存在していた。このドイツ系住民との連帯をナチス・ドイツが表明すると同時に、ハンガリーに対して、教育や言語の観点から一定の「配慮」を求めた。その結果、一九三八年には、もともと存在していた「在ハンガリー・ドイツ教育協会」なる組織が「ハンガリー連盟」という組織に衣替えする。そしてその「ハンガリー連盟」は、ハンガリーに於けるナチス・ドイツの利益代表となり、またドイツ系住民を武装親衛隊にリクルートする機関へと変貌を遂げることとなった。

このようなドイツ系住民が、なぜハンガリーに存在するのか、といえば、ドイツ、とりわけ主にザクセン地方から、第一次世界大戦前までハンガリー領であったトランシルヴァニアへの植民が行われたからである。このトランシルヴァニア植民は、古くはハンガリー王ゲーザ二世（II. Géza 一一三〇〜六二年。在位：一一四一〜六二年）によってハンガリー東南部の防衛のため始められたものであった。この時の防衛は、東ローマ帝国による攻撃からハンガリーを守るものであり、オスマン帝国からの防衛は、後代のものである。このようなドイツからの植民を、別名、トランシルヴァニア・ザクセン人という。

出典：オーストリア＝ハンガリー帝国（1867-1918年）——比較ジェンダー史研究会（ch-gender.jp）をもとに作成

地図１　大戦前のハンガリー領と、大戦後の国境

また、戦間期のハンガリーの政策、とりわけ外交政策を決定づける要因は、一にも二にも、第一次世界大戦の講和条約であるトリアノン条約の再検討であった。トリアノン条約によって、第一次世界大戦開戦前のハンガリーの国土のおよそ七割、国民のおよそ六割を切り離された（このことは、当時のハンガリー国民のうち、約五〇〇万人が近隣諸国で少数民族となることを意味していた）。このトリアノン条約の再検討は、右翼であれ、左翼であれ、中道であれ、穏健派であれ急進派であれ、ハンガリー国民総意の問題意識となっていた（**地図1**参照）。

近隣の他国へ領土を割譲し国民を分断したことへの再検討をハンガリーは求めたが、これは当然のことながら、中東欧地域での新たな緊張を生じさせた。

まず第一に、一九一九年のクン・ベーラ（Kun Béla　一八八六～一九三九年）率いるハンガリー共産党による、ハンガリー・タナーチ（評議会：ソヴィエトと同義語）共和国成立（一九一九年三月二一日に成立し、同年八月六日に崩壊）は、その後、フランスの後押しによる、共産主義の波及を防止させようとするルーマニアによる介入を受けることとなった。

第二に、短期の共和政を経て、ハンガリー王国が成立（一九二〇年三月）し、「王なき王国」となって、ホルティ・ミクローシュ提督（Horthy Miklós　一八六八～一九五七年。摂政在位：一九二〇～四四年）が摂政として統治すると、ハンガリーが、かつての「聖なる王冠領」（第一次世界大戦前までハンガリー領であった領土に加え、クロアチアなども含む）の回復を求めているのではないか、との疑心暗鬼を周辺各国が抱いた。その結果、フランスが後ろ盾となり、ルーマニア、チェコスロヴァキア、ユーゴスラヴィアによる小協商を成立させ、ハンガリーの領土回復主義に対抗しつつ、共産主義から防備することになる。

第三に、ホルティ摂政の下で、穏健的保守派貴族のテレキ・パール伯爵（Teleki Pál 一八七九〜一九四一年。首相在任：一九二〇〜二一年、第一次）、ベトレン・イシュトヴァーン伯爵（Bethlen István 一八七四〜一九四六年。首相在任：一九二一〜三一年）、カーロイ・ジュラ伯爵（Károlyi Gyula 一八七一〜一九四七年。首相在任：一九三一〜三二年）が、それぞれ政権を担当したが、トリアノン条約によって領土が割譲された結果、南部の肥沃な地域や、東部の資源採掘地域を喪失したことにより、第一次世界大戦直後のハンガリー経済は壊滅状態となっていた。

第四として、ハンガリー国内が政治的に右旋回するようになってきたことが挙げられる。トリアノン条約によって、軍人の数が警察も含めて三万五千名に削減された結果、軍の不満は、一九三七年頃まで燻り続けた。

上述の第一次テレキ内閣は、トリアノン条約の領土修正交渉の失敗と、ハンガリー王として、かつてのハプスブルク家の最後の皇帝（ハンガリー王）カール一世（ハンガリー王としては、カーロイ四世）（IV. Károly 一八八七〜一九二二年。在位：一九一六〜一八年）の復位問題で疲弊し、退陣を余儀なくされた。

ベトレン内閣は、トリアノン条約遵守と共に、国際連盟加盟（一九二二年）後の借款が功を奏し経済を立て直しつつあり、長期安定政権となった。しかし、恒常的に外国借款に依存していたことが災いして、一九二九年の世界大恐慌により大打撃を受けた。農産物価格は数年間で半減し、工場は倒産し失業者が街に溢れた。これら社会不安の増大を抑えることに失敗した結果、事態を収拾出来ずに内閣総辞職となった。

続くカーロイ内閣も経済を好転させることは叶わず失脚した。このような社会不安と共に、農業者、軍人、失業者等の不満が、右翼主義へと靡（なび）くようになっていったのである。

❷ 一九三七年の前夜——ゲンベシュ内閣の時代

カーロイ内閣までの内閣において緊縮財政を余儀なくされた結果、この矢面に立ったのが下級官吏、軍人であり、また、不況のため就職の機会が厳しく制約された学生であった。これらの不満を抑えるために、父方がドイツ系で、かつ、軍人出身（但し、トリアノン条約で割譲されたトランシルヴァニア出身ではなく、ハンガリー中部の出身）のゲンベシュ・ジュラ国防相が登用された。

当時のハンガリー軍は、先述した防衛のために植民したトランシルヴァニア・ザクセン人の伝統と共に、オーストリア＝ハンガリー二重帝国（ハプスブルク帝国）時代から、日常語はハンガリー語（マジャール語）ではあったものの、軍による公用語、特に指揮・命令はドイツ語で行われていた関係上、ドイツ系の人々が軍の中核をなしていた。

ゲンベシュは、ホルティ摂政とは、一九一九年のハンガリー・タナーチ共和国に対抗する頃から親しい間柄であった。このこともあって、首相に任じられたという人間関係も見逃せない。但し、ゲンベシュは右翼急進派であって、穏健的保守派ではなかった。そのため、ホルティ摂政からは、ゲンベシュが政権に就くに当たって、以下の条件が付けられていた。第一に、議会を解散しないこと、第二に、急進的な土地改革を実施しないこと、第三に、反ユダヤ法を制定しないことであった。

当時の議会は、穏健的保守派貴族のベトレンらの影響が色濃く、穏健派が多数を占めていたため、ホルティ摂政は解散を厳に慎んだのであった。また、急進的な土地改革は、穏健派を攻撃する右翼と左翼の両者が、これらを求めていた。さらに、ゲンベシュは右翼急進派であって、首相就任前は、反ユダヤ主義を闡明にしていたこともあり、このようにホルティ摂政は釘を刺しておいたのであった。

これら三つの条件をゲンベシュは在任中、忠実に守った。唯一、行われたのは議会の解散のみであり、しかもそれは、ホルティ摂政の同意の上でのことであった。但し、議会の解散時期は一九三五年であったため、在職中のゲンベシュの逝去（一九三六年一〇月）によって、右翼、左翼、保守穏健いずれの勢力もフラストレーションを溜めたまま一九三七年を迎える。

このフラストレーションの要因となっているものとしては、右翼としては、抜本的な土地改革がなされておらず、反ユダヤ主義が徹底していない、金融・税制改革がなされていない、といったものに加えて、反共産主義が不徹底であり、トリアノン条約の修正が道半ばであり、失業の克服がなされていない。さらには、議会政の抑制がなされていない等で、右翼からすれば、ゲンベシュの政策は「生ぬるい」ものと映った。

他方、左翼としても、抜本的な土地改革がなされておらず、トリアノン条約の修正が道半ばであった。また、金融・税制改革がなされていない、失業の克服がなされていないなど、右翼の側とは目的は異なれども、総じて、同様の不満を抱えていた。さらに、右翼急進主義にはもちろん反対の立場であるから、左翼からすれば、ゲンベシュの政策は「危険」なものに見えた。

さらに中道や穏健派の立場からすれば、トリアノン条約の修正が道半ばであり、反共産主義が不徹底である。また、右翼急進主義には反対、等々、中道や穏健派からしても、ゲンベシュの政策は「問題あり」なものと捉えられていた。特に、ゲンベシュが右翼急進的な軍人出身ということもあり、将校を中心とした軍人や官僚に人気を博し、また、御用新聞を創刊して右翼全体主義思想を拡げて、旧態依然の社会構造に愛想を尽かしていた労働者、農民にも浸透させ、かつ、様々な合法・非合法を問わず右翼全体主義・民族主義的な団体の勢力を伸張させることを助長したことは、中道、穏健派からすると、「問題あり」とされたのである。

さて、対外政策に目を移すと、共産主義ではなく、また、小協商の軛の外に活路を見出そうとするハンガリーとしては、影響力の大きな国との関係構築を模索した。しかし、ソ連と関係性を構築することは論外であり、フランスも小協商の後ろ盾であったことから、これも除外されることとなった。イギリスやアメリカに対しては、ホルティ摂政をはじめとするハンガリーの支配階層が反ナチス、反共産主義であったため、シンパシーを抱いており、時に親イギリス・アメリカ路線とも言える外交政策を模索していた。だが、いかんせん国民からすると、心理的にも物理的にも距離があった。

そこで、ハンガリーはイタリアとの関係を構築することを模索した。まず、既に一九二七年には、伊洪友好同盟条約を締結(洪：ハンガリーの略称)していたことから、一九三四年に伊洪墺三国ローマ議定書を締結(墺：オーストリアの略称)した。ゲンベシュはローマにムッソリーニを訪い、ムッソリーニをトリアノン条約の修正の支持者とすることに成功する。これにより、ゲンベシュ以降の政権担当者は、イタリアの意向を無視出来なくなった。なお、この時期、イタリアはフランスと対立する関係にあった。

続いて、ドイツとの関係を見てみる。ハンガリーはイタリアとの同盟関係により、イタリアからの投資を受けたが、これは限定的であり、第一次世界大戦後に行った借款や外債の返済には程遠い状況にあった。また、農産物の売れ行き悪化は致命的であり、この苦境から脱するには、ハンガリー産品の最大の輸出先、すなわち「顧客」であるドイツとの親善が望ましかった。

加えて、国境の改訂のみならず、トリアノン条約に定められた軍事条項の廃止を要求するためにも、ドイツと接近する必要に迫られていた。軍事条項の廃止は、防共の観点でも、また、小協商に対抗することも可能にするものであり、かつ、これにより軍備拡張が可能になることから、三万五千人に制限されていた軍人の不満が軽減するメリットがあった。

しかし、当時のドイツは、イタリアとはオーストリアの指導権を巡って対立しており、また、ハンガリーの失地回復には必ずしも賛同していなかったため、ドイツとの同盟にまでは至らなかった。これには、前述のハンガリーに於けるドイツ系住民の処遇が、ドイツ国内でも問題となっていたことが背景にあった。

つまり、一九三六年の段階までは、ドイツとの関係は、それほどまでに強固なものとは言い難く、むしろ、ドイツとしては、ハンガリー国内の少数民族たるドイツ系住民への待遇の不満があり、また、ハンガリーのトリアノン条約の再検討の再三に亘る執拗な申し入れに対して、辟易していたというのが真相である。この時点では、ハンガリーが親ドイツの方向に向かうのか、それとも、イギリスやアメリカなどとの連繋に活路を見出すのかは、依然、不透明な状況であった。

二　一九三七年のハンガリー

❶外交政策の転換の模索と失敗

一九三七年にハンガリーにおいて政権を担っていたのは、その前年（一九三七年）の一〇月に、ドイツのミュンヒェンで急逝したゲンベシュに代わって首相の座に就いたダラーニ・カールマーンであった。ダラーニは、ホルティ摂政に近い保守的穏健派貴族であり、自由主義者と目されていた。つまり、右翼急進的なゲンベシュとは異なり、それまでのベトレンら穏健的保守派の政治に回帰することが周囲から期待されていた。

穏健的保守派は、おおむね貴族であり、かつ大土地所有者や資本家であって、ドイツやイタリアとの同盟を志向する動向が、ハンガリーのトリアノン条約修正の思惑と一致していた。しかし、このようなハンガリーの支配階層である穏健的保守派は、反ナチスであったことから、ゲンベシュのように、ヒトラーの首相就任後に外国首脳として最初に訪問するような、ナチスに接近する行動は大いに懸念を抱かせるものであった。むしろ、イタリアとの同盟強化のみを求めていたのである。

また、フランスで人民戦線内閣が成立し（一九三六年五月。内閣の崩壊は一九三七年六月）、スペインで内戦が勃発する（一九三六年七月。内戦の終結は一九三九年四月）など、右翼全体主義への警鐘が鳴らされる事態が各国で生起していた。これらのことから、ダラーニ内閣は、ドイツとの関係を一旦立ち止まって再構築することを希望した。

イタリアは、一九三六年十一月に、ユーゴスラヴィア、ポーランド、そしてハンガリーの紐帯を構想し、その指導的立場に立つ用意がある旨を表明した。そして、この構想に、ハンガリー外務省は呼応することとなった。

ダラーニ内閣の外務大臣であったカーニャ・カールマーン（Kánya Kálmán　一八六九〜一九四五年。外相在任：一九三三年二月〜一九三八年一一月）は、ドイツとの関係強化への傾斜が、将来のハンガリーへの展望とはなり得ず、また、国境の改訂に対しても実効性に欠けると判断されることから、むしろ、協商国との関係改善と、国境改訂の平和的解決の模索の方向性へと舵を切っていった。

このような外交政策は、カーニャ外相の下で外務次官を務めたアポル・ガボール男爵（Apor Gábor　一八八九〜一九六九年。一九三五年から外務次官を務めた後、一九三九年から一九四四年までバチカン大使となり、ローマに留まりマルタ騎士団に加わったことで戦後の軍事裁判を免れる。一九五二年からマルタ騎士団の要職を務めた）をはじめとするハンガリー外務省首脳にも支持されていた。

しかし、第一次世界大戦終結以降、国土は疲弊し、また旧態依然の支配構造から脱却出来ず、とりわけ一九二九年の世界大恐慌によって大打撃を受けた経済状況の中での国民の鬱積していた不満は、ゲンベシュが扇動していたこととも相俟って、旧来の支配階層である保守的穏健派に向けられた。

また、ハンガリーの外交政策は、一にも二にも、トリアノン条約の再検討であり、その中核となるのは、国境の改訂であった。それゆえ、小協商国であるルーマニア、チェコスロヴァキア、ユーゴスラヴィアとの敵対関係を乗り越えることが難しく、同じく第一次世界大戦の講和条約であったヴェルサイユ条約の体制の打破を企図していたドイツとの関係を強化する方向に向かうことになる。そのため、このような政治状況の中でダラーニは、ゲンベシュが敷いた路線を継続せざるを得なかった。

❷一九三七年のハンガリーの国内情勢

では、具体的に一九三七年のハンガリーの国内情勢は、どのようであったのか、ということを見ていきたい。右翼全体主義の動向としては、四月に、民族主義政党「国民意志党」が、活動を禁止させられ解散命令が出た。八月には「国民意志党」が「ハンガリー民族社会党」と改称して結党、十月には、他の民族主義諸党と合同し、「ハンガリー国家社会主義党」が結党された。これら右翼全体主義勢力は、過激な反ユダヤ主義、トリアノン条約の修正、失業対策、金融やエネルギーの国有化、土地改革などを求めていた。この中心にいた人物が、サーラシ・フェレンツ（Szálasi Ferenc　一八九七～一九四六年）である。サーラシは、後に結党（一九三九年三月）される「矢十字党」を主導したことで知られる。

また、左翼全体主義の動向としては、三月に「三月戦線」が結成され、「一二項目」を発表した。これは、非合法のハンガリー共産党が領導していた。この「一二項目」の中で注目されるのは、第六項として、ハンガリー民族を萎縮させるような銀行やカルテル独占体支配の停止が、また、第一二項としてハンガリーの領土修正が入っており、汎スラヴ、汎ゲルマン主義の帝国主義的野望に対抗していた。

この左翼の民族的危機意識から、第六項ではユダヤ人を念頭に置いている資本の制限を、第一二項では、端的に言えば、チェコスロヴァキアとユーゴスラヴィアのスラヴと、さらにはドイツのゲルマンの進出に対抗するものとなっていた。そのため、右翼全体主義も左翼全体主義も、求めるものは似通っていた。

それゆえ、穏健的保守派も、もはや保守的穏健派とは呼べず、単なる支配階層、あるいは権威主義と呼んだ方が、国民の不満の矛先をより正確に表した呼び名と言えるかも知れない。権威主義的な動向としては、筆者は官報も確認したものの一九三七年の月日が掲載されておらず不明だが、ホルティ摂政に対して、専制君主に近い権限が与えられた、ハンガリー一九三七年法第一九号が成立、公布されたことが挙げられる。

政府の動向としては、一九三七年一一月、ダラーニ首相とカーニャ外相がドイツ・ベルリンを訪問した。この時の訪独で、チェコスロヴァキア解体とオーストリア併合（アンシュルス）をヒトラーから仄めかされた。先述の通り、これまでのハンガリーとドイツとの関係は強固なものとは言い難く、また、領土の回復もドイツの後押しは望めなかったのが、この訪独で、国境の改訂が現実味を帯びてきたこともあって、ハンガリーはドイツとの連帯へと舵を切っていくことになる。

ただ、イタリアと同盟し、ドイツとの関係強化を模索しているハンガリーの動向は、やがて、半ばハンガリーが仲立ちする形式でイタリアとドイツの結び付きを強め、その結果、オーストリアの指導権をイタリアがドイツに譲ることで、一九三八年のドイツによるオーストリア併合をもたらした、とも言える。

❸政策決定への影響力の行使

ハンガリーの外交政策決定に対しては、幾つかの要因があったが、まず、国内からの突き上げがあった。中産階級は、世界恐慌による財政緊縮で生活が脅かされることにより、右傾化することとなった。また、農業従事者は、世界恐慌により農産物の売り上げに大打撃を受けており、農業従事者への浸透を図っていた左翼勢力の影響もあって、左傾化することとなった。軍人や官吏や学生は、同じく財政緊縮で生活が脅かされており、右翼へと進むと同時に、学生の一部は、左翼へシフトしていた。貴族や旧来の支配階層は、親英米派が多かったこともあり、親ドイツ・親イタリア政策に不安を覚えていたが、反共産主義、反ナチスの基軸を含んでいたことから、様子見という状況であった。

政党としては、従来の保守系の独立小農業者党が右派と左派に分かれ、親独の右派と嫌独の左派となった。他方、左翼陣営の一員であったはずの社会民主党は、右旋回を示し、共産主義者との連携を拒絶するなど他と一線を画した。右翼全体主義の各運動は、示威行動のみならず、議会への進出も目論んだ。なお、これが実現するのは、一九三九年の選挙のときである。

国外からの影響力としては、ドイツからのものが大きかった。これは、インテリジェンスの領域とも言えるが、ドイツに傾斜する世論の形成や、ハンガリーに旨味のあるオファーももたらされるなど、有形無形の圧力があった。その具体例としては、以下のようなものがある。

先述の通り、軍人の多数はもとより、ドイツ系住民に対するドイツ語による教育なども含む、ハンガリーのドイツ系住民への待遇改善の要求があった。これはドイツ政府、ナチス党からも行われたが、新聞報道という形式を用いて、世論形成も行われた。また、ハンガリー国内の右翼全体主義への影響力の浸透を、ベルリンのナチス党外国部が強化するように指令を出していた。ハンガリーの首都ブダペシュトで、ミュンヒェン一揆のような大規模動員運動が起こるであろう、という流言も飛んだ。

このうち、待遇改善要求の新聞報道は、筆者は確認が出来なかったものの、研究書などでは指摘されている。また、ナチス党外国部の指令は、ハンガリーの日刊紙（左派系）「ネープ・サヴァ」がスクープしたことになっているが、これも筆者はマイクロフィルムを目を皿のようにして探したが、時間の関係上、本論締切までには確認が出来なかった。しかし同時期に、同紙に掲載されていた記事に、一揆に関する流言が飛ばされたことの記載があった。

なお、ドイツのインテリジェンス活動が、一九三七年に活発化していることは、ソ連のミハイル・トハチェフスキー元帥失脚事件で明らかである。このとき、ハンガリーへの影響力浸透を行おうとしたナチス党外国部のトップはルドルフ・ヘスであり、トハチェフスキー事件には、親衛隊保安局（ＳＤ）が関与していたが、ハインリッヒ・ヒムラー親衛隊長官とともに、実務上のトップであるラインハルト・ハイドリヒＳＤ長官は、偽文書作戦を指揮する特別委員会、ヘスとヒムラーとハイドリヒで三Ｈ委員会を設置させていた。このことは、このトハチェフスキー元帥への工作作戦の決定を見聞きしていたドイツ国防軍参謀本部第四部外国軍第三課（赤軍担当）課長だったカール・シュパルケ少将（Dr. Karl Spalcke　一八九一〜一九六七年。一九四四年に任地のルーマニアにおいてソ連軍に逮捕される。一九三七年当時は中佐）が後に書き綴っている。すなわち、ドイツがインテリジェンス活動によって、ハンガリーへの影響力行使を組織的に行っていた可能性が、ここで示されるのである。

イギリス・アメリカ両国の駐ハンガリー公使は親善と共に影響力を行使させようと努めてはいたが、ハンガリーについては、ほぼ、関心を示さなかった。親英米派の多いハンガリー保守派に好意は寄せても、現実問題として、心理的にも物理的距離も遠い国に対しては、影響力の行使には至ることが出来なかった、という表現の方が適切だろう。フランスも、小協商への関与があるものの、フランス国内の政治状況の混乱と、ドイツによるラインラント進駐によって、自国の足元で火が付いている状況で、ハンガリーに関与することが難しかった。

ソ連は、一九二五年夏のウィーンにおけるハンガリー共産党再建大会の後、同年秋にハンガリーにおいて一斉検挙があった関係上、ハンガリー国内の地下共産党に影響力を行使していた。

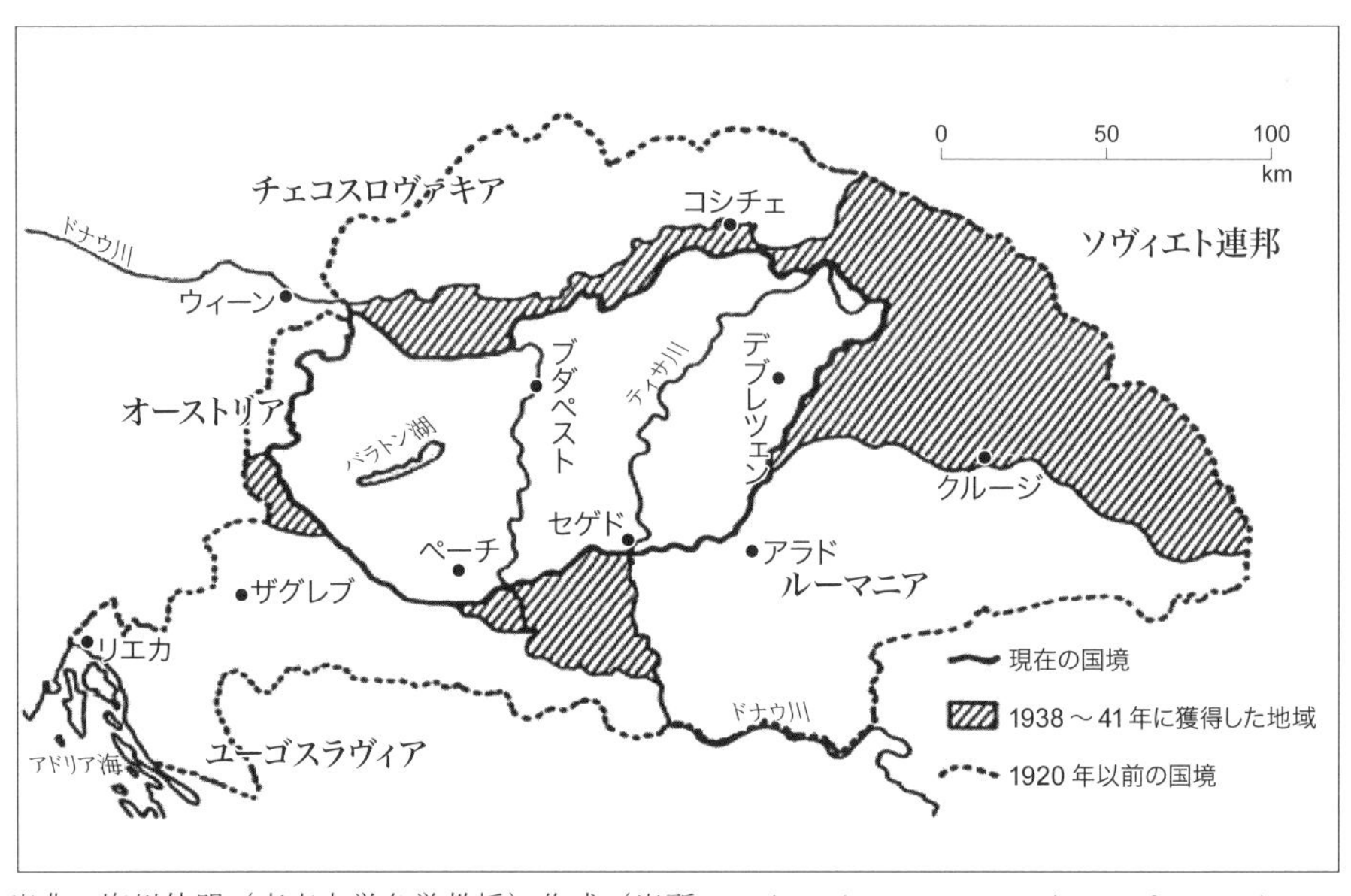

出典：塩川伸明（東京大学名誉教授）作成（出所：Paul Lendvai, Hungary—The art of surviaval, L. B. Tauris & Co. Ltd, London, 1988）による。

地図2　ハンガリー国境の推移

但し、一九二八年には活動停止を余儀なくされた。しかし、一九二九年の世界恐慌を機に活動を復活させていた。また、一九三五年のコミンテルン第七回大会の政策を保持しており、これが、一九三七年三月の「三月戦線」に結実した。

三　その後のハンガリー

このように、一九三七年のハンガリーにおいては、影響力の行使について、左翼全体主義は問題外であり、保守的穏健派が右翼急進主義を抑える格好となったが、抑えたように見えて、実は全く抑え切れておらず、一九三七年に、自由主義者のダラーニ首相が指導力を発揮する機会が得られたものの、国内情勢と国外情勢により、結果的にドイツに傾斜する結果を招来した。

一九三八年に成立した、イムレーディ・ベーラ首相（Imrédy Béla　一八九一～一九四六年。首相在任：一九三八年五月～一九三九年二月）率いる内閣では、先述の通り、ドイツが主導する形の第一次ウィーン裁定によって、ハンガリーの国土回復が一部実現する。また、第一次反ユダヤ法が成立するなど、完全にドイツへと傾斜・依存することとなる。

その後、ハンガリーは、一九四〇年の第二次ウィーン裁定によって、ルーマニアから北部トランシルヴァニアを割譲させ、失地回復に努めた。一九四一年にはユーゴスラヴィアに侵攻し、さらに領土を回復した（地図2参照）。

しかしながら、ハンガリー国内に於いて、ホルティ摂政をはじめ、ドイツへの協力は抑えようとする勢力もあって、第二次世界大戦期に於いても、ハンガリーは、ドイツの同盟国としての振る舞いは演じ切らなかった。

結局、一九四四年に入り、ドイツの直接統治、またホルティ摂政による休戦宣言と、それを反故にするドイツと矢十字党の暗躍、ホルティ摂政の退任、矢十字党による支配が行われた。この時、ハンガリーで暗躍する、ナチス親衛隊のオットー・スコルツェニー中佐やアドルフ・アイヒマン中佐の話は、また別の物語である。

おわりに

第二次世界大戦後のハンガリーについては、ソ連の占領、共産党支配、また、一九八八年の円卓会議からスタートする「上からの改革」と共に、一九八九年の「ピクニック計画」から進んだ「ベルリンの壁」崩壊による体制転換、そして、「欧州回帰」としてのEU加盟や左右の全体主義への反対、とさまざまなことがあるのであるが、以上に述べた戦前のできごとから繋がっていくのは言うまでもない。

つまり、歴史のＩＦ（もしも）は禁忌であったとしても、もし、一九三七年の段階で、ハンガリーがドイツへの傾斜の度合いを低減させる、もしくは現状維持で留め、近隣諸国との平和的交渉に基づく領土問題への言及を続けている状況にふみとどまり、イギリスやアメリカが冷淡な反応であったとしても呼び掛け続けていたとするのであれば、その後の第二次世界大戦と冷戦体制という激動の国際政治の中で、ハンガリー国内においてナチズムとコミュニズムの嵐が席巻する、というその後の状況を免れていた、ないしは、その影響を低下させていたかも知れないのである。その意味で、一九三七年におけるハンガリーの「決断」と、各国のインテリジェンス活動は、極めて重要性を持っている、と言えよう。

主要参考文献

Lengyel Emil, "Rainbow Over the Danube", *Current history* (New York); Vol.47, no.2, Nov 1, (1937), pp.48-.

パムレーニ・エルヴィン編（田代文雄・鹿島正裕共訳）『ハンガリー史〈増補版〉』恒文社（一九八〇年）

Bellér Béla, *A VOLKSBILDUNGSVEREIN-tól a VOLKSBUND-ig: A MAGYARORSZÁGI NÉMETEK TÖRTÉNETE 1933-1938*, Budapest, 2002.

フランク・ティボル（寺尾信昭訳）『ハンガリー西欧幻想の罠――戦間期の親英米派と領土問題』（叢書東欧13）彩流社（二〇〇八年）

各論［イギリス］

国際的緊張緩和と民族融和を模索した帝国

宮田昌明

●みやた・まさあき　一九七一年生。京都大学大学院文学研究科博士後期課程研究指導認定退学。京都大学博士（文学）。現在、一燈園資料館「香倉院」（財団法人懺悔奉仕光泉林付属）勤務。著書に『英米世界秩序と東アジアにおける日本』（錦正社）『満洲事変』（ＰＨＰ新書）他。

はじめに

イギリスにとって一九三七年は、前年までのナチス・ドイツによる再軍備宣言やイタリアによるエチオピア侵攻、スペイン内戦といった危機が最悪の事態を回避し、また、翌年のドイツによるオーストリア併合からミュンヘン会談に至る危機の再発を前にした、ヨーロッパ情勢における一時的な緊張緩和期であった。その一方で広大な帝国領域は、一九三五年のインド統治法、三六年のイギリス・エジプト同盟の成立、三七年のアイルランドの実質的帝国離脱やパレスティナ蜂起など、再編の過程にあった。

こうした中で、イギリスの内外政策の指導に当たったのが、一九三七年五月に首相に就任したネヴィル・チェンバレンであった。以下、ネヴィル・チェンバレンを中心に、一九三七年以前のイギリスの経済、外交、安全保障、帝国の状況を概観した上で、イギリス帝国にとっての一九三七年の位置づけを考える。

一　ネヴィル・チェンバレンと世界恐慌後の政策課題

チェンバレンの父・ジョゼフ・チェンバレンは、バーミンガム市長を経て自由党の下院議員となった。しかし、一八八六年にグラッドストン自由党内閣のアイルランド自治法案に反対して自由党を離れ、自由統一党を結成した。その後、保守党と協力し、ソールズベリ内閣で植民地相を務め、晩年は帝国特恵関税の導入を目指す国民運動を展開した。また、異母兄のオースティンも保守党の有力政治家であったが、対してネヴィルは、バハマでの農場経営や本国帰還後の実業方面での活躍の後、父と同じくバーミンガム市長を経て、一九一八年に下院議員に当選した。四十九歳という、政治家としては遅い出発であったが、一九二三年に成立したボールドウィン内閣に保健相として入閣し、住宅問題、救貧・失業問題、地方自治などに関わる政策で成果を挙げ、保守党の最有力政治家の一人となった。

イギリス経済史において、戦間期の一九二〇、三〇年代は、構造変化の時代であった。旧来の産業（石炭、綿工業、鉄鋼など）が不振となり、貿易収支は赤字が続き、イギリスの北西部など伝統的な工業地帯で失業率が高まった。労働人口の増加や生産性の向上が恒常的な失業を生み出した。失業保険制度の整備がかえって一定の失業者を固定化するという現象も生じた。その一方で、自動車、電気産業などの新興産業は順調に発展した。

一九二九年に成立したマクドナルド労働党内閣の下、イギリスは世界恐慌に直面する。イギリスは伝統的に、通貨安定のための財政均衡と、原則無関税による自由貿易主義を維持してきたが、世界恐慌に対し、ロイド・ジョージの自由党は歳出拡大による失業対策を、ボールドウィンの保守党は関税の導入による産業保護を政策として掲げた。対して労働党政権は、財政均衡と自由貿易を維持するため、社会保障をむしろ縮小せざるを得なかった。結果、労働党政権は支持母体である労働組合の反発を招き、しかも不況に十分に対処できなかった。

一九三一年、金融危機の中、マクドナルドを首班とする労働党、保守党、自由党の連立政権が成立した。しかし、マクドナルドら入閣した幹部は労働党を除名される。内閣成立後、総選挙が実施され、保守党が勝利した。改めてマクドナルド内閣が成立したが、これは、保守党がマクドナルドを擁立し、自由党の反ロイド・ジョージ派と提携した、実質的な保守党政権であった。以後、チェンバレンは一九三七年の首相就任まで蔵相を務め、経済、帝国、軍備などの政策決定の中心となった。

マクドナルド内閣は成立後、金本位制を停止し、翌一九三二年に輸入関税を導入した。さらに同年、カナダで帝国経済会議（オタワ会議）が開催され、帝国特恵関税が導入される。これは、イギリス帝国内の貿易について、低関税か一定の輸入割当を適用するというものであった。チェンバレンにとって、父の宿願を果たした結果となったが、帝国特恵により、帝国領、特にカナダのイギリス本国向け輸出が増加した。アメリカが高率関税を導入し、イギリスおよび帝国領からの輸入を減少させている中、帝国特恵はイギリス本国の貿易収支の改善にほとんど効果はなく、むしろ帝国領に本国への債務償還に必要なポンドを提供する役割を果たした。

その一方で、日本による満洲事変と国際連盟の脱退、ドイツにおけるヒトラー政権の誕生、世界軍縮会議や経済会議の不調により、世界的な経済、安全保障情勢は不透明度を増していた。一九三二年三月、イギリスは、第一次世界大戦後に設定された、十年間戦争が起きないとする見通しを、撤回した。蔵相としてのチェンバレンは、均衡財政と景気対策および軍備拡張を両立させなければならなかった。一九三四年に軍備拡張に関する専門委員会が設置され、検討が進められた。委員会報告とチェンバレンの決断により、大陸派遣軍を中心とする陸軍の縮小と軽微な海軍増強、そして航空戦力の大幅拡張という方針が決定された。空軍が優先されたのは、第一次世界大戦中のドイツ軍の空襲により、市民にも被害が出ていたためである。

二　アメリカ、ドイツ、イタリア、日本との関係

世界恐慌は深刻な国際金融危機を引き起こした。それは、第一次世界大戦後の債務および賠償問題が存在したことによる。第一次世界大戦後、イギリスはヨーロッパ経済の復興を進めるため、ドイツへの過酷な賠償請求に消極的で、連合国間の債権放棄による戦争債務の減額（これによりイギリスも損失を被る）を目指した。しかし、それに反対したのがアメリカであった。世界恐慌発生後、ドイツの賠償支払いおよびアメリカに対する各国の債務償還は困難となり、減額が図られた。しかし、アメリカは一年間の支払い猶予を認めるのみで、しかも保護関税を引き上げた。ヨーロッパ諸国は、アメリカの排他的通商政策の中で債務を償還しなければならなかった。

結果、フランスなどは債務を放棄したが、チェンバレンは、減額支払いないし形式的支払いを続けた。しかし、一九三四年にアメリカは、イギリスも含めた債務不履行国のアメリカにおける起債を禁止した。これにより、イギリスもアメリカに対する債務償還を停止した。その間、アメリカは、世界経済会議を失敗させるなど、イギリスの目指す国際的な経済再建構想を妨害し続けていた。アメリカに対するイギリス、特にチェンバレンの不信は決定的となった。

一方、ドイツに対してイギリス金融界は、第一次世界大戦前後を通じて積極的な融資を行っていた。世界恐慌発生後、イギリスはドイツと債務支払いの据置協定を成立させ、一九三三年にはドイツによるイギリス石炭の定量輸入、一九三四年にはドイツが貿易で獲得したポンドの一定割合をイギリスへの債務償還や貿易決済に充当することが合意された。イギリスはドイツとの通商協定を通じ、イギリスにおける苦境産業の販路を確保

すると共に、帝国特恵と同様の、ドイツによる債務償還に必要なポンドを提供したのである。

一九三三年に成立したナチス政権は、東欧圏との貿易を拡大し、ドイツを中心とする経済圏を形成しようとする。しかし、イギリスにとって東欧との貿易はそれほど重要ではなく、ドイツの貿易政策は容認できた。その上でイギリスは、ドイツとの通商協定を通じ、ドイツを一定程度、国際自由貿易圏にとどめようとした。一九三四年以降、ドイツは以下のようにヨーロッパ国際関係を緊張させていくが、ドイツに対する宥和政策の重要な背景の一つが、こうしたイギリスの国際金融政策であった。

一九三四年のオーストリアのナチスによるドルフス首相の殺害、翌一九三五年三月のドイツの再軍備宣言などに対し、イギリスはフランス、イタリアとの三国でヨーロッパの現状維持について合意し、声明を発表したが、その一方でドイツと海軍軍備に関する交渉を進めた。六月に成立したボールドウィン保守党内閣の下、ドイツの海軍をイギリスの三五%とする海軍協定が成立した。これは、ドイツに一定の再軍備を容認しながら、それに限度を設けつつ、他方で海軍軍縮条約からの脱退を示唆していた日本に海軍軍縮を受け入れさせる間接的効果を期待したものであった。

一九三五年十月、イタリアがエチオピアに侵攻し、国際連盟はイタリアへの経済制裁を決定する。しかし、イギリスやフランスは制裁品目から石油を除外させた。さらにイギリスは、イタリアに譲歩する合意案をフランスと作り上げようとするが、情報漏洩から国際的非難を招き、外相の交代（ホーアからイーデン）を余儀なくされた。しかし、イギリスはイタリアによる軍事行動を実質的に容認した。

一九三五年は、日本との関係が悪化した年でもあった。満洲事変を引き起こした日本に対し、イギリスは日本と国際連盟の妥協を模索した末、最終的に日本を非難し、国際連盟から脱退させた。これは、連盟の立場を尊重すると共に、満洲事変に対する連盟の関与を終わらせ、満洲国の存在を実質的に容認するという判断による。次いで一九三四年以降、アメリカの銀購入政策により中国の銀通貨が国外に流出し、中国経済が混乱すると、チェンバレンは専門家の提言を背景に、イギリスと日本および満洲国による対中国経済支援を構想した。これにより、中国の経済再建と中国による満洲国の実質的承認とを実現し、東アジア情勢の安定化を図ろうとしたのである。しかし、日本陸軍が華北分離工作を展開する中、中国が一九三五年十一月に幣制改革を実施すると、日本側はイギリスが中国を支援しているという印象を強め、かえってイギリスに反発した。

一九三六年三月、ドイツ軍はラインラントの非武装地帯に軍を進駐させたが、イギリスは黙認した。さらに七月にはスペイン内戦が勃発した。反乱を起こしたフランコにはドイツとイタリアが、共和国派にはソ連が軍事支援を行ったが、イギリスはフランスと共に内政不干渉の方針を堅持した。これは、スペイン内戦がヨーロッパ規模の国際紛争に発展するのを防ぐためであり、結果的にフランコ政権を容認するものとなった。一九三七年一月、イーデン外相はローマを訪問し、イタリアと紳士協定を締結した。これにより、両国は地中海における利益や権利を相互に尊重し、現状を維持することを確認した。イーデンはイタリアに不信感を持っていたが、イタリアとの関係改善を求めた軍の要望に応えたのである。

以上のように、一九三〇年代のイギリスは、各国との交渉、合意を通じてドイツを国際的に牽制すると同時に、段階的譲歩と一体化した一定の制約をドイツに課し、また、周辺的地域における紛争については干渉を避けることで、国際的緊張の拡大を防ごうとした。並行して日本と中国の関係安定化をも試みた。この時期、アメリカは孤立主義を強め、フランスは政情不安を抱えていた。イギリス国内では労働党が軍拡を戦争につながるものとして批判し、集団安全保障に対する過大な期待を掲げていた。チェンバレンはそうした国際情勢や国内の反戦論、財政規律に配慮した結果、ドイツやイタリア、日本との対決を避け、ドイツとの貿易関係の安定化を図りながら、同時に空軍中心の軍備拡大に着手したのである。

三　ネヴィル・チェンバレン内閣の経済・安全保障政策

イギリスの不況は、ヨーロッパ大陸諸国と比較して軽度で収まり、一九三四年以降は景気回復が顕著となる。景気回復を牽引したのは、内需、特に住宅建築であった。しかし、失業は不振産業の地域で高止まりの傾向が続いた。それを背景に、自由党のロイド・ジョージは失業対策のための財政支出をイギリス版ニューディールとして改めて提唱し、一九三六年にはケインズによる『雇用、利子および貨幣の一般理論』が発表される。同書は、需要不足が生産の減少を引き起こし、失業を発生させること、失業に対処するため、政府の財政、金融政策によって有効需要を創出すべきことを主張した、経済学の古典的名著である。

一九三六年十二月、イギリス国王エドワード八世が不倫問題から退位し、ジョージ六世が即位した。退任の意向を固めていたボールドウィン首相は、翌年の即位式まで内閣を継続することとし、一九三七年五月にネヴィル・チェンバレン内閣が成立した。

ボールドウィンが退任する直前、帝国会議が開催されていた。チェンバレン内閣の最初の課題は、オタワ会議以来となる帝国会議の運営であった。同会議には、イギリス、オーストラリア、カナダ、ニュージーランド、南アフリカ、南ローデシア、インドに加え、初となるビルマが参加する一方で、アイルランドは参加しなかった。同会議において、帝国特恵の再調整や安全保障など、多岐にわたる帝国問題について検討されている。ビルマの参加は、一九三五年インド統治法によってこの年、三七年にビルマがインドから切り離され、イギリス直轄となったことによる。これに伴い、ビルマには独自の議会も設置された。一方、インドでは連邦制が導入され、地方議会の設置による州自治の拡大、中央立法府の選挙権の拡大などが行われていた。一九三七年には新統治法に基づく選挙が実施され、国民会議派が圧勝している。これは、イスラームとの対立をはらむインド独立に向けた、大きな動きとなった。

一九三七年四月、政権担当直前のチェンバレンは、赤字財政への嫌悪感にもかかわらず、再軍備のため、八千万ポンドの国家防衛債を計画しており、計画は年末に実行された。軍備拡張の中心となったのは、航空戦力、特に戦闘機であった。一九三七年にホーカー・エアクラフト社の「ハリケーン」の配備が始まり、翌年にはスーパーマリン社の「スピットファイア」の配備も始まる。一九三五年のR・ワトソン＝ワットの提唱から、電磁波による航空機探知に関する技術開発と運用法の検討も進められており、一九三七年には空軍が、ロンドンへの航空機の接近を検知するためのレーダー五機の運用を開始している。

一九三七年にドイツやイタリアに関する情勢の緊迫化はなかったが、七月の盧溝橋事件以降、日本と中国は全面戦争状態となった。八月末にはイギリスの中国駐在大使が日本の航空機より射撃を受けて重症を負っている。支那事変に対し、イギリスは調停を模索しながらも積極的に動くことはせず、アメリカとの共同行動を模索した。しかし、アメリカはそれを拒否した。十月、アメリカのフランクリン・ローズヴェルト大統領は、侵略国に対する国際的隔離を呼びかけた。イーデン外相は、アメリカを孤立主義から脱却させ、国際問題に関与させるための働きかけを構想するが、チェンバレンは拒否した。チェンバレンは、アメリカは口先のみで行動せず、イギリスに困難を背負わせて逃げ出す国、と判断していた。十一月、九国条約締約国によるブリュッセル会議が開催され、イギリスは日本への制裁に反対した。しかし、日本の世論はイギリスを評価するどころか、会議そのものに反発した。

イギリスは中国における最大の権益国であり、一九三〇年代の日本はイギリスを克服対象とし、あるいは中国の支援国として敵対的姿勢を強めていた。十二月にはアメリカの砲艦パナイ号が日本の海軍機によって撃沈され、イギリスの砲艦レディーバード号が日本陸軍部隊から砲撃されるという事件も発生した。しかし、イギリスは日本との対立を回避し続けた。ただし、イギリスはドイツに対する外交とは対照的に、日本に宥和的な姿勢を示すことはなかった。チェンバレンは一九三四年から翌年にかけての対日関係改善の試みが失敗して以降、対日政策については外務省に委ね、重要問題を除いて積極的に介入することは控えていた。イギリスの軍事的制約と日本に対する期待の後退から、チェンバレンも外務省も、対日関係の改善よりアメリカの反発回避を優先したのである。

イギリス、特にチェンバレンにとって、アメリカは不信の対象でしかなかったが、一九三七年はアメリカとの関係改善を模索する転換の年ともなった。一つのきっかけは、フランスが前年までに軍備増強に着手しようとしながら経済情勢からフランを切り下げざるを得なくなったことに対し、一九三七年初めよりチェンバレンとアメリカ財務省との間でヨーロッパ情勢をふまえた意見交換がなされたことであった。そうした中で支那事変が勃発すると、アメリカとの経済関係、特に通商関係は、ドイツとの経済・通商関係と同様、チェンバレンにとって政治的・戦略的意味を強く持つこととなったのである。

なお、支那事変は東アジアの帝国領にも影響を及ぼしており、マレー半島では華僑による日本商品のボイコットなどが大規模に展開されている。また、満洲事変後の軍備拡張の一環として防衛力強化の図られたシンガポールは、予定規模を縮小しながらも、一九三八年二月に基地化工事を完了している。

一九三七年から翌年にかけ、アメリカの不況の影響を受けてイギリスの景況も悪化する。チェンバレンや大蔵省は積極財政に否定的であり、その意味でケインズの著作による影響はなかった。にもかかわらず、一九三七年の不況を克服する原動力となったのは、政府主導の軍備拡張であった。それは結果的に、財政出動による景気・雇用対策という経済政策の端緒を開くこととにもなった。

一九三七年十一月、ハリファックス枢密院議長がドイツを訪問し、ヒトラーと会見した。チェンバレンはドイツとの関係改善に楽観的で、アフリカの旧ドイツ領の返還について検討している。一九三八年一月、ローズヴェルト大統領より、国際的な緊張緩和のための国際会議に関する提案がなされるが、チェンバレンは拒否した。一九三八年二月、イタリアに対する宥和政策に批判的で、アメリカとの積極的な提携を目指していたイーデン外相が辞任した。ハリファックスが後任となり、チェンバレンと共にドイツへの宥和政策を担うこととなった。

三月のドイツによるオーストリア併合とその後のチェコスロヴァキア問題の深刻化から、一九三八年九月末、チェンバレンはドイツ、イタリア、フランスの首脳とミュンヘン会談を行い、チェコスロヴァキアのズデーテン地方をドイツに割譲することで合意した。ミュンヘン会談は宥和政策の頂点であったが、それはドイツの膨張主義に限界を設け、封じ込めようとした最後の譲歩でもあり、平和か戦争かの選択を実質的にドイツに委ねるものとなった。

その一方でチェンバレンは、十一月にアメリカとの通商条約の締結に成功し、合わせてカナダとの通商協定を成立させた。アメリカにとってイギリス帝国、中でもイギリス本国とカナダとの貿易は、アメリカの輸出全体の四〇%に達するほど、重要であった。チェンバレンは、アメリカとの政治的な関係強化が不可能な中、帝国特恵の枠組みを維持し、また、ヨーロッパ外交にアメリカを関与させない方針で一貫しながらも、アメリカとの関係改善を進めるほぼ唯一の方法として、通商協定を成立させたのである。

ドイツによる一九三九年三月のチェコスロヴァキア併合、九月のポーランド侵攻を経て、イギリスはドイツに宣戦布告する。しかし、チェンバレンはドイツとの全面戦争には踏み切らなかった。第一次世界大戦の教訓から、国民の被害や経済の疲弊を懸念し、大国としてのイギリスの地位を保つため、宥和政策の延長線上で戦争に対処したのである。とはいえ、一九四〇年五月、ノルウェーおよび大陸低地地方の戦局悪化と健康問題から、チェンバレンは首相を辞任する。これを受け、チャーチル内閣が成立した。保守党と労働党を中心とする連立政権であった。しかし、労働党側のチェンバレンに対する拒否感は強く、チェンバレンは政権から実質的に離れ、十一月に大腸癌で死去する。


チェンバレンは財政、福祉、地方行政に通じながら、民間経済への国家権力の介入に否定的であり、また、国内の政治的交渉や外交にも手腕を発揮し、当面の課題に対して優先順位を定め、具体的な解決策を提起する姿勢で一貫していた。そうした実務的姿勢から、労働党に対して侮蔑的であった。チェンバレンはまた、ドイツやイタリアに対する強硬姿勢についても、同様の実務的考え方から否定した。一九三七年までのチェンバレンは、国際的緊張緩和を模索し、景気対策と均衡財政の両立を図りつつ、軍備増強を進めたが、翌年以降は次第に、戦争回避を断念しないとしても、開戦の可能性を念頭においた軍備増強の加速と必要な時間稼ぎ、そしてアメリカとの間接的な関係強化へと戦略を修正していった。しかし、こうした政策は、チャーチルやイーデンの理解を得られず、亀裂を深める結果となった。

チェンバレン内閣の退陣後、保守党の対ドイツ強硬派と労働党の連立政権が成立し、バトル・オブ・ブリテンと称されるドイツとの大規模な航空戦を経て、アメリカの支援に依存するドイツとの全面戦争、そして戦後の福祉国家へ、という内外政策の転換がなされていく。チェンバレンは戦争回避を追求し続けたが、その政策は逆説的に、自らが排除した政治勢力による全面戦争や戦後の福祉政策を可能にする基礎をも準備していたのである。

四　帝国の一九三七年

十九世紀から二十世紀にかけてのイギリスの海外領・勢力圏は、ドミニオン（カナダ、南アフリカ、オーストラリアなどの自治領）、国王を共有するインド（直轄地と藩王国からなる）の他、クラウン・コロニー（ジブラルタル、アフリカのケニア、シエラレオネ、ナイジェリアなど、カリブ海・中南米のバハマ、ジャマイカ、ブリティッシュ・ホンジュラスなど、アジアのセイロン、海峡植民地［ペナン、マラッカ、シンガポール］、香港など、南太平洋のフィジーなどの直轄植民地）、そして保護領（アフリカのブリティッシュ・ソマリーランド、ベチュアナランド、ニヤサランド、中東のクウェート、カタール、東南アジアのマレー、サラワクなど、太平洋のソロモン諸島、トンガなど）、さらに第一次世界大戦後に発足したパレスティナやイラク、アフリカの旧ドイツ領（トーゴランド、カメルーン、タンガニーカ）などの委任統治領、エジプトのような実質的保護国など、広大で、時期により変遷しながら多様な形態で構成されていた。（一二二～一二三頁の地図を参照）

第一次世界大戦後、イギリスの勢力範囲は、エジプトから南アフリカまでアフリカ大陸を縦貫するなど、最大となる。その一方でカナダは独自に条約を締結するなど、外交権を行使し始め、一九二六年の帝国会議においてドミニオンとイギリス本国は、国王への忠誠を通じて対等な関係でコモンウェルスを構成するもの、とされた。この規定は一九三一年のウェストミンスター憲章に結実する。また、一九三五年には上記のインド統治法が制定される。このように、最大版図を実現した後のイギリスは、間接統治の理念に基づいて各地の自治を拡大し、必要に応じて独立をも容認する方向へと進んだ。

とはいえ、一九三〇年代には、帝国地域にも世界恐慌やヨーロッパ情勢の影響が及んだ。カナダでは失業の激増や、アメリカにおけるニューディール政策の実施を背景に、一九三五年に保守党のベネット首相が、失業保険や最低賃金の導入などからなるカナダ版ニューディール政策を掲げた。しかし、党内や産業界の反発は強く、同年の総選挙で保守党は大敗し、自由党のキング内閣が成立する。キングはベネットが交渉を進めていたアメリカとの通商条約に調印した他、ベネットの掲げた政策には同調的であった。しかし、保守党に対抗するため、州の権限を侵害するベネットの政策について提訴しており、その多くは一九三六年から三七年にかけて違憲判決を受ける。とはいえ、一九三七年に景気は悪化し、オンタリオ州のゼネラル・モーターズ社において大規模なストライキが発生している。キング内閣は改めて連邦政府による経済政策を実施するため、連邦権限強化に向けた調査委員会を同年に設置している。

カリブ海地域、アフリカ

カリブ海地域や西アフリカでも、ヨーロッパに従属する経済状況から不況の影響を受け、人口増加、教育の普及、民族意識の形成などを背景とした民衆運動が高揚した。一九三五年、カリブ海のリーワード諸島（ヴァージン諸島からドミニカ島に至る諸島）では失業者や低賃金労働者によって白人の大土地所有者や警察が襲撃された。セントルシアでは炭鉱労働者が暴動を起こし、翌年にかけて労働争議が多発した。トリニダードでは穏健な民族活動家の指導により、油田労働者による抗議活動などが行われたが、一九三七年には階級・人種意識を強めた過激派が暴動を起こし、非常事態宣言が発令されている。直後、バルバドスでは、労働組合活動家の逮捕をきっかけに大規模な暴動が発生している。ジャマイカでも一九三七年に労働争議が多発し、翌年には大規模な暴動となり、軍が出動する事態となった。また、西アフリカのゴールドコーストでは、一九三七年から翌年にかけ、ココア農家による大規模なココア販売拒否およびヨーロッパ製品の不買運動が展開されている。

ケニアでは、イタリアによるエチオピア侵攻の後、北部に難民が流入した。一九三七年にはエチオピアの高級官僚や軍人も避難する事態となり、難民の武装解除や管理をめぐって紛争が多発した。労働争議も、ケニアを含めてアフリカ各地で発生した。ただし、争議が大規模な衝突に発展することはなかった。治安を担うアフリカ人部隊は植民地機構の統制下にあり、統治に動揺は生じなかった。

アイルランド

帝国領域で一九三七年前後に特に情勢の変化した地域は、アイルランドと中東であった。

アイルランドは一八〇一年、独自の議会を廃止し、イギリスと連合王国を構成した。しかし、抵抗運動は継続し、一八八六年にイギリスの自由党政権は、アイルランド議会を創設することによる自治の導入を目指すが、既述のように自由党の分裂を引き起こしてしまう。

イギリスにとってアイルランド問題は、複数の問題が絡み合い、複雑化していた。まず、イギリスはアイルランドを自国の一部とし、本国議会にアイルランドの議席を配分したが、アイルランド側に独自の議会を求める動きがあった。また、アイルランドは宗教的にカトリックであったが、北部はプロテスタントであり、連合王国としてはカトリックは少数派、アイルランド内ではプロテスタントが少数派となっていた。さらにアイルランド人を小作人とするイギリスの地主が存在し、イギリスに対する経済的従属性という問題も、アイルランド側の反発を招いていた。

第一次世界大戦中のアイルランド武装蜂起を経て、戦後の一九二〇年十二月にアイルランド統治法が成立した。アイルランドは南北に分割され、それぞれに自治議会が設立された。翌年に選挙が実施され、一九二一年十二月、イギリスはアイルランド自由国をドミニオンとして承認した。しかし、北アイルランドは自由国から離脱した。一九二二年十二月、アイルランド自由国が発足したが、反乱や要人暗殺は収まらず、南北の国境調整も難航した。

一九三〇年代に入ると、アイルランドはイギリスからの離脱に向けて大きく動く。アイルランドは、イギリスがアイルランド小作農の自作農化を進めるために負担した地代を、イギリスに対する債務として引き継いでいたが、一九三二年にその償還を放棄した。マクドナルド内閣は、家畜、乳製品などアイルランド産品に二〇%の関税を課し、アイルランド側もイギリスの石炭、機械、鉄・鋼製品に同率の関税を課すなどした。さらに一九三六年、エドワード八世が退位すると、アイルランドはイギリス国王と総督の権限を停止した。

一九三七年七月、アイルランドは新憲法を制定し、年末に施行した。同憲法は、国名をエール（ゲール語でアイルランド）とし、イギリス国王への忠誠の文言を削除して国民主権を掲げ、大統領制を導入することで、イギリス帝国からの離脱を決定的とした。一九三八年一月、チェンバレン政権は、アイルランドの一億ポンドの債務を一千万ポンドの一括支払いによって清算することとした。ネヴィル・チェンバレンは、半世紀前に父・ジョゼフが阻止しようとしたアイルランド分離の決定的局面に政権を担当し、紛争の長期化を避けるため、懸案の処理を決断したのである。

中東

中東はイギリスにとって、本国とインドとをつなぐ要衝であり、二十世紀には石油資源でも重要性を高めたが、ロシアの脅威にさらされていた。そこでイギリスは十九世紀を通じ、オスマン帝国を支援することでロシアに対抗していた。また、一八三九年にアラビア半島南端の港湾都市アデンを占領し、海賊警備のための海軍基地を建設している。さらに一八八二年にはエジプトを占領し、オスマン帝国を宗主国としながらも、軍を駐留させ、内政に干渉した。

第一次世界大戦にオスマン帝国がドイツとの同盟に基づいて参戦すると、イギリスはエジプトを保護国とした。また、メッカのフサインに戦後のアラブの独立を約し、反乱を起こさせた。この合意をフサイン・マクマホン協定という。その一方で、イギリスはフランスと領土分割協定を締結し、一九一七年には、バルフォア外相よりロスチャイルドに対し、ユダヤ人の民族的郷土（national home）をパレスティナに建設することに関するイギリス政府の支持を伝える書簡が発せられた。また、イギリス自身、中東での軍事作戦で、パレスティナや、メソポタミア（イラク）のバスラ、バグダードなどを占領している。

大戦後、オスマン帝国は崩壊し、イギリスはメソポタミア、トランスヨルダン、パレスティナを国際連盟の下の委任統治領とした。大戦末期、フサインの三男ファイサルがシリアのダマスクスを占領し、政府を樹立していたが、戦後、シリアはフランスの委任統治領となった。メソポタミアではフサインの次男アブドゥッラーが独立を宣言したが、イギリスは同政権を認めず、ファイサルをイギリスの委任統治領メソポタミアの国王に、アブドゥッラーを委任統治領トランスヨルダンの国王として擁立した。

さらに戦後に反乱の発生したエジプトに対しては、一九二二年に独立を承認し、同時に通信や交通、防衛、スーダン統治などに関するイギリスの特権を認めさせた。エジプトでは翌年、憲法が施行され、革命を指導したワフド党を中心とする議会政治が始まる。一九三〇年にはメソポタミアの独立も認め（一九三二年よりイラク）、合わせて同盟を締結した。このように、中東においてイギリスは、自国の保護ないし影響下でオスマン帝国から独立した王政を成立させ、必要に応じてその独立を認めながら、軍事その他の権益を保持したのである。

一九三六年、イギリスはエジプトと同盟条約を締結した。これに伴い、イギリスは各地の軍をスエズ運河地帯に撤退、集中した。前年にイタリアがエチオピアに侵攻し、ワフド党政権はイギリス軍駐留の必要性を認めざるを得なくなっていた。イギリスはその機に乗じて同盟を成立させたのである。本条約は、第二次世界大戦を経て一九五二年に至るまでの、イギリスの中東における軍事力の基礎となった。

とはいえ、パレスティナにおいてイギリスは、ユダヤとアラブの深刻な対立に直面した。パレスティナにおけるユダヤ人は、ロシアでの迫害から逃れた難民として一八八〇年代に増加し、ユダヤ民族国家の建設を目指し始めた。第一次世界大戦中、上記のように、イギリスはユダヤの民族的故郷の建設を支持する一方で、戦後、パレスティナを委任統治領とした。しかし、イギリス統治下のパレスティナでは、ユダヤ人とアラブ人の衝突が多発した。一九二九年の嘆きの壁事件の後、調査団が派遣され、ユダヤ移民の制限を提言する報告書が出された。しかし、これはユダヤ側の反発により、撤回されている。

一九三〇年代にユダヤ人移民は激増し、一九三六年から翌三七年にかけて大規模なアラブ人の武装蜂起が発生する。反乱の鎮圧後、イギリスは再び調査団を派遣した。一九三七年七月、調査団はパレスティナの分割を提案した。しかし、アラブ側はこれを拒否した。反乱の続発とヨーロッパ情勢の悪化を背景に、一九三九年にイギリスは分割案から一転、ユダヤ人の移民や土地取得を規制し、ユダヤ国家の建設も認めず、十年以内にパレスティナの独立を認めるとした方針を公表する。しかし、ユダヤ側はアメリカの支援を受けた戦後のイスラエル建国に向けた動きを強めていく。

とはいえ、中東においてイギリスの調停が成果を挙げた地域も存在する。アデンの後背地となるアデン保護領は、第一次世界大戦後に独立したイエメン（アデン保護領西方に隣接）と対立していたが、一九三四年に発生したサウジアラビアとイエメンの武力衝突を機に、アデンとイエメンとの間で友好条約が締結された。とはいえ、アデン保護領は多数の部族対立を抱え、治安に問題があった。一九三七年、ハドラマウト（アデン保護領東部地域）でイギリスの道路建設隊に対する銃撃事件が発生し、イギリスは航空部隊による爆撃を実施した。事件後、イギリスは千三百を超える部族間の対立を調停し、講和を実現した。調停に当たった行政官（アラビア語に通じ、夫婦で衣食住をアラビア風に改めていた）にちなみ、「イングラムズの平和」という。なお、この年にアデンはクラウン・コロニーに改編されている。アデンは一九三二年までインドのボンベイ行政区、その後はインド政庁の管轄下に置かれていたが、本国直轄のより独立的な植民地となったのである。

おわりに

第一次世界大戦後のイギリスは、史上最大の版図を実現し、世界規模の経済的・軍事的権益を保有した。それを背景に一九二〇年代のイギリスは、諸国、特に大国間の関係を調整しながらヨーロッパの経済復興や世界秩序の安定化、そして自国安全保障の補強を図り、また、世界貿易および金融の中心的地位を保持しようとした。世界恐慌発生後の一九三〇年代にヨーロッパや東アジア情勢が不安定化すると、イギリスはそれまでの政策を修正し、現状変革を目指す諸国への一定の譲歩と軍備増強への政策転換を図ると共に、引き続き各国間の関係調整を模索し、併せて通商関係の再構築を行いながら、自国安全保障の強化を図っていった。

こうしたイギリスにとって一九三七年とは、ネヴィル・チェンバレン内閣の成立により、戦争回避に向けた最後の宥和政策と戦争準備の本格化という両面の政策が実施されていく画期となったのである。

一方、広大で、多様性を自らの本質としたイギリス帝国を総括することは困難であるが、一九三七年のイギリス帝国は、パレスティナを例外として、緊迫化する国際情勢の中でも総じて安定していた。世界的な不況を背景に、帝国各地で民衆の抗議活動や労働争議が発生したが、アイルランド問題は一定の解決に達し、インドやエジプトとの関係再編にも成功していた。イギリスはこの時期の統治状況を基礎に、第二次世界大戦と戦後の脱植民地化の時代を迎えるのである。

主要参考文献

村岡健次・木畑洋一編『イギリス史』第三巻（近現代）〈世界歴史大系〉山川出版社、一九九一年

湯沢威編『イギリス経済史――盛衰のプロセス』有斐閣、一九九六年

山本和人『戦後世界貿易秩序の形成――英米の協調と角逐』ミネルヴァ書房、一九九九年

上野格・森ありさ・勝田俊輔編『アイルランド史』〈世界歴史大系〉山川出版社、二〇一八年

辻俊彦『レーダーの歴史――英独暗夜の死闘』芸立出版、二〇一二年

宮田昌明『英米世界秩序と東アジアにおける日本――中国をめぐる協調と相克　一九〇六～一九三六』錦正社、二〇一四年

ジャン・モリス（池央耿・椋田直子訳）『帝国の落日――パックス・ブリタニカ完結篇』上下巻、講談社、二〇一〇年

Bell, Peter. *Chamberlain, Germany and Japan, 1933-4* (Basingstoke, Hampshire: Macmillan Press, 1996)

Brown, Judith M. and Louis, Wm. Roger (ed.) *The Oxford history of the British Empire*, vol. 4, *The twentieth century* (Oxford University Press, 1999)

Clayton, Anthony. *The British empire as a superpower, 1919-39* (Basingstoke, Hampshire: Macmillan, 1986)

Doerr, Paul W. *British foreign policy, 1919-1939* (Manchester, U.K.: Manchester University Press, 1998)

Louis, Wm. Roger. *British strategy in the Far East, 1919-1939* (Oxford: Clarendon Press, 1971)

McKercher, B. J. C. *Transition of power: Britain's loss of global pre-eminence to the United States, 1930-1945* (New York: Cambridge University Press, 1999)

Middleton, Roger. *Towards the managed economy: Keynes, the Treasury, and the fiscal policy debate of the 1930s* (London: Methuen, 1985)

Morton, Desmond. *A short history of Canada* (Edmonton: Hurtig, 1983)

Newton, Scott. *Profits of peace: the political economy of Anglo-German appeasement* (Clarendon Press, 1996)

Parker, R. A. C. Chamberlain and appeasement: British policy and the coming of the Second World War (Basingstoke, Hampshire: Macmillan Press, 1993)

Ruggiero, John. *Neville Chamberlain and British rearmament: pride, prejudice, and politics* (Greenwood Press, 1999)

Self, Robert. *Neville Chamberlain: a biography* (Aldershot: Ashgate, 2006)

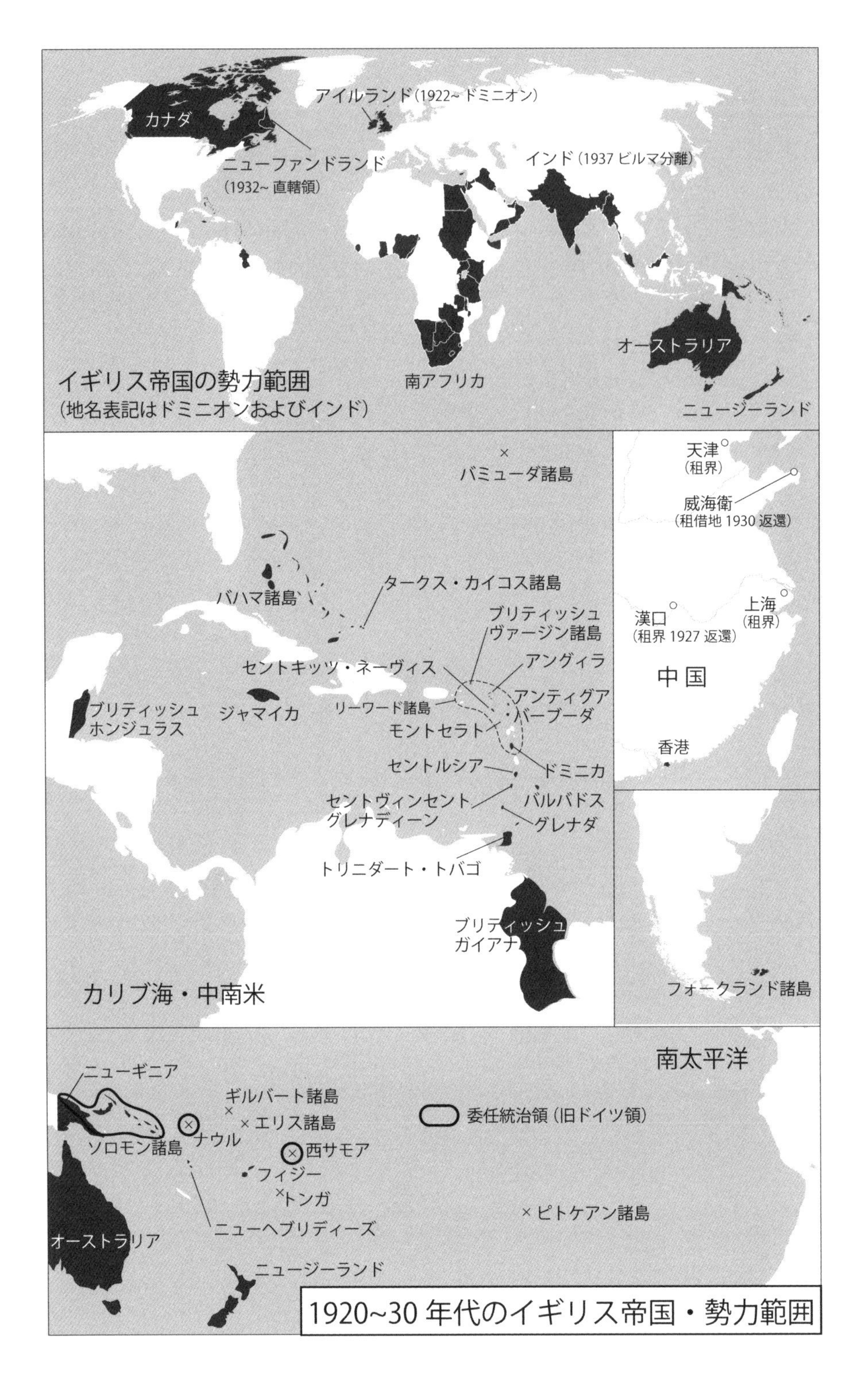

1920~30 年代のイギリス帝国・勢力範囲

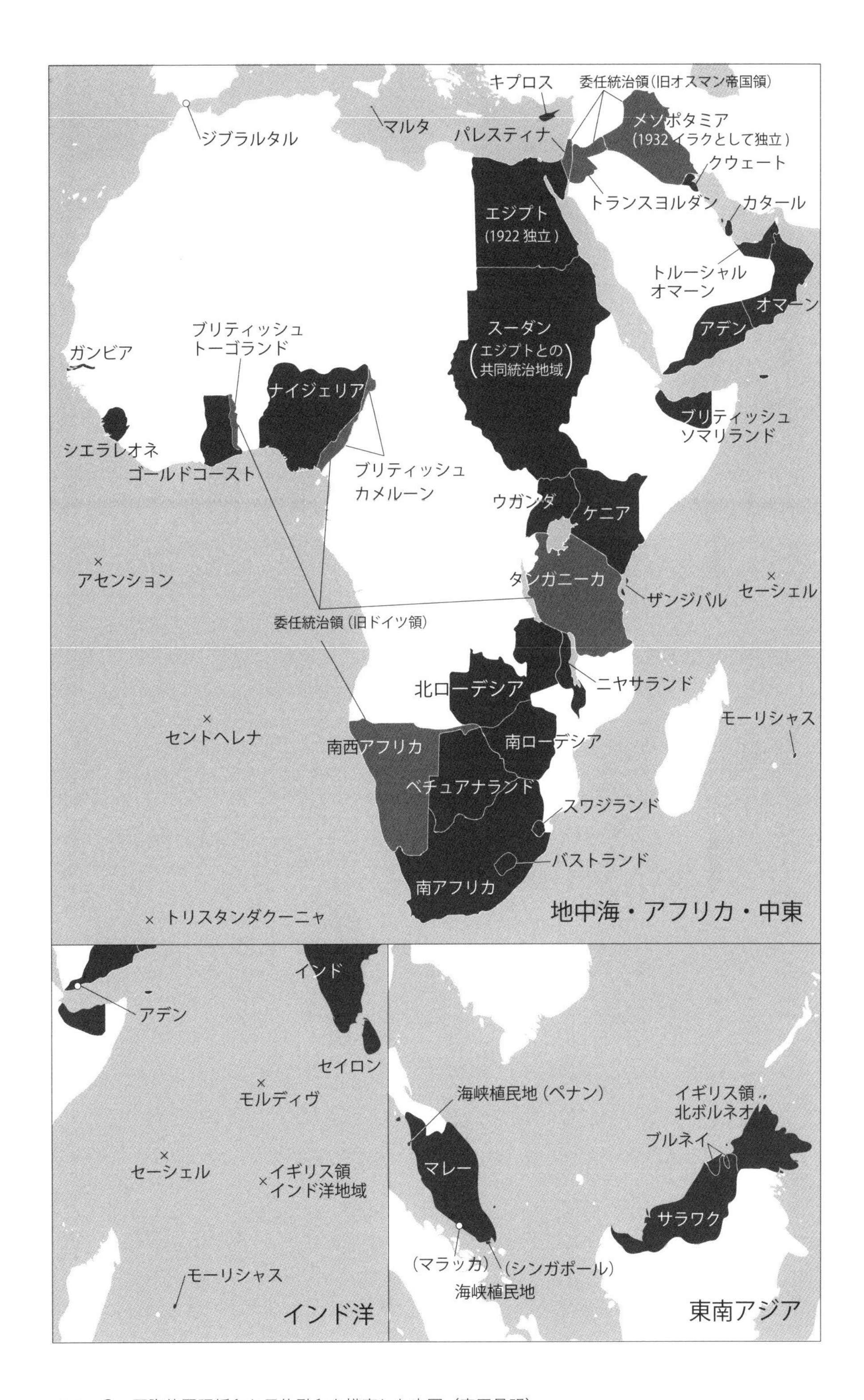
キプロス
委任統治領（旧オスマン帝国領）
メソポタミア
（1932 イラクとして独立）
ジブラルタル
マルタ
パレスティナ
クウェート
トランスヨルダン
カタール
エジプト
（1922 独立）
トルーシャル
オマーン
オマーン
アデン
スーダン
（エジプトとの
共同統治地域）
ブリティッシュ
トーゴランド
ガンビア
ナイジェリア
ブリティッシュ
ソマリランド
シエラレオネ
ゴールドコースト
ブリティッシュ
カメルーン
ウガンダ
ケニア
アセンション
タンガニーカ
セーシェル
ザンジバル
委任統治領（旧ドイツ領）
北ローデシア
ニヤサランド
モーリシャス
セントヘレナ
南西アフリカ
南ローデシア
ベチュアナランド
スワジランド
バストランド
南アフリカ
地中海・アフリカ・中東
トリスタンダクーニャ
インド
アデン
セイロン
モルディヴ
セーシェル
イギリス領
インド洋地域
モーリシャス
インド洋
海峡植民地（ペナン）
イギリス領
北ボルネオ
ブルネイ
マレー
サラワク
（マラッカ）
（シンガポール）
海峡植民地
東南アジア

各論［フランス］

手遅れになった年

【ナチス占領前夜の政治的停滞と仏日関係】

ポール・ド・ラクビビエ

●Paul de Lacvivier 一九九〇年フランス生まれ。セルジー・ポントワーズ大学数学部卒業。同大学院にて歴史学の修士号を得てから、慶應義塾大学大学院経営管理研究科にてＭＢＡ取得。現在は、外資系銀行に勤務しつつ、國學院大學後期博士課程にて法制史を専攻している。

はじめに

本論の目的は、一九三七年のフランスを理解することである。そのため、第一に、一九三七年におけるフランスの情勢と動きや国際事情がどうなっていたかを確認する。第二に、一九三七年の東アジアにおけるフランスの立場を紹介することにする。

フランスは王政こそ本来の姿であったが、一七八九年の大革命以来、終わりなき国内対立が繰り返されてきた。革命以前にフランスのヨーロッパへの影響力が広大だった反動で、革命後になっても伝統を覆す革命的な原理原則が全欧州に悪影響を与え、また全世界に広まってしまった。十九世紀末の東アジアの状態も、フランス大革命の遠い余波として認識することもできるだろう。また、いわゆる強国主義的な、植民地主義的な、帝国主義的な、弱肉強食的な近代という側面は、フランス大革命に由来しているといってもよい。

フランス国内では、一七八九年のフランス革命以後、現代まで一七回ほど政治体制が変わった。五つの共和国、二つの帝国、二回の王政復興などである。

特に一八七〇年はフランスにとって重大な年だった。ナポレオン三世の第二帝政は、プロシアに対して敗れた結果崩壊し、第三共和政が成立して、一九四〇年まで続く。

一八七〇年代前半は「王党派の共和制」と呼ばれたほど保守的な政府であり、王政復興の寸前にまで至ったが、最終的に失敗する。一八七九年、いわゆる「日和見主義の共和派」が政権を牛耳るようになって以来、一九一四年まで一貫して徹底的に反教権的な政策を決行しつづけた。フランスの九五％の人口はカトリックであったにもかかわらずである。これは、共和派が選挙制度を都合よく操ることによって進歩派の当選を確保し続けた結果の共和派である（Stéphane GIOCANTI, Maurras, le chaos et l'ordre, Flammarion, Paris, 2006, 140p. 以下『混沌と秩序』と表記する）。当然ながら普通選挙制ではなかった。

共和政体が脆弱であったことを示す象徴的な法律がある。それは、一八八六年に可決されたブルボン家、オルレアン家、ナポレオン家の継承者らを国内から追放する法律であり、一九五〇年まで続いた（前掲『混沌と秩序』一四一頁）。つまり、それぞれの継承者はフランス国内に住むこともできなかったし、フランス軍に加わることも禁じられて、フランスのために戦えなかった。ちなみに第一次世界大戦の際には、フランスに奉仕するために、王族はフランス軍には加入できなかったが、イギリス軍などに参加してフランス国土で戦った。

行政における官僚に対する粛清も行われ、王党派は駆逐された。逆に共和主義の奉仕者を国家全体、さらに植民地政策にまで、浸透させていった。例えば、一九〇〇年から一九〇四年までの「カードの不祥事」は象徴的な事件である。それは、軍隊の士官らを身辺調査し、カトリックや保守として知られた士官の昇任を妨げ、フリーメーソンや共和国に協力的な士官らを昇任させていたという不祥事だった。このような状態は一九三〇年代まで続く。

さて、背景を説明するため、いささか長い序文になったが、一九三七年のフランスを見ていこう。

I 「大帝国」と、内政の停滞

一九三七年という年は、言うまでもないが第一次世界大戦と第二次世界大戦の間にある。フランス社会の空気はかなり特殊だった。第一次世界大戦に勝利したものの、フランスが払った犠牲は大きかった。特に問題なのが人口構成だった。第一次世界大戦のフランス戦没者は百三十万人を突破していた。人口は四千万人程度だったことを考えると、二十代と三十代を中心に男性は少なくなっていた。傷病者も四百万人以上にのぼった。

その結果、第一次世界大戦後のフランスは、戦没者追悼式など、毎日のように死者を記念する社会となっていた。「死」がいたるところに漂っているような空気に、フランスは疲弊した。国民の間では偉大な国としての意識は変わらないものの、現実の国力は意識と比べて比較にならないほど衰退してきた。そして共和政治の弊害もあり、ポピュリズムに傾いていく。従って否応なしに、平和維持と復員者問題とドイツへの賠償金要求の世論にひきずられてしまう。この三つの課題は、一九一八—三九年の政治の主要争点であった。

要するに、戦争の犠牲が無駄ではなかったことを保証するために、最初から覚束ない平和条約が結ばれていて、フランスはドイツに対して賠償金支払いを要求しつづけた。当初から、後にアカデミー・フランセーズの一員になるテオドール・ド・バンヴィルのような歴史家兼評論家は、ヴェルサイユ条約の悪影響を見通していたが、少数派だった。また、二〇年代のフランス外交は、平和維持を保障するための状況を作らないまま、パシフィズムに堕した外交を展開していく。例えば、国際連盟の無力さ、それから国際情勢への感度の鈍さ、ドイツと妥協したロカルノ条約である。これらを改革しようとの意欲が、フランスの政治家や外交官には欠けていた。

ただ、共和政府の政治は国内においても海外においても失敗だらけであったものの、国としてのフランスはいまだに誇りを失っていなかった。外国人からも文化的な尊敬を得ていた。カトリックのフランス系伝道団体（ミッション）は全世界に福音を運び、学問・文化・文明と外交上の影響力は大きく、世界中に広大な植民地支配を誇り、軍隊も強いと畏怖されていた。

1 「大帝国」としてのフランス

一九三七年のフランスは、数字上は世界の大国だったはずだ。時に「帝国の絶頂期」と言われ、一九三一年は植民地が最大版図である。アフリカを中心に、「大フランス」には二億人のフランス人がいた。アジアでは主にインドシナや太平洋諸島（ニューカレドニア、ポリネシアなど）、それからインドと中国において、いくつかの租界を保持していた。中東においてはレバノンとシリアへのフランス委任統治領も第一次大戦後に獲得した。

もっともアメリカには、十八世紀の七年戦争の際に失ったケベック（カナダのフランス領地）とナポレオンによるフランス領アメリカの割譲以来、中米の諸島しか残っていなかった。

一言で植民地と言っても、帝国における地位は多様であった。まず、革命以前からフランス領であったいくつかの島は長い歴史を経て、本土扱いにされていた。例えば、ルイ十四世の時代にフランスが獲得したグアドループ島とマルチニック島が、これに当てはまる。これらの島々の編入は有名なコルシカよりも古い。また、北アフリカのアルジェリアも他の植民地と違って、一八三〇年以降フランスの海外領となる。この地では欧州系の住民も多くなっており、一九〇二年には本土と同等の扱いになり、三県を設立。つまり行政上、本土の一部となった。

狭義の「植民地」はサハラ砂漠以南の地域に限られた。モロッコ、チュニジア、インドシナ半島の諸国は、「保護国」

となっていた。つまりフランスはこれらの国の外交、防衛、統治を担当しながら、保護国の国家制度を維持して、以前の正統な政体を認めて保護していた。例えば、モロッコの王室あるいは安南（インドシナの一部）の皇帝をそのまま保護していた。

しかしながら、本土では植民地に対する関心は低かったのが事実である。十九世紀末、共和政治が帝国主義的な進出を展開した際、保守派の抵抗が強かった。そして二十世紀に入ると、本土では政府も国民も植民地支配を財政負担として認識しており、あまり関心はなかった。それでも第一次世界大戦に植民地からの兵士が参戦したことで、植民地支配への認識は変わりつつあった。三〇年代に入ると、植民地支配は歓迎されて、「大フランス」として認識されるようになり、分裂しつつあった世界の中、フランス帝国内の経済圏と安全圏を作り上げることが期待されることとなった。

1937 年当時のフランス帝国

一九三七年、フランスは大帝国であった。

2　本土における政治、経済

一九三七年のフランスの国内情勢は、政治的な側面からは芳しくなかった。一九三六年、人民戦線は選挙に勝利を収め、レオン・ブルムが首相となる。ブルムは、ユダヤ人初のフランス首相である。ブルムは共産主義に近い社会主義的な思想をもっており、その経済政策は国民に過度の警戒をもたらした。国際状況が悪化していく中、人民戦線は有給休暇などの福祉政策を実現したものの、迫りくる戦争の準備を遅らせたため、国民の危機意識を弱めるという弊害があった。確かに軍事予算は一九三六年以降少しずつ増額されたが、ドイツの武装化速度に比べて程遠い額であった。

ただし、隣国スペインにおける人民戦線と比較すると、ブルム内閣の政策は言われるほど進歩主義的でもなかった。三〇年

レオン・ブルム
（1872-1950）

代のフランスは比較的、保守派が主流であり、思想で言うと王党派の影響力、それからカトリックの影響力が最も強かった。従って、フランスの三〇年代はファシズムの動きには無縁であったといってもよい。ファシスト党のような団体も一時的には存在したが、勢力を持たないますぐに消えていった。大革命を経験したフランスの保守派は、王室を軽んじる国家主義者を嫌う傾向があった。またクーデターを何度も経験していたフランス人は、復員軍人に多かった、国家主義や中央集権的なジャコバン主義と大衆運動を煽るようなファシストに対しては警戒心が強く、冷ややかだった。

経済面では、フランスは相対的に大国ではあったが、ヴェルサイユ体制に拘束されていた。実態はドイツの賠償金支払いに依存しながら、アメリカとイギリスの経済力に依存していた。

これら内外の課題を解決しようにも、政治的な対立は深刻で、第三共和制下の小党乱立議会では強い政治を展開することはできなくなっており、金融機関やステークホルダーに左右され、彼らの利害調整に右往左往するばかりだった。

3 国際的位置と国内との乖離

一九三六年、ドイツはラインラント地方を再武装化し、ヴェルサイユ条約を破ったが、フランスは動かなかった。つまり、ナチスに対して「フランスは結局のところドイツを怖れて何も動かない」と認識されて、ヒトラー政権はどんどん侵略的になっていった。ドイツによるオーストリア併合は翌一九三八年でまだ実行されていなかったものの、一九三七年の段階で戦争開始は時間の問題になっていることが常識となっていた。できるだけ時間稼ぎをして戦争を準備しようという空気が広がる。特に国内争いで力が尽きた分、士気と気力も弱まっていることを何とか解決する時間を稼ぐということが、フランス全般の第一の目的となる。

それでも、フランスは大国として無視できない勢力を保っていたのだから、政治意志さえあれば、大きな影響を及ぼすことはできただろう。

当時の世界の外交公用語はフランス語であり、外交のネットワークは世界一流であり、軍事力も畏怖されていた。第一次世界大戦後のフランス軍は「世界最高の軍隊」として評価されていたほど尊敬されていた。ヒトラー政権ですら、一九三九年に宣戦布告した後の「まやかし戦争」になっても、すぐにフランスを攻撃することには躊躇して、作戦を延期したほどだ。一九四〇年の五、六月のわずかな二カ月だけでフランス軍が破れるなど、同盟軍も枢軸軍も予想だにしなかった。

その後、本土の半分以上を占領されてもなお、フランス独立政権が維持されて、植民地支配にもドイツの手が及ばなかった。現実に海軍や植民地にフランス軍は残っており、なお無視できない勢力だったからである。

要約すると、一九三七年のフランスの情勢は、机上では世界一流の大国であり、世界の情勢を変えられるほどの力――すなわち軍事力、文化力、外交力、そして総合的な影響力があった。しかしながら、フランスは政治上の共和制、第一次世界大戦後の体制に呪縛され、慢性の麻痺状態に陥っていた。また国家レベルで政治意志と気力の弱体化は著しかった。一九三七年のフランスには、国家としての政治上のビジョンが欠落していた。軍人、宣教師、文化人などは以前と変わらず偉大な英雄や聖人を輩出していたものの、「王なきフランス」は大昔のフランスとは比較にならないほどフランスらしくない堕落に陥っていた。

II　一九三七年の日本―フランス関係

1　フランスにとっての極東――「中立」

極東においてフランスの立場は、他の大国に比べてその存在感は低い。ことに日本にとってフランスとの直接な利害関係は少なかったため、関係も薄いわりに、友好な関係を保つことはより容易であった。

第一次世界大戦以降、フランスにとってのアジアは、主にインドシナにおける利権を中心にしつつも、中国における租界、鉄道、商業ネットワーク、文化ネットワーク、それから多くのフランス系の宣教修道会と慈善事業があった。フランスにとって、これらの利権とネットワークを維持し保護することは極東における外交の第一の目的だった。

極東でのフランス外交は他の地域よりも第一次世界大戦後の体制に依存している。つまり、極東におけるフランス外交は基本的に消極的であり、「どうしても現状を維持する」という意味での保守的な外交、特に英米の外交を追認しながら、中国と日本との間で厳格な中立をとる立場だった。

なぜなら、フランスは極東の国際上の役割が大きくなりつつあることを知りながらも、欧州における問題、アフリカを中心にした植民地問題、それから極東の問題に積極的ではない国際連盟（ソ連も米国も国際連盟に属していない）の中枢国であったので、極東へ力を入れる余裕はそれほどなかったのである。

その結果、東洋でのフランス外交の方向性は、極東におけるフランスの立場を厳格に維持することに全力を尽くし、基本的に極東における国際上の動きには積極的にかかわらず、介入しないというものであった。多くのフランス外交専門家は、極東において西洋を代表するのは（フランスではなくむしろ）米国の役割だろうと考えたことさえ少なくなかったと言われる。

2　日本とフランスの外交関係の概要――概ね友好的

第一次世界大戦から三〇年代中葉までの日仏関係は友好的だ

と評価されている。明治維新の際の日本近代化におけるフランスの貢献もあったし、また第二帝政は幕府を支持していたものの、一八七〇年のフランス政体の変更以後も友好を保った。外交的には一時的に、仏日両国は敵対したこともある。フランスは欧州においてドイツの勢力を防ぐため、かつ伝統的にロシアと密接で友好な外交を保っていたが故に、極東においては基本的にロシアの外交を支持していた。一八九四年の日清戦争と一九〇四年の日露戦争で、フランスは参戦こそしなかったが、日本の敵陣に加わった。それが一九〇七年の仏日協商の結果、過去の対立は不問に付し、フランスにおいて日本を同盟国とみるという認識は一般的なものとなっていた。一九一四年の第一次世界大戦で、日本がフランス側に参戦したことには感謝された。だからヴェルサイユ条約で、フランスは日本が取得したアジアにおける権益を認めた。

一方、中国に対しては、一九二八年からの中国国民党の台頭に伴って、一九三〇年仏中条約が結ばれた。中国国民党は著しく反共である他、租界その他の保護、それから中国における激しい愛国主義（中華ナショナリズム）からの居留民保護などを鑑みると、国民政府はフランスにとって外交上の提携相手として悪い存在ではなかった。

二〇年代後半と三〇年代前半において、フランス世論の日本に対する見解は分かれている。左右で割り切れる訳ではないが、主に左派は日本に対して「より強硬な外交」をフランス政府に求めていた。フランスの共和派は中華民国を「姉妹共和国」と認識して、大陸への日本の進出を見て見ぬふりをした挙句に中国を見捨てた、と政府の外交を非難している。

また、フランスにおける当時の極東専門家は、本来ならばフランス外交の二柱となる「約束を守ること」と「平和への貢献」について、フランスが東洋において背いたことから、政府を非難している。また、大陸への日本の進出を見て見ぬふりをしたことは誤算であったと訴えた。つまり、その結果、中国における共産主義を後押しする結果を招く危険に瀕した、と警鐘を鳴らした。仮に中国人民が共産党に傾いたら、インドシナをも巻き込んでインドシナの共産主義化を後押しするだろうとも警戒を募らせていた。

逆に、右派は中国を「アジアの病人」と認識していた。「当事者能力のない国」の意味である。極東において、本来ならば大国は一致した行動を取るか、あるいは日本に任せて中国の問題を片づけてもらう、という選択肢に尽きるというスタンスをとっていた。従って、大国は何も同意していないから、極東の問題は日本に一任するのがよいと考えていた。また、朝鮮においても満洲においても日本が偉業を遂げたことを強調して、中国においても良い影響を及ぼしうるだろうと考えていた。しかも、日本が中国を併合するようなことはそもそも人口的に無理だから懸念するに及ばないので、フランスは中日の争いに対して何も介入しないで中立を保つのが最善である、と主張した。

結果的に、中立はフランス外交の指針となった。むしろ中国北部においては、第一次世界大戦中から英国の影響力低下もあって、フランスと日本は協力的であった。また欧州大国の間でも、中国北部のフランスと日本の外交関係は一番近いと言われていた。

しかも、一九三六年の反コミンテルンの日独協定が結ばれても、フランスにおける親日派は発言力を保った。ようやく一九三八―三九年になって初めて、中国南部における日本の軍事作戦が行われたので、パリと東京との関係は難しくなった。

3 支那事変の際の、天津のフランス租界と日本軍による天津占領を中心に

一九三二年、満洲への日本軍の進出の結果、天津の租界体制から日本は排除された。しかしながら、それでも、一九三七年になっても中国北部におけるフランスと日本の外交関係は友好的なままであった。なぜなら、中国北部において、フランスと日本が協力的であった過去があったからである。特に、山東問題（一九一九―二二年）あるいは対華二一カ条要求（一九一五年）の際、フランスは日本の外交を支持した事実は大きい。

天津の諸租界において、フランスは一番強い勢力を持っていた。フランスの兵力一四〇五人に比べ、米軍八四三人、英軍七六二人、イタリア軍は二六〇人にすぎない。また、日本租界はフランス租界とのみ隣接していた。また日本軍にとって、天津の東駅に行く最短ルートはフランス租界を通ることであった。

中国における租界での外交は独特で、伝統的に各国間の協力は必須となっていた。その中で、一九三七年以前のフランスと日本は友好関係にあった。

支那事変が勃発した後、天津市の占領に日本軍が動き出す。一九三七年七月二十八日から三十一日の天津の戦役である。その際、フランスは厳格な中立という立場をとった。

天津市占領以前の三週間、日本軍と天津の諸租界との間で多くの事件が起きた。日本軍は租界独特の均衡と関係に慣れていないために、いくつかの慣習を知らずにしきたりを破ったほか、支那事変の作戦上の必要に応じて外交上の事件を犯した。例えば、天津のフランス兵器庫の上空の低高度の飛行、またフランス領における日本軍の無断の軍事演習、またフランスの練兵場のすぐ近くに日本軍による対空砲台を設置、あるいはフランス租界とフランス兵器庫の間の電話線の切断等である。その結果、フランス租界に駐屯しているフランス軍人は、天津市の占領作戦が開始される以前から日本軍を警戒している状態にあった。

支那事変はあくまでも日中間の戦争であったから、天津における欧州の諸勢力は中立を保ち、関わらないようにしていた。

七月二十八日の夜、中国軍人をまじえた中国の警察は、中国空軍の援助を得ながら、東駅、日本軍の司令部と日本空軍の飛行場を攻撃した。激しい戦いになり、二十九日の夜から日本軍は東駅を確保し、逆転を遂げている。三十一日の午後まで、市内の戦闘と空襲は続いた。八月一日以降、停戦となって、日本軍による占領は完成された。

当時の天津フランス租界の住民と軍人は、天津市の治安を保った日本軍に感謝しながらも、中国人の町における日本兵による圧制は度を越えており、人道に反する行為も見受けられたと、フランス外交資料からわかる。だからといって、フランスは中国の味方をしているわけではなかった。同じ資料と報告書によれば、「中国の現状は自業自得だ」との評価である。

この三日という短い間、フランスの外交的反応は速やかであり、現地軍を動員し、中立と租界の保全を保つために配置する。二十九日の午前九時、フランス領事は正式に中立宣言を発する。また同じ日に、フランスは中立の立場を保つため国際橋の警備を担当していたが、その橋を中国軍と日本軍が通行することを禁止した。報復として日本軍はフランスの電話線の切断とフランス領の東兵器庫へのルートを切断した。幸いにも、日本軍とフランス軍の指揮官との会談の結果、これらの事件は解決し、フランスの中立は保たれた。

フランスは厳正中立を保ちつつ、例外として、二十九日に日本人の避難者五百人と七十人の日本軍人にフランス租界の通行を許可した他、二十八日の夜（中立宣言前）には仏領の東兵器庫での中国軍の武器の倉庫入れを一時的に許可したほか、四万五千人ほどの中国人避難者を迎えた。三十一日になると、避難者の殺到に圧倒された結果、フランス領に上陸しようとしていた船を領事が押し返すことにした。

この三日間で二つの事件があったが、フランス租界の難しい立場をよく表している。第一の事件は二十九日、インドシナ出身の若いフランス軍人が流れ弾に当たって死亡。フランス租界の人々は動揺した。流れ弾の原因は不明だったが、フランスの依頼で遺族のため、日本は二万フランという賠償金を払うことに同意した。第二の事件は、東駅の安全を担当していたフランス軍人たちが日本の銃撃を受け、二人が重傷を負う。一人は丸一日戦争捕虜扱いされたのち三十日には解放されるが、もう一人の重傷者は腕一本の切断を迫られた。

八月以降の状況は、中立を保ちながらも緊張関係は続き、多くの事件が起きる。ことに、インドシナ出身者を対象にした日本軍人からの挑発もあったが、フランス領事と日本領事の巧みな交渉によって和解した。また、日本の治安維持への積極的な役割は、フランス租界において評価された。軍の暴走をうまく収めた日本外交の成果と言えよう。

それ以降に外交問題となったのは、フランス租界における中国避難者の間に潜んだ工作者たちだった。一九三八年の九月まで、フランス租界は辛うじて中立の立場を維持できたものの、一九三八年以降、租界への日本軍からの封鎖が決定された結果、強制的に日本軍への協力に転じざるを得なかった。

おわりに

一九三七年はフランスにとって「手遅れになった」年だった。もはや迫ってくるドイツとの戦争を防ぐことはできなくなりつつあり、その準備に備えて時間稼ぎ態勢に入っていく。

本来ならばフランスはまだまだ強国であったのだから、選択肢はあったのではないか。国際平和への貢献も可能だった。

しかしながら、大革命以降の政治的停滞は第三共和政全体を覆い、フランスは政治意志が曖昧となる。国内の党派抗争は政治を不安定化させ、不合理な外交を強いられていた。

このような停滞した政治が貴重な時間を無駄にし、挙句にあっさりとナチスの占領を許したのだ。

亡国から救われたのは、一握りの英雄たちの奇跡的な偉業であることに由来する。

主要参考文献

Berstein Serge. L'affrontement simulé des années 1930（一九三〇年代の〔フランス国内〕の偽りの争い）. In: Vingtième Siècle, revue d'histoire, n° 5, janvier-mars 1985. Les guerres franco-francaises. pp. 39-54.

Berstein Serge. La France des années trente allergique au fascisme（三〇年代のフランスはファシズムに対するアレルギー性を持つ）. In: Vingtième Siècle, revue d'histoire, n° 2, avril 1984. pp. 83-94.

Binoche Jacques. La politique extrême-orientale française et les relations franco-japonaises de 1919 à 1939（一九一九年から一九三九年までの極東のフランス外交と日仏関係）. In: Revue française d'histoire d'outre-mer, tome 76, n° 284-285, 3e et 4e trimestres 1989. La France et le Pacifique. pp. 263-275.

Gotteland Mathieu. La France et le Japon à Tianjin, 1937-1940: de la neutralité à la collaboration（天津でのフランスと日本、一九三七年から一九四〇年まで。中立から協力へ）. In: Outre-mers, tome 101, n° 382-383, 2014. De Tientsin à Tianjin. Internationalisation et patrimonialisation des concessions (1860-2030) pp. 71-88.

Guillen Pierre. Opinion publique et politique extérieure en France, 1914-1940（一九一四年から一九四〇年までのフランスにおける世論と外交政策）. In: Opinion publique et politique extérieure en Europe. II. 1915-1940. Actes du Colloque de Rome (16-20 février 1981) Rome: École Française de Rome, 1984. pp. 37-56. (Publications de l'École française de Rome, 54-2).

Plessis Alain, Feiertag Olivier. Conjoncture et structures monétaires internationales en Europe à la fin des années trente（三〇年代後半の欧州における国際上の通貨構造と情勢）. Dislocation et convergences. In: Revue économique, volume 51, n° 2, 2000. pp. 277-290.

Milza Pierre, Bernstein Serge, Histoire du XXe siècle（二〇世紀の歴史）, volume I, 1900-1945, Hatier, Paris, 2017.

Jean de Viguerie, Les Deux Patries（二つの祖国）, DMM, Poitiers, 2017.

各論［ドイツ］

ナチス体制下のドイツ

【情報史の観点を中心に】

柏原竜一

●かしはら・りゅういち　一九六四年生。京都大学文学部卒。専門は西側情報機関の歴史的研究。ジャーナリスト・情報史研究家。「情報史研究会」所属。著書に『世紀の大スパイ・陰謀好きの男たち』（洋泉社）『陰謀と虐殺』（ビジネス社）『インテリジェンス入門』（PHP研究所）他。「治安フォーラム」に連載中。

1　「退廃美術展」

一九三七年七月一九日午後五時、ミュンヘンのレジデンツに隣接した王宮庭園の北に沿うガレリ・シュトラーセ。同四番地に立つ建物が入り口となっているアーケード。以前は考古学研究所が入っていて、教育研究資料用にギリシア、ローマ時代の古代彫刻を型取りした石膏像を保管してあった建物だ。その二階で帝国美術院総裁のツィーグラーは「退廃美術展」の開会を宣言した。

印象派からダダへ、表現主義から構成主義、バウハウス、新即物主義を経て抽象派へ至るまでの多種多様な様式の作品六五〇点あまりが展覧された。しかし特に表現派に、摘発のアクセントが置かれていた。

そうして「退廃」というレッテルが張られた画家の中には、マルク・シャガール、マックス・エルンスト、ヴァシリー・カンディンスキーも含まれていた。ドイツでの活動歴があったとはいえ、シャガールのようなロシア生まれのフランスの画家が「退廃美術展」に出品されたのは、それだけ影響力が大きかったということだ。

その一方で、一九三七年七月一八日ミュンヘンにドイツ芸術の家が開館し、そこで開催された「大ドイツ芸術展」は、ヒトラー自らが企画したナチスのお墨付き展覧会であった。展示されたのは〝純粋なアーリア人による写実的で古典主義的な芸術作品〟で、ここで好まれたテーマは「農村の生活や田舎の風景、そして家族と母性」であった。裸体画をふくむ人物画の展示も多く、女性の裸婦像は〝母親を刺激し、健康で美しい金髪の子どもたちをたくさん産んで、総督に捧げよ〟というメッセージが込められていた。

この二つの絵画展は画家としては大成しなかったヒトラーの個人的コンプレックスが文化政策に反映した結果であったのだろう。

「退廃美術展」パンフレット表紙

2　ゲルニカ爆撃

一九三七年四月二六日には、スペイン内戦においてドイツのコンドル兵団によるゲルニカ無差別爆撃が遂行された。この爆撃は焼夷弾が本格的に使用された世界初の空襲であった。そのために、第二次世界大戦における戦略爆撃の先駆けと見なされている。

一九三六年七月一八日にスペインで国民戦線派のクーデターが勃発し、それが長期化して内戦へと発展した。ゲーリングは七月二五日に、ヒトラーが開催した会議に参加し、スペイン領モロッコで動きを封じられていたフランコ派に輸送機を援助するよう、航空相として強く主張した。その後ゲーリングは空軍主体のドイツの対スペイン介入政策で主導権を発揮し、「特務機関W」「団体旅行連盟」など、スペイン反乱派支援のための機関を設置するとともに、原料・外国為替問題全権として、スペイン側に偽装会社「スペインモロッコ輸送会社」（HISMA）を、ドイツ側に「原料貨物購入会社」（ROWAK）を設立し、反乱への援助の代価として、スペインの天然資源をドイツに独占的に輸入するシステムを構築したのであった。

3　成功する対中経済外交

戦間期のドイツ外交の特徴を敢えて挙げるとすれば、交渉が困難な国を選んでは、その関係の中から利益を引き出そうとする傾向である。（蛇足であるが、この傾向は戦後も引き続いている。例えば、アパルトヘイトにより国際的に孤立していた南アフリカの核開発にはドイツの情報機関、連邦情報局（BND）が関与していた。）ワイマール体制では、ドイツ国防軍は、ソビエト連邦およびソビエト赤軍との秘密の軍事協定を構築し、多くの利益を享受していた。ナチズム政権成立により従来の独ソ軍事協力の放棄を強いられ、新たにソビエト連邦のさらに東の中国を軍事パートナーとして選択することになったのである。

一九三六年四月に調印された独中条約は、ドイツ国防省が全力を傾注して実現を目指した、国防経済政策上の重要な成果であった。一九三六年夏、元ドイツ国防省軍務局長ライヒェナウ中将が中国を訪問し、独中条約の執行過程を監督すると共に、次のような中国軍の強化策を打ち出した。第一に、ドイツ国防軍の指導の下で中国軍を組織的に再編成すること。第二に、六個師団・一〇万人からなる中国中央軍を設立し、後にそれを三〇万にまで拡大する。各師団の配属地に軍需産業を育成し、各師団に必要な軍備を供給すること。第三に、ドイツからの緊急の対中国武器輸出計画である。第四に、近代兵器運用のため、中国人留学生をドイツへ留学させ、機械技術者として養成することであった。

こうしたドイツ国防省の厚意は、当然中国からの見返りを前提としていた。すなわち、ドイツが兵器や、鋳鉄や製鋼のいわゆるプラントなどを中国に提供するのと引き替えに、ドイツの再軍備にとって重要な貴金属であるタングステンとアンチモニーその他の原料をバーターで輸入することになっていた。そのためのフロント組織として設けられたのが、「工業製品貿易有限会社（HAPRO：ハプロ）」であった。「ハプロ」の活動の基礎は一九三四年に締結された貿易協定と、先の独中条約にあった。この独中条約をドイツ側から推進したのは、元陸軍総司令官ハンス・フォン・ゼークトであり、武器商人のハンス・クラインであり、国防大臣ブロンベルクであり、国防省経済幕僚長ゲオルク・トーマスであり、経済大臣兼ライヒスバンク（当時の中央銀行）総裁のヒャルマル・シャハトであった。

実際、独中条約の締結とハプロによるバーター貿易のために、ドイツの武器貿易全体に占める中国の割合は圧倒的な地位を示していた。一九三六年の段階で、ドイツの武器輸出全体は五〇五九万一三〇〇RM（ライヒスマルク）であり、そのうち中国の割合は四六・九％の二三七四万八四〇〇RMを占め、圧倒的であった。一九三七年には、ドイツの武器輸出総額が、前年比で四・

四倍に拡大し、対中武器輸出では、武器輸出全体に於いて占める割合こそ三六・八%に減少したものの、総額は前年比で約三・五倍の八二七八万八六〇〇RMに拡大していた。

しかし、こうしたドイツと中国の蜜月は、ナチスドイツの新たな極東政策と矛盾をきたすことになる。一九三六年四月にドイツ外務省は満洲国との間で独満貿易協定を締結し、一億円程度の独満貿易の実施とその支払い方法などについて合意に達した。この独満貿易協定の締結により、ドイツは満洲国を事実上国家承認することとなった。

さらに、一九三六年一一月にドイツは日本との間で独日防共協定を締結した。この協定をドイツ側で推進したのはドイツ軍情報部アプヴェーアのカナリス部長であり、当時ヒトラーとの個人的関係を軸に独自の外交を追求していたリッペントロップ、それに駐日大使のディルクセンであった。対日交渉は、ドイツ外務省と国防省の激しい反対にもかかわらず、当時のドイツ駐在武官であった大島浩陸軍武官を相手に極秘裏に行われた。

この独中条約と独日防共協定は、その精神に於いて大きく矛盾していた。独中条約は日本を仮想敵国としており、独日防共協定においては日本はドイツの同盟国として規定されていたためである。この矛盾は一九三七年七月に支那事変が勃発することでだれの目にも隠せなくなった。日本軍と戦う国民党軍はドイツによって育てられた軍であったためである。したがって、日本と中華民国国民政府間の和平交渉にドイツがトラウトマン工作として乗り出すのは必然であったといえるだろう。

4 一九三七年一一月五日の総統官邸での秘密会談

しかし、なにより重要と考えられるのは、一九三七年一一月五日の総統官邸での秘密会談である。

一九三七年一一月五日、ベルリンの首相官邸で午後四時一五分から八時三〇分にかけて、ヒトラー主宰のもとに秘密の軍首脳会議が開催された。この日の会議の参加者は、首相ヒトラー、国防大臣ブロンベルク陸軍元帥、陸軍総司令官フリッチュ陸軍大将、海軍司令官レーダー海軍大将、空軍総司令官ゲーリング空軍大将、外務大臣ノイラート、ヒトラー付き副官ホスバッハ陸軍大佐の七名であった。この会議で述べることは「遺言として残したもの」とヒトラーが述べていたにもかかわらず、この「遺言」を残す公式の記録は作成されなかった。そのために、ホスバッハ大佐が、自らの手書きメモと記憶を頼りに、この秘密会議に関する覚書を作成したのだった。

この一一月五日の軍首脳会議は、国内の備蓄原料が全般的に不足している状況のもと、陸海空三軍それぞれの軍備拡大に必要な各種原料の配分・調整問題が直接の動機となって、急遽開催されることになった。そもそも先に述べたようにドイツが武器輸出と原料輸入のバーター貿易の推進により、外貨の節約に努めていたのは、ドイツの経済が慢性的に原料・外貨不足に悩まされていたためである。一九三七年に入るとその原材料・外貨不足が一層厳しくなっていた。一九三七年当時のドイツ国内の軍需産業は、鉄と鉄鉱石の極端な割り当て制限によって、全体的に原材料不足に陥って生産性を挙げることが困難になっていた。とくに三五年の夏に国防経済が深刻な隘路に陥っているなかで強引に推進されていた軍備拡大のテンポが、目に見えて遅くなっていたのである。

軍事関連企業の何社かは、武器生産や造船施設の拡張に必要な資材が削減されたことを理由にあげて、海軍から依頼のあった艦船建造を拒絶していた。これと同じような事態は陸軍や海軍にもあてはまっており、ドイツの軍備拡大計画のいくつかは一年半から二年半の引き延ばしを余儀なくされそうな状況下にあった。さらにその上、総量におよそ限りのある各種国内資源の配分をめぐって、陸海空三軍の間で情け容赦のない熾烈な競争が始まっていた。というのも、原料割り当ての優先順位の決定や民間需要と軍事需要の入念な調整、ここの計画の総合的な調整を含む軍備経済の効果的な舵取りが、ベルリンの国家指導部ではほとんど行われていなかったからである。

こうした事態に対して、四カ年計画全権として戦争準備にも責任を負っていた空軍総司令官ゲーリングは、自らが管理する空軍力の速やかな再建のために、ヒトラーへの直通電話を通じて、「総統の忠実な側近」としての地位を余すところなく利用していた。必然的に、陸軍に比べても影の薄かった海軍は、このままであれば貧乏くじを引く可能性が高かった。そのために、海軍総司令官のレーダーは、上司である軍事相ブロンベルクと首相ヒトラーへの直談判を通じて、割り当てられていた鉄鋼量の二倍要求を実現しようとしていた。その切り札は、従来想定されていた敵国としてフランスとソ連だけでなく、海軍大国イギリスも考慮の対象にしなければならないという海軍の主張であった。

海軍力増強に関するレーダー海軍総司令官の熱心な訴えかけに、ブロンベルク軍事相は賛意を示したようである。最終的にレーダーと申し合わせて、原料問題を巡る全ての懸案事項について直接「ヒトラーの決断を仰ぐ」ことにしたのだった。

これに対して、ヒトラーは、原料配分問題が焦点になることを事前に察知しており、この問題に関して何らかの「決断」を迫られることは回避したかった。そのために、会議に於いては、ヒトラーは『わが闘争』以来の持論を展開し、「ドイツの政治目標は、民族共同体の安全と維持及びその拡大である。したがって、空間の問題が重要なのだ」と述べ、所謂生存権の拡大の重要性を力説している。さらに、「そのために必要な空間はヨーロッパの中でのみ探し求めることができる」とし、将来のオーストリア併合とチェコのズデーテン地方の併合を強く示唆している。さらにいえば、対英政策の変更がこの会議で提起されている。従来ヒトラーは英国の容認ないし黙認のもとでヨーロッパ大陸内で膨張主義的な対外政策を実現出来ると考えていた。しかし、一九三五年の独英海軍協定の締結以降、ドイツの情報が英国内にも伝わるようになり、英国はドイツに対して徐々に警戒心を高めていた。その結果、英国をパートナーとすることが困難なことをヒトラーも認めざるを得なかった。ホスバッハ覚書の中に「イギリスとフランスという二つの憎むべき敵」という表現が見られるのはそのせいである。

この現状をフランス参謀第二部は相当程度把握していた。参謀第二部は、スペイン内乱がエスカレートすることによって、あるいは、ドイツがオーストリアとチェコスロバキアを侵略した結果、ヨーロッパに戦争が勃発する可能性があると警告していた。

さらにベルリン大使館の商業アタッシェは、ドイツに差し迫っている経済危機のために、ドイツは無制限の再軍備を断念せざる得ないと予測していた。

一九三七年は初めてフランス空軍の情報紀要が刊行されているのだが、ドイツの再軍備問題を巡るドイツのジレンマに関して次のような結論を引き出している。

「ナチ党指導部は原材料問題を解決してこなかった。(…)もし原材料問題が解決に手こずるようであれば、ヒトラー体制の経済はどうなるのだろうか。次に何が起きるのか。ドイツは次の二者択一を迫られるであろう。すなわち戦争の潜在能力を増大させることに集中している経済システムを断念し、ヨーロッパでの覇権を断念するか、あるいは、実力行使により、富への障害をはらいのけるかということだ。これが第三帝国が直面しているジレンマである。」

この情報紀要が刊行されたのは、一九三七年の四月なので、すでに一一月五日の秘密会議の内容は、半年以上前に予見されていたと言っても差し支えがないであろう。

こうしてみると、一九三七年という年は、ナチス体制下のドイツが、原材料不足に起因する経済停滞という物理的限界に直面し、改めてヨーロッパでの覇権を目指し始めた年であったといいうるであろう。

5　進むドイツ政府のナチ化

この会議の重要性はむしろ会議終了後の人事にある。

ヒトラーはフリッチュらドイツ国防軍の三軍の将を前にオーストリアやチェコへの侵略戦争の計画を打ち明けたが、フリッチュはブロンベルクと共に時期尚早として異議を唱え、ヒトラーの不興を買った。そのために、ブロンベルクは年の離れた結婚相手が娼婦であったという噂が流され、一九三八年一月に結婚するも、軍の支持を失い、そののち罷免されている。フリッチュは一九三八年三月、同性愛の疑いで捜査を受け、陸軍総司令官を更迭された。これらの事件はハインリヒ・ヒムラーやラインハルト・ハイドリッヒのゲシュタポの画策によるもので、特にフリッチュの事件は全くのでっちあげのスキャンダルであった。

ヒトラーは後任の国防大臣を任命せず、自身が国防軍最高指揮者と国防軍総司令官を兼務してヴィルヘルム・カイテル中将を総長とする国防軍最高司令部を新設し、自らはその最高司令官となった。こうして軍に対するヒトラーの支配はより確実なものとなった。

事情は外務省も同様であった。

ラインラントの再軍備が成功に終わった後、ヒトラーは外務省を改革するつもりであった。ヒトラーは職業外交官を嫌っており、外務省の幹部をナチ党のメンバーで置き換えることを考慮していた。彼はリッペントロップとその機関を外務省に統合して外務省を動かそうとしていた。ヒトラーの逆鱗を恐れたノイラート外相とビュロー事務次官は外務省の機構改革に取り組むのだが、その機構改革の背後で外務省の重要な人材が次々と失われた。外務省第四部の部長であったリヒャルト・メイヤーはユダヤ人であったために一九三五年のニュルンベルク法により公職に就けなくなったために引退し、病気で死亡あるいは引退する外交官も相次いだ。ビュロー事務次官ですら、一九三六年六月に肺炎で亡くなるのである。

ヒトラーはドイツの東方拡大に際して、フリーハンドを手に入れるために、英国、イタリアとの関係強化を、そして共通の敵であるソビエトに対抗するために独日関係の強化を意図していた。そのために、三六年に駐英大使に就任していたリッペントロップを徴用し、何度もベルリンとの間を往復させ、日本との交渉にあたらせた。そして、ノイラート外相はといえば、ホスバッハ会議の後、これ以上ヒトラーの政策には従えないと考え辞職を決意するのだが、辞表をヒトラーに手渡そうとすると、ヒトラーはベルヒテスガーデンの別荘にこもってしまい、辞表を手交できたのは一九三八年一月のことであった。その後外相に就任したのがリッペントロップであったことはいうまでもない。

こうしてみるとホスバッハ会議は、ドイツの官僚機構のナチ化が進む契機となったといえるであろう。

6　一九三七年当時のドイツのインテリジェンス

一九三七年当時のドイツの対外情報機関はアプヴェーア Abwehr であるが、一九三五年にカナリス提督が局長に就任して以降、急速にその陣容を拡大していた。それ以前は一五〇名にも満たなかった定員がそれから三年後には一〇〇〇人規模の組織に成長していた。そこには陸軍だけでなく、海軍や文民も含まれていた。

当時アプヴェーアでは対外情報課をハンス・ピーケンブロック、破壊活動課をヘルムート・グロスクルト、防諜課をルドルフ・バムラー、対外連絡課をレオポルト・ビュルクナー、管理組織課をハンス・オスターが受け持っていた。それ以外に公安機関として秘密警察であり、ハインリッヒ・ヒムラーの率いる秘密警察（ゲシュタポ）、ラインハルト・ハイドリッヒ率いるナチ党の情報機関である保安部（SD: Sicherheitdienst）があった。とくにハイドリッヒは野心的な人物であり、アプヴェーアともしばしば衝突を引き起こしていた。そのために一九三五年一月に、「十戒」と言われる協定がこれらの機関の間で締結された。その結果、軍事情報活動と防諜活動はアプヴェーア、逮捕のような執行権は秘密警察、政治情報収集はSDが担当することとなった。そして互いの分野に及ぶ場合はアプヴェーアとSDの間で情報共有が図られることになった。

このように見れば、ナチスドイツのインテリジェンスはまさにこの時期に開花したように見える。しかし、その一方で第一次大戦から戦間期にかけてドイツ・インテリジェンスの系譜は途切れることはなかった。それは人材面から確認出来る。

その代表人物はフランツ・フォン・パーペンである。パーペンは一八七九年に、カトリックの貴族の許に生まれた。彼は当初騎兵隊に所属していたが、後に参謀本部に指名される。一九一三年に彼はワシントンのドイツ大使館付きの武官と同時にメキシコシティーのドイツ公使館の外交団の一員として指名される。彼のメキシコでの主要な使命はビクトリアーノ・ウエルタ大統領の体制を転覆することであった。第一次大戦が勃発すると、パーペンはマンハッタンに秘密の事務所を開設し、エージェ

フランツ・フォン・パーペン
（1879-1969）

ントのリクルート、協商国への穀物や武器の輸出阻止、アイルランド、インドでの英国統治への不安定化工作といった様々なスパイ活動を行った。一九一五年にはペルソナ・ノン・グラータとしてアメリカから追放され、ドイツ本国に帰国する。戦間期には、ヒンデンブルクとの親しい関係のために一九三二年にはドイツ首相に就任している。約半年で政権が瓦解するとその後ヒトラーに接近し、一九三三年のヒトラー内閣の成立の際に副首相に就任する。しかし、一九三四年の「長いナイフの夜」の三日後に辞任している。しかし同年の秋、パーペンはウィーンの特使として指名され、一九三六年にはオーストリア大使に就任した。つまり、一九三七年にはパーペンはオーストリア併合のために工作を行っていたと考えられる。三九年から四四年まではトルコ大使を務めているが、その間も情報活動に従事しているので、一九三七年にも何らかの情報活動に従事していたと推定される。

しかしパーペンよりも重要であったのがヴァルター・ニコライの存在である。ヴァルター・ニコライは第一次大戦当時のドイツ軍情報部の部長であった。彼は一八七三年八月にドイツ軍歩兵部隊の指揮官の息子として生まれた。ニコライが軍に入ったのは、一八八三年のことであった。ベルリンの陸軍大学を卒業後、彼は参謀本部に配属されている。彼の主要な任務は日露戦争後のロシアの西洋に対する戦略の検証であった。彼はケーニヒスベルク(現在のロシア領カリーニングラード)で偵察任務にあたり、一九〇六年から一九一〇年にかけて、上官から高い評価を受けている。公開情報だけでなく、大部分がポーランド人とロシア人からなるエージェントのネットワークを作り上げた。一九一三年に、彼はドイツ軍情報部である参謀第三部b課の部長となる。彼はそこで潤沢な資金を用いて対仏情報活動を行った(英国を担当したのは海軍情報部であった)。第一次大戦が勃発すると、ニコライの責任は防諜から破壊活動にまで急速に広がっていった。第一次大戦後は、軍を除隊となり、表向きはインテリジェンス活動からは遠ざかっていた。しかし、一九三二年六月にはレームの邸宅で、ナチ党幹部による秘密警察の在り方に関する協議に参加している。その後、彼は新ドイツ歴史研究所の所長に指名されているが、これはフロント組織であった。興味深いことに一九三七年末にニコライは、再び退役したと事情通のサークルの中では言われていた。つまり、公式の肩書はなかったが、何らかの実務を担っていたと思われる。

7 具体的オペレーション

(1) 王冠をかけた恋

英国王エドワード八世が一九三六年一二月一一日に退位した後、ウィンザー公に叙されたのは一九三七年三月八日のことであった。エドワード八世には、以前からドイツとの関わりがあった。一九三六年一月二〇日にジョージ五世が逝去すると、エドワードの英国王即位を最初に祝福した人物の一人がヒトラーの個人代表であったコーブルク公であった。そして一九三六年三月のラインラント危機に際しては、エドワード八世は、英国憲法を無視し、政府にフランスを支援しないように介入したのである。彼はしばしばドイツ大使のレオポルト・フォン・ヘッシュに電話を掛けた。そして英国外務省がドイツ問題に干渉することに強く反対していると告げた。ヘッシュが不意に突然死亡すると、ワルラス・シンプソン夫人がエドワード八世に働きかけて、新たな駐英大使として、彼女の友人であったリッペントロップを指名するようにドイツ当局に求めた。そのためにリッペントロップは一九三六年一〇月にベルリンを出発するが、同年一二月にはエドワード八世は退位する。この退位を期にヒトラーとの宥和を提唱する者は英国内にいなくなった。

ヒトラーとリッペントロップはウィンザー公の英国政治における実際の力や影響、それにコネを過大評価していた。もし英国が正気に戻らず、平和裏に降伏しなければ、ナチスによる英国占領後、ウィンザー公を英国の国王に据える予定であった。そのために、ウィンザー公への働きかけは断続的に行われており、英国のドイツ大使館とベルリンの間で何度もやりとりが行われており、戦後、その電信のやりとりを抹消することに全力を注いだのが、チャーチルであった。

(2) トハチェフスキー失脚への関与

一九三四年の「長いナイフの夜」事件でのレーム並びに突撃隊(SA)のパージを唯一歓迎したのは、クレムリンであった。ドイツ国内での突撃隊の抑圧は、いまやヒトラーがドイツの支配者としての地位を固めたことを意味しているとスターリンは信じていた。そのために、ヒトラーはソ連にとってより役に立つ同盟者として映るようになった。

このロシアからの厚意に、今度はヒトラーが答える番となった。ヒトラーは保安部(SD)がスターリンの赤軍に対する隠謀に加わることを放置したのである。一九三七年始め、パリに在住するスコブリンという名前の白系ロシア移民からの報告書がハイドリッヒの許に届いた。その報告書は、ミハイル・トハチェフスキー元帥がスターリンを打倒しようとしているということを指摘していた。ハイドリッヒはこのレポートが本物であると信じ、この報告書にヒトラーの注意をむけるようにした。ヒトラーはハイドリッヒの分析に同意し、トハチェフスキーとは異なり、ヒトラーはスターリンを支持することを選択した。ヒトラーは、このことを全てのドイツ軍将校から隠蔽した。というのも、ヒトラーはドイツ軍の高級将校が赤軍士官と関係を維持していると疑っていたからである。ハイドリッヒは二つの

ＳＤの部隊に指示を出し、ドイツ軍情報部と陸軍省に押し入り、そこで赤軍の将校を有罪にするための文書を収集した。プラハでは、親衛隊支局長のベームが、仲介を経て、チェコスロバキアのベネシュ大統領にその文書を手渡した。ベネシュ大統領は、彼の同盟者であったスターリンにこの情報を手渡した。

ソビエトのクーリエが、その文書を回収するためにプラハに到着した。この文書は五月にはモスクワに届けられた。トハチェフスキーが逮捕されるのは六月四日のことである。トハチェフスキーとそのほかの将校が欠席裁判にかけられたのは一九三七年六月一一日のことであった。彼らはその直後に射殺された。この一件がスターリンの狂気を解き放った。その後四万名の将校がパージされ、赤軍からは指導者が消えてしまい、組織は大きなダメージを受けた。隠謀を仕組んだのはソビエトであったが、ハイドリッヒは、その隠謀が成功するように自らの役割をはたしたのである。

（3）対オーストリア工作

一九三七年の秋には、ヒトラーは参謀本部にオーストリアを侵略し、併合を強行すると告げていたが、ヒトラーは軍幹部から大きな反発を受けた。このことが一九三八年初頭の参謀本部の人事交代に繋がった。しかし、それ以上にヒトラーの決断はドイツ情報機関とニコライ大佐とその同僚を驚かせた。当時は全体的諜報網を作り上げるに当たって遅々たる成果しか挙げられていなかった。少なくとも、オーストリアでは情報網拡充は進んでいなかった。奇妙な話だが、オーストリアではドイツ軍情報部は根強い抵抗を受けていた。後に明らかになるように、英国を除けば、オーストリアの抵抗はどの国よりも強かった。オーストリアの防諜機関はしっかりとした体制を整えていた。その実例として、デブルナーの事例がある。

オーストリア外務省の参事官であったデブルナーは、オーストリア外務省の暗号解読部門のトップを務めていた。最も機密度の高い文書や文通、とりわけ、ムッソリーニからドルフース、その後にシュシュニックに宛てられた書簡は彼の手を経由していた。デブルナーは、第一次大戦の時期に才能を発揮していたとはいえ、もう若者ではなかった。一九三四年七月二五日のオーストリア・ナチスによる反乱の結果、ドルフースは死亡したが、デブルナーも反乱を起こしたナチスによって投獄された。しかし、彼の生命に対するあらゆる恫喝に直面しても、デブルナーはオーストリアの首都に寄せられる電信を暗号解読することを拒絶した。反乱が鎮圧された後にデブルナーは数少ない信頼出来る官僚であったと賞賛され、大きな名声を獲得した。

にもかかわらず、デブルナーの行動は厄介な疑念を引き起こすこととなった。ロシアの二重スパイとなっていたレードル大佐を逮捕するなど第一次大戦の際にも優れた働きを見せた防諜機関の長であるロンゲ将軍は、個人的にデブルナーを監視していた。まもなくロンゲ将軍はデブルナーが毎週重要な国家機密をナチスに漏らしているという証拠を摑んだのだった。この信頼の厚かった愛国者は、結婚しミュンヘンに住んでいた妹に毎週手紙を送ることで、ドイツ情報機関と連絡を取っていた。ドルフースの暗殺以前からデブルナーはドイツの手先であり、反乱時にドイツへの協力を拒絶したのは巧妙にでっち上げられたふるまいだったことを、ロンゲ将軍は証明した。

デブルナーは逮捕され、ニコライの最も貴重であった情報源は失われた。

オーストリアの防諜機関は非常に有能であったので、他のドイツのスパイも失われた。一九三七年の後半にかけてニコライは、オーストリアにおけるドイツ軍情報部組織を自らの個人指揮下におくことを決意した。ニコライは最高のエージェントをオーストリアに派遣し、不満を持つ現地の将校との関係を確立させた。そしてこの時期からドイツ人将校たちが大挙してオーストリア軍の駐屯地や国境沿いの街を訪れるようになった。ニコライと彼のエージェントは、技術の面でも士気の面でもオーストリア軍が徹底抗戦を行う準備ができていないことを発見し、安堵した。結局のところ、オーストリア軍の状態は重要ではなかったのだ。オーストリア軍の状況がもうすこしよければ、オーストリア侵略は未然に防げた、とは言えない。オーストリア侵略は軍事的な問題ではなかったためである。

主要参考文献

田嶋信雄『ナチス・ドイツと中国国民政府　一九三三―一九三七』（東京大学出版会、二〇一三年）

堀内直哉「一九三七年一一月五日の「総統官邸」における秘密会議　ヒトラー政権下の軍備問題をめぐって」目白大学『人文学研究』第三号　二〇〇六年

河合哲夫「ミュンヘン・一九三七年」『芸術の危機　ヒトラーと退廃芸術』神奈川県立近代美術館等編集（株式会社アイメックス・ファインアート、一九九五年）

William Young, *GERMAN DIPLOMATIC RELATIONS 1871-1945* (New York, iUniverse, Inc. 2006)

Christer Jörgensen, *Hitler's Espionage mashine* (Guilford, CT, THE LYON PRESS, 2004)

Curt Riess, *TOTAL ESPIONAGE GERMANY'S INFORMATION AND DISINFORMATION APPARATUS 1932-41* (Croydon, Fonthill Media limited, 2016)

Walter Nicolai, *Gehime Möchte: intelnationale Spionage und ihre Bekämpfung im Weltkrieg und heute* (Leipzich: Meyer, 1923)

Peter Jackson, *France and Nazi Menace: Intelligence and policy making 1933-39* (New York: Oxford University Press, 2000)

バチカンの苦悶と抵抗、イタリアの驕りと選択

峯崎恭輔

●みねざき・きょうすけ　一九八〇年福岡県生。放送大学卒業。元陸上自衛官。現在衆議院議員秘書。昭和12年学会所属。歴史認識問題の一つである正定事件を研究、対抗論文二本をローマ教皇庁に提出。著書『「正定事件」の検証――カトリック宣教師殺害の真実』（並木書房）。

はじめに

一九二九年にラテラノ条約を締結し、今日のバチカンの基礎を築いた第二五九代ローマ教皇ピウス十一世と、もともと無神論者でありながらカトリック国教化を認めてイタリア統一以来の懸案を解決したムッソリーニは、一九三七年にドイツとの関係で正反対の道を選ぶ。

教皇はドイツにおける回勅「深き憂慮に満たされて」（Mit brennender Sorge）の一斉朗読を秘密裏に準備し、これを実行し、教会迫害を強めるナチスに対し公に批難の声を上げた。回勅でナチスの邪悪な思想を断罪し、これに抵抗を呼びかけることで、武力を持たないバチカンがその信条に適う最大の方法で抗議したのである。一方ムッソリーニは九月に統領として初めて訪独し、独裁体制による徹底した統制と圧倒的な軍事力に魅了され、対独戦略で煮え切らないイギリスとの協調を半ば諦め、国際連盟を脱退し、日独防共協定に参加した。

本稿では、一九三七年のバチカンとイタリアについて、それぞれの主要な国際問題とその背景を見ていく。

I　バチカン

1　ドイツ問題

一九三七年一月十五日、五名の高位聖職者がドイツからローマに招致された。すなわちブレスラウ大司教ベルトラム枢機卿、ミュンヘン大司教ファウルハーバー枢機卿、ケルン大司教シュルテ枢機卿、ミュンスター司教ガーレン伯、ベルリン司教プライジングである。彼らは前年夏にナチスによるカトリック教会弾圧への抵抗手段として、教皇の回勅公布を要請していたが、ついに直接教皇に訴えることが許されたのである。

バチカンとドイツとの間には、一九三三年七月に政教条約(Reichskonkordat)が締結されていた。政教条約とは、信仰や教会関連事業の保護の他、外交関係や聖職者叙任権、教育や婚姻制度等に関する教皇国家と世俗国家間の条約をいう。しかし、ナチス政権には条約を遵守する気はなかった。カトリック政党の中央党やバイエルン人民党系の公務員や、カトリック労働組合等のカトリック系団体への弾圧、カトリック運動指導者の暗殺、カトリック青少年団への制限、宗派学校教育への妨害、反教会の扇動、聖職者に対する扇情的告発と裁判等、一八七〇年代、ビスマルク時代の弾圧(文化闘争)以上の窮地に、教会はあったのである。

ナチスの政権掌握以前にカトリック教会は、その相容れぬ優生的人種思想等のイデオロギーを嫌悪して信徒のナチス入党を禁じ、党員への秘跡を拒否していた。中央党は選挙で善戦していたが、もともとドイツのカトリックは少数派(国民の約三分の二)であり、単独では共産党にも及ばなかった。ヒトラーが政権を掌握すると、ナチスは国会議事堂炎上事件を利用してまず共産党の動きを封じた。キリスト教会には保障と共存を望む演説で揺さぶりをかけ、教会の保護を条件に議会政治に引導を渡す授権法(全権委任法)制定に、中央党とバイエルン人民党を協力させた。二党は暴力的なナチスの前に議会での抵抗は無駄だと観念しており、その後数ヶ月で自主解党する(中央党党首カースは授権法可決後にローマへ行き二度と戻らなかった)。この頃、多数派のプロテスタントではドイツ的キリスト者運動が起こり、ナチスと一体化して国教会化する動きが見られた。実際、帝国教会監督(Reichsbischof)という職が設けられ、組織化が進められていた(これに抵抗し告白教会が分離した)。

中央党という政治代理人が力を失い、プロテスタントが国教の地位を狙う中、文化闘争を経験しているカトリックには不安が大きかったが、大野党の共産党を駆逐し確固とした力を得た政権の和解を目指す素振りは、一時的な宥和的空気を作り上げた。そのような中、ヒトラーは元中央党議員でカトリックのパーペン副首相を通じ政教条約締結の打診をする。バチカンにとって、強力な指導者と直接政教条約を結び、様々な困難な問題を政治闘争抜きに解決することは、イタリアとの間で既に実証済みであった。四年前にファシスト政権と交渉し、ローマ・カトリック教会の国教化、聖座（Sedes Apostolica, Holy See）のイタリアからの完全独立（世俗的主権の回復）のほか、旧教皇領（イタリア統一運動の過程で失われた）の補償など満足すべき成果を得ていたのだ。その後政権と対立はあっても、教会の教義や存立を脅かすほどの問題は生じていなかった。

ドイツでは、司教団の一部や最後の中央党党首ブリューニング元首相などは条約締結に反対していた（この時既に中央党は内部崩壊をきたしていた）。しかし、カトリックが少数派で議会政治が事実上終焉していたドイツにおいて、政権に最後の一線を越えさせないためにも、バチカンはナチスの求めに応じざるを得なかった。

条約交渉は教皇庁国務長官パチェリ枢機卿（後の教皇ピウス十二世）が行い、聖職者でもあった前中央党党首カースがパチェリ卿とパーペン全権双方の補佐にあたった。パチェリ卿は一九一七年から一九二九年まで大使としてドイツにあり、ヴァイマル共和政時代にはプロイセン州やバイエルン州、バーデン・ヴュルテンベルク州との間に政教条約を結ぶ実績を挙げている。帝国全体をカバーする条約案も既にその時に出来上がっていた。これにナチス側の要求として聖職者の政治活動を禁止する規定を盛り込んだ。教会を政治から完全に排除するためである。この交渉中も締結後も教会に対する攻撃は止むことなく、円満であったイタリアとの合意と異なり、不安と不満、そして抗議の中で生まれた条約となった。

これにより教会は、十九世紀以降闘い続けてきた近代思想の産物である政教分離体制、宗教寛容の多元主義による相対的立場に図らずも避難することとなった。結果、教会の抵抗は政治的なものから思想的なものへ、具体的にはナチスの世界観に向かって集中していく。

特に、反ユダヤ主義に加えキリスト教会の教義を根本から否定する『二〇世紀の神話』（一九三〇年）を書いたローゼンベルクは、説教や冊子による攻撃対象となった。彼の主張は宗教を麻薬扱いする共産主義者同様、教会にとって極めて危険な思想であったからである。

『神話』出版時、本項冒頭に挙げた五人のうち、ベルトラム枢機卿は中央党機関紙で批判記事を書き、その後教会はナチス入党禁止、党員に対する秘跡拒否等の抵抗を見せた。その問題のローゼンベルクを、ヒトラーは政教条約締結後すぐにナチスの世界観精神代理指導者に任命した。バチカンは対抗措置として『神話』を禁書目録に加えた。また、シュルテ枢機卿は首相官邸に赴いてヒトラーに直接抗議したが、ヒトラーは騒ぐことでローゼンベルクの思想が余計広まるだけだとして相手にしなかった（一九三四年時点で二五万部印刷）。後に障害者安楽死政策に対して批判説教を行うことになるガーレン司教は、一九三四年に『神話』を論駁する冊子を発行し、ファウルハーバー枢機卿も説教壇から度々批判を行った。一九三五年には司教団の共同教書を一斉に説教で朗読し、ヒトラー宛にローゼンベルクに対する抗議だけでなく、教会関連団体への弾圧に対する抗議を盛り込んだ建白書を提出した。

ナチスは教会省を設けてキリスト教会への統制を強めた。カトリックに対しては青少年への宗教教育を妨害し、ついにはヒトラー・ユーゲントへの加盟を義務付けることとなった。修道院の活動に対しては様々な告発により裁判が行われ、醜聞に晒して教会の道徳的権威を汚そうと試みた。ドイツ西部では公立学校から十字架を排除する事件も起きたが、信徒の反対運動が巻き起こり、地方政府は方針撤回に追い込まれた（十字架闘争）。

教皇ピウス 11 世（中央）とパチェリ国務長官（左端）

このように、政教条約締結以降もナチスとカトリックの間には緊張した関係が続いていた。教会は条約を遵守しつつ様々な形で抗議を行ったが、その効果はほとんどなかった。

当然、バチカンはドイツの状況を承知していた。外交を統括するパチェリ国務長官は、自ら締結した条約が一向に守られないことに対して、これまでも教皇庁から五〇通近い外交書簡でドイツ政府に抗議していたが無視され続けてきた。そこで今回は政府宛でなく、全ドイツ信徒宛に公開する教皇教書で抗議することを、招集した司教たちに提案した。

十七日には病の床にある教皇に司教団は謁見し、ナチスによる弾圧について具体的に説明が行われ、司教たちは各々意見を述べた。この場において教皇は決断を下し、自らの名による公開形式の抗議を行うことにした。さらなる被害を招くかもしれない条約破棄の可能性もあったが、教皇の意志は固かった。そしてファウルハーバー枢機卿に草案起草を命じ、さらに国務長官と教皇自らが大幅に加筆し、教皇教書を回勅に格上げしたのである。また、この回勅は通常ラテン語で書かれるところドイツ語を用いた唯一の例になる。

「深き憂慮に満たされて不審の念を高めつつ……」で始まる回勅は、ピウス十一世のドイツ国信徒に対する思いと、敵対的な巨大権力と対峙しなければならない自身の苦悩と葛藤を率直に語っている。そしてローマで教皇がドイツの司教たちに約束したように、ドイツ指導部の世界観とその政策を神の教えに反するものと痛烈に批判した。聖職者や信徒には弾圧下での信仰に憂慮を示し、神の教えに忠実であり続けるよう励ましを与えた。

三月十四日に回勅は完成した。その後直ちにドイツに送られ、秘密裏に冊子が印刷された。徹底した情報の秘匿により、ゲシュタポが教会の動きに気づいたのは朗読予定前日の二十日土曜日であった。慌てた政府は教会外で冊子押収を図ったが、日曜ミサにおける回勅朗読を防ぐことはできなかった。ナチスは完全に不意をつかれ、出し抜かれたのである。

警察は直ちに関与した印刷所を閉鎖し、複数の司祭を逮捕した。また、教会省は二十三日に回勅の流布を禁じ、聖職者に対するナチス流「道徳裁判」を再開した。教会省と司教団が書簡で批難合戦を始め、外務省は宣戦布告同然の条約違反行為として、駐バチカン大使を通じて抗議した。しかし今回の回勅は、ピウス十一世の強い意志の表れであり、ドイツ政府側の抗議に対して教皇庁も司教団も徹底して譲らなかったのである。

懸念された条約破棄はなかったが、教皇の声はドイツ指導部の良心に響くことはなく、結局一九三九年の大戦勃発で教会の協力を国家が必要とする時が来るまで弾圧は続いた。

2 スペイン問題

一九三七年当時、世界の目はスペインに注がれていた。前年七月に勃発した内戦は、国粋派の叛乱軍が大都市で蜂起に失敗し、冬には首都攻略に失敗、人民戦線政府側も攻勢に出る力なく膠着状態に陥っていた。内戦でカトリック教会は、一九三一年の王政崩壊時以上の大打撃を政府側の大衆により受けていた。被害は一九三六年に集中しているが、聖職者の虐殺、教会の破壊、教会資産の略奪などが相次ぎ、内戦全期間を通じ七千人を超す聖職者が殺害され、二万近くの教会関連施設が破壊された。カトリックを国教としながら、スペインでは十九世紀以来度々教会攻撃が起きたが、この内戦は甚大な被害をもたらした。スペイン問題もまた、病身の教皇の肩に非常に深刻な問題として重くのしかかっていたのである。

きっかけは一九三六年二月に行われた総選挙で人民戦線が勝利したことにある。新たに組織された政府は明らかに反教会の立場を取っており、一九三一年から一九三三年まで共和左派政権により進められ、中途半端に終わった（急進的なために反発を招いて右派に政権交代した）政教分離、教会財産没収などの政策が、今度こそ徹底されるはずであった。しかし、教会を敵視する大衆は先んじて勝手に教会に放火を始めた（スペインには共産主義者より無政府主義者が多かった）。政府の取り締まりは緩く、革命的空気が蔓延した。議会ではカトリック政党ＣＥＤＡ（この時議会第二党）が抗議したが効果なく、武力による政権転覆を目指す動きが強まった。ここで穏健に教権独裁を目指していたＣＥＤＡ指導者ヒル＝ロブレスに替わり、王党派で強硬路線のカルボ＝ソテーロが右派指導者として浮上する。このカルボ＝ソテーロが一九三六年七月に暗殺され、これが内戦の引き金となった。軍部主導の叛乱は議会政治家の没落を招き、国粋派ではフランコ将軍が台頭して指導者の地位に就く。

スペイン司教団は内戦勃発早々に九人の司教を失い、枢機卿の一人は亡命した。残されたゴマ枢機卿は、教会の保護者として期待できる国粋派のもとで、教皇庁の指名により非公式の教皇使節となった。司教たちの多くは国粋派を支持した。しかし、スペインの国土は二分されており、政府側有力者にも多くの信徒がいた。特に保守的な信徒が多い北部のバスク地方は、バスク民族自治の観点から政府側に味方する等、宗教的事情は複雑であった。バチカンはスペイン政府との外交関係を継続しつつ、一方を支持することを避けた。

ピウス十一世は回勅「深き憂慮に満たされて」を出した後すぐに、今度は無神的共産主義に対抗する回勅を用意する（三月十九日）。「ディヴィニ・レデンプトーリス」（Divini Redemptoris）である。共産主義を分析して批判し、その悪魔的宣伝や策謀に警鐘を鳴らしている（教皇登位以前、ロシア革命と赤軍のポーランド侵攻を体験したピウス十一世は、熱烈な反共主義者であった）。これを受けてスペイン司教団は共同教書の公表に向けて動く。ドイツの時と同じくパチェリ長官が関与し、反聖職者主義と共産主義にキリスト教文明が抵抗すべきと訴える共同教書は、七月一日に公表された（バスクの首都、ビルバオは六月十九日に陥落していた）。教書では国粋派の非道や独裁制の傾向に釘をさし、平和を求める等、政府側にも配慮している。

八月二十五日にバスク西隣の重要都市サンタンデールが陥落すると、二十七日にバチカンはフランコ首班のブルゴス政権を正式に承認する。十月、北部戦線での国粋派勝利が確定した段階で、バチカンは国粋派政権の許へ正式な大使を送った。この一連の動きは、複雑な状況の中でカトリックの団結が損なわれないよう最大限配慮したことを示している。

しかし、スペインにおける政教関係は内戦終結によって全て解決されず、全体主義国家形成の過程でドイツやイタリアと同じような緊張関係が続くことになる。

II　イタリア

1　英仏との関係

一九三七年はイタリアが第二次世界大戦に参戦する三年前にあたる。この時ムッソリーニはエチオピア征服で満足した後だけにヒトラーのような生存圏拡大の野望を持たず、国内に対抗できる敵対者もなかった。領土問題もほぼ解決されていた。スペインで共産主義の侵食を防ぐべく戦っていたが、むしろ本当の脅威は大国ドイツの復活にあった。それにもかかわらず、この年、それまで不信感をもって警戒していたヒトラーとの提携に傾斜の度を深めていく。そして最後はヒトラーの戦争に不必要に加担し自らの破滅を招くのである。

この頃中欧ではドイツがイタリアの影響を駆逐しつつあり、緩衝地帯としての役割が失われようとしていた。特にオーストリアでは、イタリアは一九三四年に傀儡同然であったドルフス首相を、対立するオーストリア・ナチスにより暗殺された（この時は伊墺国境に軍隊を派遣してナチスを牽制した）後も、単独で祖国戦線政権（カトリック・ブルジョア政党を母体としたファシスト政権）を支援し続けていたが、ドイツの再軍備とエチオピア戦争で欧州情勢は急変し、保護の継続は極めて困難な状況に追い込まれていた。アンシュルス（オーストリア併合）が起きればアドリア海の対岸バルカン半島への関門が開かれる。そしてドイツの軍事力と工業力を背景とした南下により、脆弱なイタリアの政治経済的進出の成果は失われる可能性があった。この状況下での対独接近を理解するには、イタリアと英仏との関係について見ておく必要があるだろう。

一九三六年十一月一日にミラノで行われた有名な枢軸演説は、ドイツと運命を共にする決意表明ではない。それはムッソリーニの本意ではない。確かにドイツはエチオピア戦争の際に、国際連盟の制裁で困窮するイタリアに戦略物資を流し（他方ドイツは秘密裏にエチオピアへ武器を売っていた）、征服後にその領有を承認した。スペインでは共にフランコを支える立場であった。しかし彼にとり国益に適う関係を築くべき真の相手はイギリスであった。演説はドイツとの関係だけでなく、エチオピアやスペインの問題でこじれていた対英関係を調整する目的を持つものだった。

イタリアが望む本来の欧州安全保障体制は、英仏と共にドイツを牽制する一九三五年のストレーザ戦線への回帰である。しかしイギリスは、ヴェルサイユ条約違反であるドイツの再軍備に連帯して対抗するどころか、ボールドウィン内閣成立早々、勝手に英独海軍協定を結んでストレーザ体制を破壊した。オーストリアの危機には具体的に関与する姿勢を示さず、ラインラント進駐に対しては、フランスからの実力行使の呼びかけを無視した。エチオピアについては、マクドナルド内閣時代にフランスと共に暗黙の了解を与えていたにもかかわらず、一転して全くイタリアの要望を容れない姿勢へ変化し、戦争が始まると侵略反対、国際連盟擁護の世論に押されて経済制裁の推進役となった。

戦略資源をほとんど産出せず、工業化が遅れ、国内経済で養えない増大する人口を移民として送り出す（それも移民受け入れ国の抑制と大恐慌で困難になった）「持たざる国」イタリアには、単独で復活ドイツに対抗する力がなかった。それにもかかわらず、ドイツの脅威に先頭に立って抵抗すべき「持てる国」イギリスはドイツに宥和的であり、自国だけで軍備増強を図り、味方とすべきイタリアのために何も与えようとはしなかった。ストレーザ戦線崩壊後、名誉ある帝国の建設と地中海におけるイタリアの占める地位の向上を目指すムッソリーニは、イギリスに対して時に戦争も辞さない声明を出すなど、強硬な態度を示し続けていたが、これは支援も連帯もせず自助努力の承認すら否定する苛立ちに起因するのであって、決してイギリスの地中海覇権そのものを覆すためでなかった。またそのような力がないことは、彼自身よく理解していた。彼が欲したのは、非文明国で奴隷制の国家を征服する栄光（これには十九世紀末の敗戦に対する復讐も含まれる）と植民地開発による人口吸収、ドナウ国家群を緩衝地帯として維持し、第一次世界大戦後に進出が進んだアドリア海対岸のイタリア市場を確保することであった。

フランスはソ連と結んだためにラインラント進駐の口実を与えたが、ドイツ封じ込めにイタリアを味方に留めておく必要性をよく理解していた。それ故、エチオピアという全く魅力のない土地でムッソリーニの歓心を買い、それまで両国にあった懸案事項を解決する有利な協定を結ぶことに成功した（一九三五年一月の伊仏協定）。しかしエチオピア問題ではイギリスに追従して経済制裁に加わった。イギリスなしでドイツと事を構える力がない点において、フランスも同様であった。一九三六年六月に誕生した反ファシズムの人民戦線内閣は、スペイン問題でイデオロギーの近い政府側を支援するために不干渉を呼びかけたが、イタリアはこれを無視し続けたので、両国の協調は消極的なものになっていく。

スペイン内戦に露骨に干渉するイタリアは、西地中海のバレアレス諸島を占領し、人民戦線側の貿易や物資輸送を潜水艦で妨げていた。被害を受けた船舶にはソ連だけでなくイギリスの商船が多く含まれた。英仏主導の国際的な不干渉委員会が伊独葡ソの非協力で効果を挙げられない中、イギリスは独自にイタリアと交渉して地中海紳士協定を結んだ（一九三八年四月に正式に伊英協定へ発展する）。地中海における領土維持・航行の自由とバレアレス諸島への野心を否認する内容であったが、イギリスはイタリアにエチオピア領有の暗黙的承認でしか譲るところがなく、明らかにフランコ側の勝利を願いながら双方に物資を送り続けた。これに対しイタリアは夏に再度潜水艦攻撃を激化させて、九月に行われたニヨン会議でイギリスの強硬な態度を招いた。

親伊的であった英国王エドワード八世が前年結婚問題で退位したが、その代わりにボールドウィンから対伊宥和派のチェンバレンに首相が替わった。対英関係を再構築するのに好機と見て駐英大使グランディはチェンバレンに接触を開始した。しかし、伊独間を分断しオーストリアでイタリアに牽制役を期待するチェンバレンと、内閣に残留した反ファシズム強硬派のイーデン外相とは意見が合わず、最後まで高レベルでの協調体制をイタリアと築くことができなかった。もちろんスペインにおけるイタリアの不誠実にも原因があるが、大局的には一九三九年の対ソ交渉同様、イデオロギーに潔癖で世論に迎合し過ぎ、不必要に敵を増やすという重大な誤りを犯したのである。翌年イーデンが辞任しハリファックス卿が外相に就いたが、すぐにイタリアが恐れていたアンシュルス、続いてズデーテン危機が発生し、イギリスが強力な軍事同盟以外でイタリアを取り込むことは非常に困難な状況に陥った。

経済同様各国は連帯でなく自己の保身に汲々として、ドイツの桁外れな軍拡に対して何ら有効な手を打たずにいた。イギリスの優柔不断、フランスの対英依存は、国力の劣るイタリアの選択肢を決定的に狭めただけでなく、小国を犠牲にし、戦争回避の可能性を奪う結果を招いた。その間、ドイツはイタリアの歓心を買うことを一つずつ積み上げていき、再軍備による威嚇で伊英仏を分断、結果オーストリアを諦めさせ、スペインではイタリアを矢面に立たせ、ムッソリーニの警戒心を解いて訪独を実現させたのである。一九三七年九月、ドイツ側の計算され尽くした歓迎と、圧倒的な軍事力・工業力のパフォーマンスにムッソリーニは魅了され、対独関係はここに大きな転換をなして、十一月の防共協定参加、そして一九三九年五月の鋼鉄同盟へ向けて進んでいくことになる。

2　スペイン内戦への介入

欧州で早期にファシズム政権を確立したイタリアは（一九二二年政権成立、一九二五年独裁完成）、その成功者として周辺諸国のファシスト団体に援助を与えていた。王政廃止以来、スペイン右派にもその求めに応じて支援の手を差し伸べてきた。内戦が勃発すると、直ちに航空機を派遣してモロッコからスペイン本土への兵力輸送を、地中海では政府側に残留した海軍や海上補給路の牽制を行って叛乱軍を助けた。しかし、叛乱は計画通りに行かず、軍部は二分され、経済的先進地域や大都市の多くは政府側が掌握し続け、武装した大衆と国際旅団に代表される海外義勇軍の善戦もあって、予想に反して内戦は長期化した。

ムッソリーニはフランコの求めに応じて、海空戦力だけでなく、陸上兵力の増派を認めた。これにはエチオピアより帰還中の兵力が充てられ、一九三七年に入り続々とスペインに上陸した。イタリア派遣義勇軍の大半は正規軍でなく黒シャツ隊（国防義勇軍ＭＶＳＮ）であり、練度は劣った。しかし、数では最終的に七万近い兵力が投じられ、兵力不足の国粋派軍を補強し、特に北部戦線では重要な役目を果たした。

グアダラハラの戦い

スペイン内戦の長期化は、ヒトラーにとって再軍備完成のための目くらましになったが、ムッソリーニにとっては膨大な費用がかさんだエチオピア遠征（年間国家予算の三分の二近い特別軍事費を要した）同様の物入りとなった。フランコ将軍の緩慢な戦争指導とその弱体な軍では早期決着は望むべくもなく、その上一九三七年三月にグアダラハラの戦いで、イタリア軍までもが亡命イタリア人義勇兵含む政府軍の前に大敗北を喫して世界に恥を晒し、イデオロギー上の防衛以外イタリアに利益のないスペインで、敗戦の汚名をそそぐために最後まで血と金を注ぎ続ける結果となった。

3　イタリアの国内事情

大恐慌の影響はイタリアには若干遅れて到達し、一九三三年前後が最悪の時期であった。ところが、一九三四年末にワルワルで起きたエチオピアとの小さな紛争が、本格的な征服事業を始動させ、これが軍需支出拡大をもたらして、景気の回復傾向を早期に実現した。半官の金融機関、産業復興公社（ＩＲＩ）による大規模投資も効果を挙げつつあった。国際連盟の経済制裁による打撃は大きかったが、国内では対策として輸入代替化、基礎産業保護、産業のカルテル的統制、職能組合による物価統制の強化を行って自給自足体制（戦時アウタルキー）構築が推し

スペインへのイタリア義勇派遣軍、1937 年

進められた。制裁は、死活問題になる石油、鉄鋼などの重要軍需物資は対象外であり、戦争を抑止できないと見るや次々と加盟国が制裁解除を行い、一九三六年七月には完全に制裁は終わりを迎えた。次いで長らく問題となっていた為替問題で、無理に維持していたリラ平価を十月に切り下げて金本位制を離脱した。

　こうして一九三七年には、前年までの経済的障壁が概ね取り除かれた。業種に偏りはあるものの工業生産は大恐慌以前の水準を回復し、一部（金属機械、製紙、電力、化学）はそれを大きく上回った。雇用は改善し、輸出入と投資が一時的に急増した。またムッソリーニが重要視した穀物生産は大豊作（一九三六年は凶作）となった。賃金は不景気の間政権によって低く抑えられてきたが、一九三七年も半ばを過ぎたあたりから上昇を始め、生計費と共に一九二九年の水準を回復した。これは軍需景気の恩恵を受けた工業労働者が平均を引き上げたことによるもので、労働人口の半数近くを占める農民の暮らしは低水準に留まった。

　通常の軍事予算は漸増した。特に空軍の予算が拡大した。しかし、戦争の危機が叫ばれ、各国が軍備増強を図り始める中にあって、イタリアは十分な予算を確保できず、装備や訓練の充実、兵器開発は遅れを取ることになる。国防のための自給自足とファシズムが目指していた協同体国家構築は、政権の強い統制力でもって実現しつつあったが、肝心の軍備は列強相手の戦争に到底耐えうるものではなかった。大戦中における軍部の消極性は、低い国力とエチオピア、スペインでの消耗に起因する。

　国際的孤立を招いてまで得たエチオピアであるが、各地で抵抗運動が続き、一九三七年二月には、アジスアベバで起きた爆弾テロで副王グラツィアーニ元帥が負傷するなど、植民地（伊領東アフリカ帝国）とした後も治安は安定しなかった。しかも土地は貧弱で鉱物資源は産出せず、輸送は多くがフランス領ジブチ経由となるため、ジブチ・アジスアベバ鉄道（仏資本）の輸送料含め、貿易に非常に高いコストがかかった。インフラの不整備（エチオピア戦争では本国から多くの労働者を送って、道路を建設して軍の進撃を支援した）と専門的技術者の不足も大きな問題で、労働者の大半は生産性が極めて低かった。わずかにイタリア製品の市場として機能したが、多額の投資で開発を急がせたにもかかわらず、期待された過剰人口の吸収や資源の供給、国際収支改善の役割を果たすことがないまま、大軍を駐留させ続け、結果としてわずか五年でその統治を終えることになる。

おわりに

ピウス十一世の治世下で、教皇国家は世俗国家として復活しその権威を大いに高めた。しかし、政教分離時代に世俗世界の大問題を宗教的指導で解決することは極めて困難で、近代が産んだ無神的思想との対立に非常に苦しんだ。ピウス十一世は回勅の言葉そのままに深い憂慮のうちに一九三九年二月に崩御する。後継の教皇に推戴されたのはパチェリ卿であった。同じピウスの名と前任者の路線を継承するが、風雲急を告げる欧州にあって、平和を求める彼の声は一九三七年の回勅同様、嵐の中でかき消されてしまうのである。

一九三七年のイタリアは、政治的に安定し経済的には景気も良くアウタルキー化も進んだ。この時点でエチオピアやスペインにかけたコストが不良債権化するとは考えられておらず、緊張する国際関係の中で英仏から利益を引き出せる可能性や、訪独時の歓迎ぶりからヒトラーとは対等に取引できるのではないかという期待もあった。しかし、奪われたバルカンの優位性は二度と戻らず、オーストリアの独立は風前の灯で、これを覆す術はもはやイタリアに残されていなかった。

地中海ローマ帝国建設、影響圏拡大の野望は、イギリスとの妥協か、或いは自らの経済力と軍事力によってのみ達成できるのだが、現実的には前者しか道がないにもかかわらず、譲歩を引き出す駆け引きに失敗した。そしてより関係を悪化させる挑発的な枢軸強化、日独伊防共協定締結、国際連盟脱退という道を選んだ。しかし、それでもなお一九三七年のイタリアには、大きな損失を被ることなく信用ならない振り子外交から、政策転換する余地はまだ十分あったと言えるだろう。

参考文献

河上清（一九三七）『不安の欧州を巡る』大阪毎日新聞社
軍事出版社編輯部（一九三七）『風雲世界の展望』
中野正剛（一九三八）『獨伊より歸りて日本國民に訴ふ』銀座書房
町田辰次郎（一九三八）『労働年鑑　昭和13年度版』協調會
外務省調査部（一九三八）『伊太利の経済機構と現勢』
外務省調査部（一九三八）『ファシストの國家觀』
外務省調査部（一九三九）『ファシスト伊太利の政治組織とその運用並に反対派勢力』
陸軍省（一九三九）『帝國及列國の陸軍』
芦田均（一九三九）『バルカン』岩波書店

英国王室国際問題研究所（一九三九）『バルカンの政治經濟』仙波太郎訳、清和書店
日本銀行調査局（一九三九）『ファシスト伊太利の物価統制』
渡邊誠（一九三九）『ファッシズム教育』世界創造社
及川儀右衛門（一九四一）『轉回する世界』横山書店
小林珍雄（一九四六）『ヴァチカン市國』中央出版社
小林珍雄（一九四九）『法王廳と國際政治』岩波書店
小林珍雄（一九六六）『法王庁』岩波書店
斉藤孝（一九六六）『スペイン戦争　ファシズムと人民戦線』中央公論社
海原峻（一九六七）『フランス人民戦線　統一の論理と倫理』中央公論社
西川知一（一九七七）『近代政治史とカトリシズム』神戸大学研究双書刊行会
斉藤孝（一九七九）『スペイン内戦の研究』中央公論社
ファシズム研究会編（一九八五）『戦士の革命・生産者の国家』太陽出版
若松隆（一九八六）『内戦への道　スペイン第二共和国政治史研究』未來社
佐々木雄太（一九八七）『三〇年代イギリス外交戦略』名古屋大学出版会
村上信一郎（一九八九）『権威と服従――カトリック政党とファシズム』名古屋大学出版会
斉藤孝（一九九〇）『ヨーロッパの一九三〇年代』岩波書店
スペイン史学会（一九九〇）『スペイン内戦と国際政治』彩流社
川成洋（一九九二）『スペイン国際旅団の青春』福武書店
平井友義（一九九三）『三〇年代ソビエト外交の研究』有斐閣
石田憲（一九九四）『地中海新ローマ帝国への道　ファシスト・イタリアの対外政策 1935-39』東京大学出版会
大森実（一九九四）『ムッソリーニ　悲劇の総統』講談社
木村裕主（一九九六）『ムッソリーニ　ファシズム序説』清水書院
三野正洋（一九九七）『スペイン戦争』朝日ソノラマ
北原敦（二〇〇二）『イタリア現代史研究』岩波書店
大澤武男（二〇〇四）『ローマ教皇とナチス』文藝春秋
吉川和篤・山野治夫（二〇〇六）『イタリア軍入門 1939-1945』イカロス出版
大井孝（二〇〇八）『欧州の国際関係 1919-1946』たちばな出版
石田憲（二〇一一）『ファシストの戦争　世界史的文脈で読むエチオピア戦争』千倉書房
石田憲（二〇一三）『日独伊三国同盟の起源　イタリア・日本から見た枢軸外交』講談社
松本佐保（二〇一三）『バチカン近現代史』中央公論新社
宮田光雄（二〇一四）『バルメン宣言の政治学』新教出版社
河島幸夫（二〇一五）『戦争と教会　ナチズムとキリスト教会』いのちのことば社
土肥秀行、山手昌樹ほか（二〇一七）『教養のイタリア近現代史』ミネルヴァ書房
イタリア陸軍省（1937）『イタリヤのエチオピア征服』下位春吉訳、伊大使館付武官グリエルモ・スカリーゼ
Thomas, Hugh（1962）『スペイン市民戦争（*The Spanish Civil War*）』都築忠七訳、みすず書房
Eden, Anthony（1964）『イーデン回顧録Ⅳ独裁者との出あい 1931-1938（*The Memoirs of Sir Anthony Eden Facing the Dictators Vol. 2*）』南井慶二訳、みすず書房
Fermi, Laura（1967）『二十世紀の大政治家4　ムッソリーニ（*MUSSOLINI*）』柴田敏夫訳、紀伊國屋書店
Carr, E. H.（1985）『コミンテルンとスペイン内戦（*THE*

COMINTERN & THE SPANISH CIVIL WAR)』富田武訳、岩波書店

Jackson, Gabriel（1986）『図説　スペイン内戦（*A Concise History of the Spanish Civil War*)』宮下嶺夫訳、彩流社

Toniolo, Gianni（1993）『イタリア・ファシズム経済（*L'ECONOMIA DELL'ITALIA FASCISTA*)』浅井良夫、コラード・モルテーニ訳、名古屋大学出版会

Vilar, Pierre（1993）『スペイン内戦』立石博高、中塚次郎訳、白水社

John Weitz（1995）『ヒトラーの外交官（*Hitler's Diplomat*)』久保田誠一訳、サイマル出版会

Talos, Emmerich ほか(1996)『オーストリア・ファシズム（*AUSTRO-FASCHISMUS Beitäge Über Politik, Ökonomie und Kultur 1934-1938*)』田中浩、村松惠二訳、未來社

Venè, Gian Franco（1996）『ファシズム体制下のイタリア人の暮らし（*Mille lire al mese Vita quotidiana della famiglia nell'Italia fascista*)』柴野均訳、白水社

Schmidt, Paul（1998）『外交舞台の脇役 1923-1945（*Statist auf diplomatischer Bühne 1923-1945, Erlebnisse des Chefdolmetschers im Auswännern Europas*)』長野明訳、日本図書刊行会

Grunberger, Richard（2000）『第三帝国の社会史（*A Social History of the Third Reich*)』池内光久訳、彩流社

Bartlett, Alan（2002）『エヴァ・ブラウンの日記（*The Diary of Eva Braun with a Commentary by Alan Bartlett*)』深井照一訳、学習研究社

Bolloten, Burnett（2008）『スペイン内戦　革命と反革命（*The Spanish Civil War Revolution and Counterrevolution*)』渡利三郎訳、晶文社

Preston, Paul『スペイン内戦　包囲された共和国 1936-1939（*The Spanish Civil War : Reaction, Revolution and Revenge*)』宮下嶺夫訳、明石書店

Beevor, Antony（2011）『スペイン内戦 1936-1939（*The Battle for Spain The Spanish Civil War 1936-1939*)』根岸隆夫訳、みすず書房

Farrell, Nicholas（2011）『ムッソリーニ（*MUSSOLLINI A New Life*)』柴野均訳、白水社

Wittman, Robert K and Kinney, David（2017）『悪魔の日記を追え（*THE DEVIL'S DIARY Alfred Rosenberg and the Stolen Secrets of the Third Reich*)』河野純治訳、柏書房

Vulpitta, Romano（2017）『ムッソリーニ　一イタリア人の物語（*Mussolini La storia di un italiano*)』筑摩書房

河島幸夫（一九八九）「《生きるに値せぬ生命》の抹殺構想とキリスト教会――ナチ・ドイツ《安楽死行動》の前史から」『西南大学法学論集第22巻第1号』

河島幸夫（二〇〇〇）「ナチスの政権掌握とカトリック教会」『西南大学法学論集第32巻』

河島幸夫（二〇〇一）「資料解説　ピウス11世回勅『深き憂慮に満たされて』――原資料の翻訳と解説」『西南学院大学法学論集第33巻』

河島幸夫（二〇〇一）「年譜　ナチズムとカトリック教会」『西南大学法学論集第33巻第4号』

河島幸夫（二〇〇二）「回勅『深き憂慮に満たされて』の背景と意義――教皇ピウス十一世のナチズム批判」『西南大学法学論集第34巻』

河島幸夫（二〇〇二）「年譜　ドイツ政治史とカトリシズム」『西南大学法学論集第34巻第4号』

Maier, Hans（二〇〇七）「第三帝国へのキリスト教的抵抗」『西南大学法学論集第40巻第1号』河島幸夫訳

スペイン内戦、満洲国、メキシコ

内藤陽介

●ないとう・ようすけ　一九六七年生。郵便学者。日本文芸家協会会員。東京大学文学部卒業。切手等の郵便資料から国家や地域のあり方を読み解く「郵便学」を提唱。著書『チェ・ゲバラとキューバ革命』『パレスチナ現代史』『アウシュヴィッツの手紙』（えにし書房）『マリ近現代史』（彩流社）他。

代理戦争としてのスペイン内戦

一九三五年七月二十五日から八月二十日まで、モスクワでコミンテルン第七回大会が開催され、書記長のゲオルギ・ディミトロフは、スターリンの代弁者として、反共を国是とする独伊の台頭を前に多様な左派勢力の結集を呼びかける〝人民戦線〟戦術を提起したほか、日本、ドイツ、ポーランド三国の打倒のためには米英仏の資本主義国とも提携して個々を撃破する戦略を用いるべきと訴えた。大会はディミトロフ（≒スターリン）路線を採択して終了した。この方針は、一九三六年に勃発したスペイン内戦にも大きな影響を及ぼすことになる。

一九三一年四月、スペインでは国王アルフォンソ十三世がローマに亡命し、アルカラ・サモラを大統領とするスペイン第二共和政が誕生した。

社会労働党をはじめ左派共和主義者による新政権は、カトリック教会への敵愾心を煽り、急進活動家による施設の破壊や略奪を黙認したため、国民は革命に絶望し、一九三三年の総選挙では、スペイン自治右派連合が第一党となり、急進党（左派から離脱した中道派政党）のアレハンドロ・レルーが首相に就任した。これに対して、一九三四年十月五日、新政権に不満な労働者たちがアストリアス地方で反乱を起こし、同十八日、陸軍

図1
内戦期のスペインでは、国土はフランコ側と共和国側に分かれ、それぞれの地域で別個の切手が使用されていた。“REPUBLICA ESPAÑOLA”の表示がある共和国側の切手（左）と、“VIVA ESPAÑA”の標語とフランコ蜂起の日付が加刷されたフランコ側の切手（右）。

のフランシスコ・フランコにより鎮圧された。その功績により、フランコは一九三五年五月十七日には陸軍参謀総長に昇進する。

一九三五年九月、レルー政権は汚職スキャンダルで退陣に追い込まれ、急進党はほぼ壊滅。このため、大統領は国会を解散し、一九三六年二月、総選挙が実施された。

こうした状況の下、コミンテルンの人民戦線路線に鼓舞されたスペインの左派勢力は結束を強め、総選挙では再び左派が勝利した。この結果、左翼共和党のマヌエル・アサーニャを大統領、サンティアゴ・カサーレス・キローガを首相とする人民戦線政府が成立する。

人民戦線政府は、フランコを〝危険人物〟として参謀総長から解任し、カナリア諸島方面警備司令官に左遷したが、左右の対立は次第に先鋭化していった。

七月十七日、スペイン領モロッコのメリージャで左翼政権に不満を持つセグエ大佐がマヌエル・ロメラーレス将軍を銃殺し反乱軍として蜂起。翌十八日にはフランコがカナリア諸島ラス・パルマスから共和国政府に対するクーデター宣言を放送。これを機に、セビリア、サラゴーサ、バルセロナ、マドリードをはじめ約五十の兵営で反乱が起こり、フランコはすぐにこれに呼応し、モロッコを拠点にスペイン本土に攻め上った。

当初、大統領のアサーニャはキローガ内閣を辞職させ、共和統一党（穏健派）のディエゴ・マルティネス・バリオを後継首

図2

“マドリード（防衛）のために”と題して、1937年、共和国側が資金集めのために発行した切手状のラベル。瓦礫の中、ナチスの鍵十字をぶら下げた死神の手から子供を助け出すデザインで、ドイツの支援を受けて共和国を攻撃するフランコ側への非難が表現されている。

相に任じて叛乱軍との妥協を試みたが、人民戦線内の左派は倒閣運動を展開し、七月十九日には徹底抗戦を掲げるホセ・ヒラル内閣が成立した。

一方、叛乱側は、七月二十三日、ブルゴスで〝国家防衛評議会〟の設立を宣言。人民戦線政府の社会改革や教会財産没収などの政策に不安を感じていた地主、資本家、カトリック教会などの保守勢力が叛乱側を支援したことから、スペインは本格的な内戦に突入する（**図1**）。なお、当初、ブルゴス政府の指導者はモラだったが、九月二十九日にはフランコが叛乱軍の総司令官兼国家元首に選出された。

スペイン内戦が勃発すると英仏は中立と不干渉を表明し、九月九日には、アンソニー・イーデン英外相、レオン・ブルム仏首相の呼びかけで、ドイツ、イタリア、ソ連を含む二十七カ国代表がロンドンで〝スペイン不干渉委員会〟を開催し、対応を協議した。しかし、委員会は、そもそも革命と戦争をスペイン領内に封じ込めることが目的であったため、内戦を停止させるための実効的な措置は講じられなかった。

一方、〝人民戦線〟を忌避する反共諸国はフランコ政権への本格的な支援を開始した。

具体的には、四個師団からなるスペイン遠征軍と航空部隊、海軍部隊を派遣し、総額十四兆リラの援助を行ったイタリアを筆頭に、ドイツは空軍の〝コンドル軍団〟と空軍の指揮下で行動する戦車部隊、数隻の艦艇、軍事顧問を派遣（図2）。サラザール政権下のポルトガルも最大で二万人規模の軍隊を派遣した。このほか、カトリックを国教とするアイルランドからはエオイン・オ・デュフィ率いる義勇軍が参加している。

これに対して、共和国＝人民戦線側の最大の支援者はコミンテルン＝ソ連だった。ソ連は、一九三六年十月十九日、スペイン不干渉委員会には拘束されないと宣言し、地中海経由で航空機や戦車、兵員をスペインに送り政府軍を支援したほか、コミンテルンが各国共産党（＝コミンテルン各国支部）に指示を出して義勇兵を募り、資金と旅券を準備してスペインに送った。こうして、一九三六年十月二十二日、〝国際旅団〟が創設され、フランス人一万、ドイツ人五〇〇〇、イタリア人三三五〇、米国人二八〇〇、英国人二〇〇〇、その他カナダ、ユーゴスラヴィア、ハンガリー、スカンディナヴィア諸国などが加わった。

国際旅団は一九三六年十一月から一九三七年二月までのマドリード包囲戦で共和国軍とともに戦った。一九三七年二月二十二日、国際連盟スペイン不干渉委員会は、スペイン内戦における外国人兵士の参加を禁止したが、その後も国際旅団はスペインに残り、三月十日にはイタリア軍を奇襲し、これを壊滅させた。

共和国軍と国際旅団の抵抗にあい、マドリード攻略を一時断念せざるを得なくなったフランコ側は、イベリア半島北部の港湾地域、工業地帯制圧へと戦略を切り替える。その一環として、バスク地方の前線にいたる共和国軍の補給路を断つため、四月二十六日、ドイツから送り込まれた義勇軍航空部隊コンドル軍団がゲルニカに爆撃を行い、一般市民に約三百人の死傷者が出た。

このように、一九三七年七月に東アジアで支那事変が勃発した時点では、スペイン内戦は、事実上、ソ連と独伊の代理戦争という様相を呈しており、欧米諸国にとっては支那事変よりもはるかに喫緊の外交課題であった。したがって、支那事変に対する彼らの反応も、スペイン内戦と密接にリンクすることになる。

満洲国とフランコ政権の相互承認

スペイン内戦が勃発した当初、日本政府はスペイン情勢にはほとんど関心を示していなかった。

たとえば、一九三六年七月二十八日と同三十日の二度にわたり、叛乱側の国家防衛評議会は日本政府に対して自分たちをスペイン正統政府として承認を求め、援助を要請したが、日本政府はこれを完全に無視している。

また、一九三六年十一月二十五日、日独防共協定が調印され、その第二条において「締結国は共産『インターナショナル』の破壊工作に依りて国内の安寧を脅さるる第三国に対し協定の趣旨に依る防衛措置を執り又は本協定に参加せんことを共同に勧誘すべし」とあったことから、同年十二月四日、駐スペイン公使の矢野眞は「(ドイツとの)共同歩調でフランコを日本が承認するという噂が流れた」と外相の有田八郎宛に電文を発したが、翌一九三七年一月には、日本政府としては〝ブルゴス政府(叛乱側)〟の承認を考えていない旨の声明が出され、この噂も全面的に否定された。じっさい、一九三七年初の時点では、日本の外交団は全員がスペイン国外へ退去しており、スペイン情勢に対する日本の無関心は際立っていた。

しかし、一九三七年七月に盧溝橋事件が発生し、日本政府(近衛内閣)の打ち出した不拡大方針とは裏腹に、支那事変の戦線が徐々に拡大していくなかで、独ソの対中政策は大きな変容を迫られることになる。

もともと、一九三五年のコミンテルン第七回大会で採択されたディミトロフ路線では、日本は打倒すべき対象とされていたが、そのためには、ソ連は中国を取り込み、最大限に活用する必要があった。

ところが、一九三四年以来、中国はドイツの軍事顧問を迎えて軍事力の強化を目指し、タングステン(戦車の原材料となる)など鉱物資源とのバーターでドイツから武器を購入しており、一九三六年四月のハプロ条約では、ドイツは鉱物資源との相殺というかたちで一億マルクの借款を提供し、中国はドイツから大量の武器を購入するという構図となっていた。

このため、一九三六年十一月に日独防共協定が結ばれると、ソ連としては、中国をドイツから切り離し、反共を紐帯として日中が提携する芽を摘んでおくことが急務となる。

ところで、ソ連は一九三二年頃から極東軍を増強し、一九三六年の時点でその兵力は関東軍を凌駕していたが、支那事変が勃発し、新たに三十万の兵力と大量の武器が日本軍によって大陸に持ち込まれると、日本に対する軍事的な優位は危うくなった。

そこで、ソ連としては、諸外国による日中和平の斡旋を阻止するとともに、蔣介石の国民政府に対日戦争を継続させるためにも武器を供与し、さらにはドイツ(とイタリア)の影響力も排除するということが、基本方針となる。

一方、蔣介石の側でも、日本と戦う〝救国領袖〟との自己演出により、国内の世論と国民党内の各勢力、さらに共産党を統合する求心力を確保していたから、日本との和平はその基盤を崩壊させ、国内が分裂する恐れがあり、何としても抗日戦争を続ける必要があった。

一九三七年八月二十一日の中ソ不可侵条約は、こうした双方の思惑の上に締結されたものだった。

同条約により、中ソは日本に対して共同防衛にあたることを

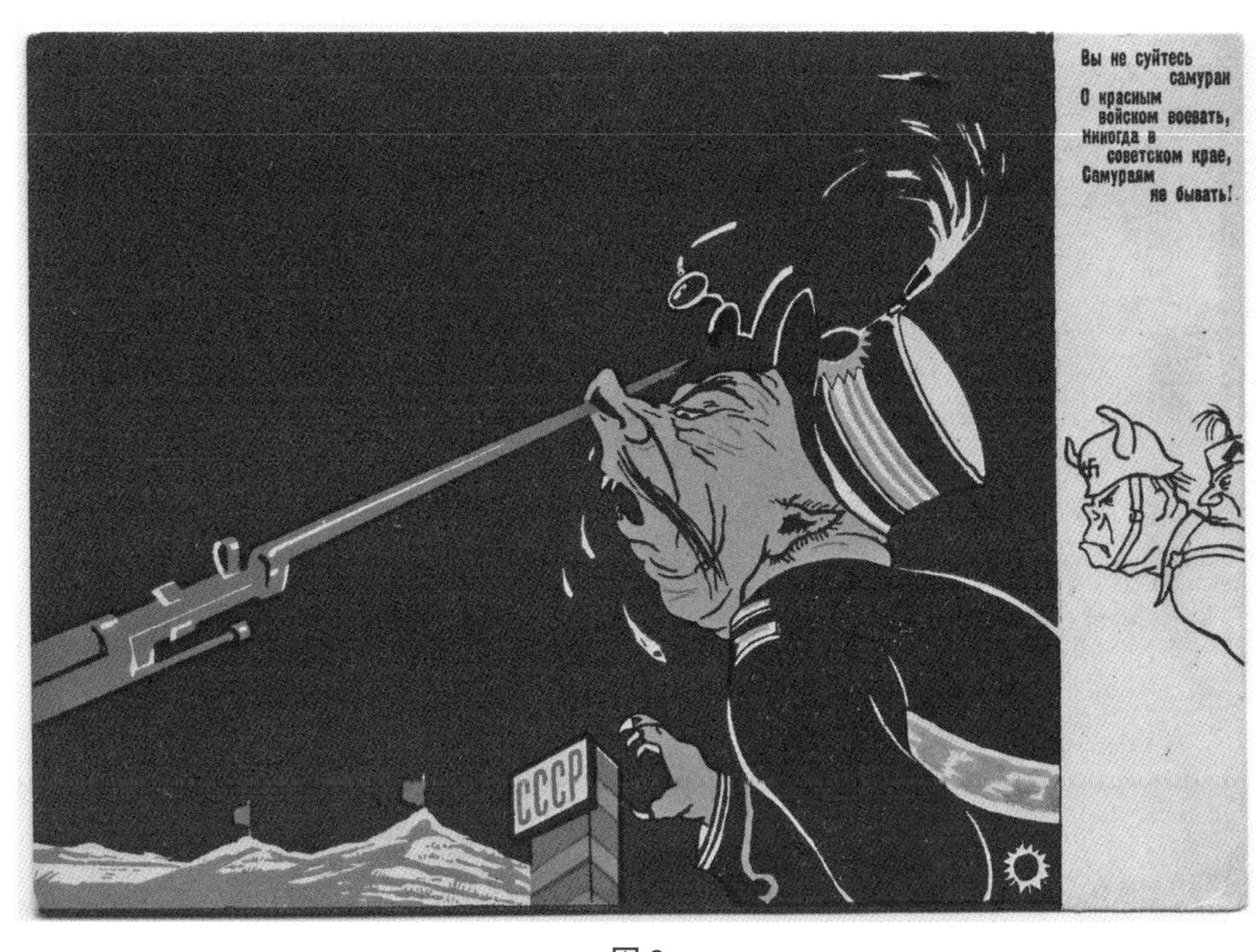

図3

防共協定を背景に、日本が国境を越えて攻め込もうとしても、ソ連はそれを撃退するだろうとの意図を込めて作られたソ連のプロパガンダ絵葉書

約し、所定の期間、ソ連は日本との不可侵条約を、中国は（日本を含む）第三国との反共（ないしは防共）協定を、それぞれ結ぶことが禁止された。また、条約締結と同時にソ連から中国政府への武器の供給も開始され、中国はソ連から支給された二億五千万米ドルの資金で、ソ連から爆撃機六十二機、戦闘機百一機、戦車八十二両、対戦車砲五十門などを購入。約三百人の軍事顧問団がソ連から中国に派遣された。

中ソ不可侵条約の締結後の九月、中国は日本の一連の軍事行動を国際連盟に提訴。このため、十一月三日から十五日まで、急遽、ブリュッセルで九カ国条約会議が開催されたが、日本は参加を拒否し、ワシントン体制は事実上崩壊した。また、会議には、締約国以外からも独ソ両国が招待されたが、ドイツも欠席。このため、中ソ不可侵条約で本格的な対中支援に乗り出したソ連が日本を非難すると、ドイツとともにスペインを巡ってソ連と敵対していたイタリアが日本支持の論陣を張った。なお会議後、戦争の長期化により日本が疲弊することはソ連を利することになるとの判断から、中国駐在のドイツ大使、トラウトマンが日中和平の仲介を開始したが、最終的に不調に終わる。

この間、ブリュッセル会議開催中の一九三七年十一月六日、イタリアが日独防共協定に加わり、中ソに対抗して日本と共同歩調をとる意思を鮮明にした（**図3**）。

イタリアの防共協定加入を機に、独伊両国は彼らが直接介入しているスペイン内戦に関して、日本もフランコ政権を承認するよう促し、日本は独伊両国が満洲国を承認することを条件に、これを受け入れた。

こうして、ブリュッセル会議閉会後の十一月三十日、まず、イタリアが満洲国を承認する。

満洲国を承認したのは、一九三四年三月三日のエルサルバドル、同年四月十八日のヴァチカン市国、同年十月二十六日のドミニカ共和国に続いて四カ国目だったが、イタリアは過去三国に比してはるかに大国であり、満洲国の国際的な地位を向上させるうえで大いに影響があった。

イタリアに続いて、十二月一日には日本がフランコ政権を承認する。それまで、スペイン情勢には無関心だったように見えた日本が、突如（諸外国の目にはそう映った）、フランコ政権を承認したことについて、外務省は「世界中いたるところの共産主義に敵対する三国同盟の団結した行動の一部」であり、「スペイン内戦は、コミンテルンの陰謀によって造られた人民戦線の諸々の活動の中に、その源があったのであり、コミンテルンを追撃する政策に関して、日本がフランコ将軍と一致するために、フランコ将軍は承認されるのである」と説明している。

さらに、翌二日には、満洲国とフランコ政権が相互承認を行い、年が明けて一九三八年二月二十五日にはドイツも満洲国を承認する。

ところで、フランコ政権を承認した結果、日本はスペイン内戦の戦場に武官を派遣できるようになったが、このことは、中国の背後に控える仮想敵国、ソ連の動向と軍事情報を収集するうえで、日本側にとって大いに有益であった。

すなわち、日本政府がスペイン情勢に静観の構えだった一九三六年十月下旬、フランス大使館付駐在武官の西浦進（当時の階級は陸軍大尉）は、参謀本部の命を受けて、フランコ政権の仮首都がおかれていたサラマンカに入ったが、日本が同政権を承認していなかったため、事実上の軟禁状態に置かれ、ほとんど情報収集はできなかった。

このため、西浦は、サラマンカ駐在のドイツ大使ハウペルに「自分は防共協定成立を受けてソ連軍の情報収集のために派遣された」として協力を求めたところ、フランコ政権から通訳将校一名と自動車一台とともに戦線視察の許可が与えられた。一九三七年一月六日付の参謀次長宛の西浦電には、「独国は革命軍側に自己の勢力を完全に扶植せんとする」、「独国が西班牙(スペイン)を植民地化するに伴い将来独逸の直接蘇(ソビエト)本国に対する圧力減殺を監視するを要す　革命側識者は漸次独国の野心を感じ始めあり」との認識が示されているが、西浦が観戦武官としての活動を許可されるに至った経緯とあわせて考えてみても、フランコ政権に対するドイツの影響力は、満洲国に対する日本の影響力に匹敵するものとの認識があったのかもしれない。そうであればこそ、一九三七年時点のフランコ政権と満洲国は〝同格〟であり、日本のフランコ政権承認と独伊の満洲国承認は対になりうるとの判断が生まれたのであろう。

西浦の報告電には、ソ連製の戦闘機などがドイツ製のものよりも優れているとの記述はあるものの、両者の性能の差を数値で示すなどの具体的な記述があるわけではなく、印象論の域を出ない部分も多かった。

これに対して、一九三八年三月から七月にかけて、駐スペイン公使館付武官の守屋精爾（当時の階級は陸軍中佐）は、フランコ軍のアラゴン攻撃に参加し、写真をはじめ多くの資料を持ち帰っている。これは、フランコ政権承認の結果として、現地派遣の日本軍人の地位が〝観戦武官〟から〝作戦武官〟に格上げされ、より重要な情報にアクセスが可能となったことを意味する。じっさい、フランコ側が鹵獲したソ連製の武器、特にソ連製の戦車については、フランコ政権側は守屋に無償で追加資料を提供しており、日本にとっても、フランコ政権承認のメリットがさっそく享受できたかたちとなった。

メキシコの〝国内問題〟

このように、スペイン内戦には独伊とソ連の代理戦争という側面があり、その一方の当事者であるソ連／コミンテルンが日独を打倒の対象としていたがゆえに、支那事変に突入した日本もスペイン情勢とは無関係ではいられなくなったといってよい。

もっとも、スペイン内戦は、そうした代理戦争としての側面とは別に、そもそも、スペインが抱えていた国内の社会矛盾から革命が発生して社会が不安定化し、一種の反革命としてフランコらの叛乱が発生したのが、その起源である。

当時のスペインの抱えていた社会矛盾としては、①経済が低開発状態にあって工業化が遅れており、中間層の成長も小規模であったこと、②農村には半封建的な支配構造が残っていたこと、③国民的な団結心も欠落していたこと、④地方的なボスが地方政治を支配していたこと、などが挙げられるが、それらは、かつてスペインないしはポルトガルの植民地支配下にあったイベロアメリカ諸国においても共通するものであった。

このため、スペイン内戦が勃発すると、同じスペイン語圏として多くの亡命者が大西洋を越えて渡ってきたこともあり、イベロアメリカ諸国としてはスペインの内戦を対岸の火事として等閑視することはできなくなった。

もちろん、早くも一九三六年十一月十日にフランコ政権を承認したグアテマラ（ちなみに、独伊によるフランコ政権承認は同十八日）や同年十二月二日にフランコ政権を承認したニカラグアなどを筆頭に、イベロアメリカ諸国の大半は、既存の体制を堅持し、〝革命〟の波及を断固阻止するためにも、フランコ政権

図4　カジェス大統領

に対して親和的な態度を取っていた。

そうした中で、ほとんど唯一、共和国政府支持の立場を取っていたのが、メキシコである。

一九一〇年に始まるメキシコ革命は、一九一四年からの内戦を経て、一九一七年には穏健派が勝利し、一九一七年憲法が公布された。同憲法は、外国資本の制限、農地改革、労働者保護、政教分離の徹底（教会の行動の制限）などを定めるなど、当時としてはきわめて急進的な内容で、一九三一年のスペイン共和国憲法にも影響を与えたとされている。

一九二四年、大統領に就任したプルタルコ・エリアス・カジェス（カリェス。図4）は、米国からは〝共産主義者〟呼ばわりされながらも、公教育の整備、中央銀行の創立、軍隊の職業専門化などリベラルな改革を多数こころみた。その反面、カジェスは、一九二八年の退陣（メキシコ大統領は再選禁止）後も自らの意のままになる傀儡大統領を短期間で交代させ、政界の黒幕として権力を維持し続けた。この間、革命の成果を制度化するとして、一九二九年、地方軍閥・州政府・労働組合・農民運動などの諸勢力を統合した政権与党、国民革命党（PNR）を結成。万年与党体制を構築している。

カジェスとPNRは次第に保守化したが、教会に対する厳しい姿勢は維持し続けたため、国内のカトリック保守勢力はもとより、スペインの宗教保守勢力の反発も招き、革命以後冷却化していたメキシコ・スペイン関係はさらに悪化した。また、一九二九年の世界恐慌の影響で、労働者や貧農層の生活は悪化し、PNRに対する彼らの支持も揺らぎつつあった。

一九三四年の大統領選挙では、カジェスはムラートの血筋で、元ミチョアカン州知事のラサロ・カルデナス・デル・リオ（図5）を擁立する。

カルデナスは、州知事時代に共産党系の教員たちを中心にミチョアカン革命的労働者連盟（CRMDT）を結成して政治的基盤とするとともに、農民への土地の分配を進め、労働者保護や小学校建設を推進した実績の持ち主で、大統領就任演説では、政府は人民大衆の参加を得て、人民大衆のために政治を行うと強調するとともに、国家資本主義的路線を提示した。

その具体的な政策として、カルデナスはメディア規制などで大統領権限の強化を図るとともに、労働者を体制に統合するため、ストライキ攻勢を煽動して労働者運動の統一への機運を醸成するとともに、労働者側に有利な労使間のルールを確立。これを受けて、一九三六年にはメキシコ労働者連盟（CTM）が結成された。この過程でカルデナスと、資本家の代弁者であるカジェスの対立が深まり、一九三六年、カジェスは米国に亡命する。

一九三六年三月、PNRは労働者・農民・軍人・一般の四部会制から成るメキシコ革命党（PRM）に再編されたが、CTMや全国農民連盟（CNC。一九三八年八月結成）はPRMの下部組織に編入され、事実上の官製組合というかたちで、労働者と農民の体制統合が進められた。さらに、一九三六年十一月に公布された収用法に基づいて、一九三七年六月には鉄道の国有化、一九三八年三月には石油産業の国有化を実施するなど、急進改革路線を推進した。

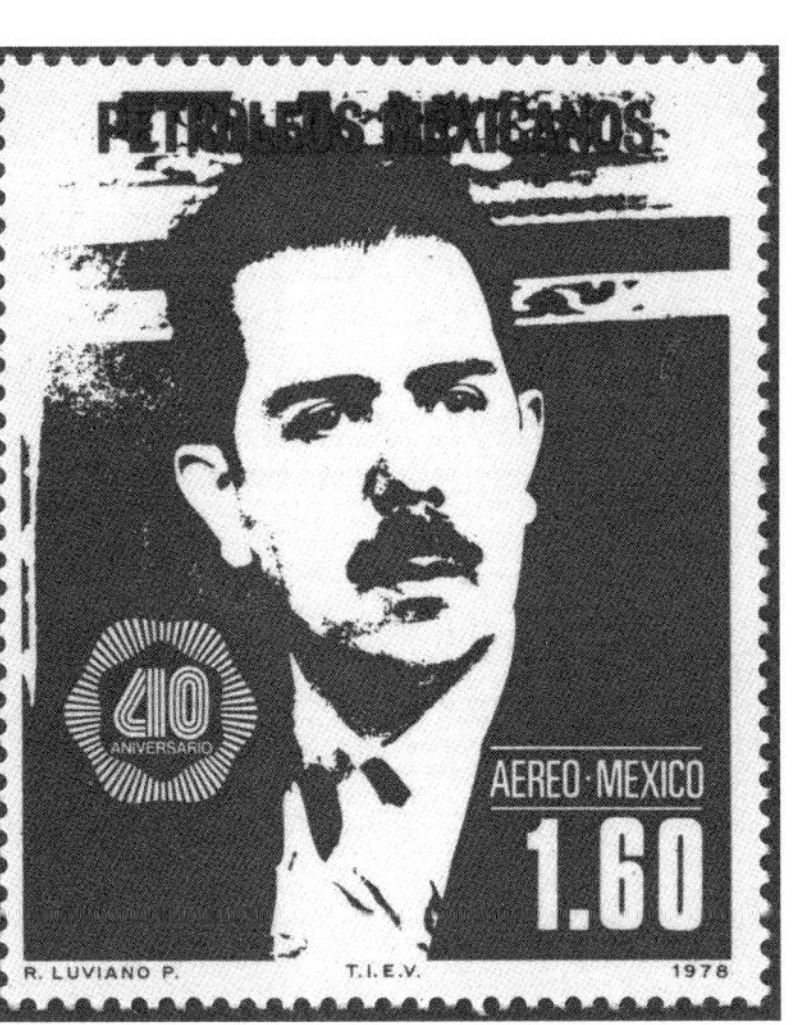

図5　カルデナス大統領

こうした中で、カルデナスは反カトリックの姿勢が鮮明な前タバスコ州知事のガリード・カナバルを側近に起用したが、カナバルが組織した〝赤シャツ隊〟はメキシコ市のコヨアカン教会等の教会を襲撃・放火するなど暴力行為で宗教勢力を挑発。さらに、カルデナス政権は〝合理的教育〟ないしは〝近代的教育〟の名の下に公教育から宗教色を排除していったが、その際、現場の教師たちにCTMの組合員のみならずメキシコ共産党員も少なからず含まれていたことで、保守派は一層の危機感を募らせた。

カルデナス政権に対抗すべく、一九三四年に反共組織のメキシコ革命行動（ARM）は別働隊として〝金シャツ隊〟を組織して左派勢力に対抗。カトリック保守派はシナロア全国連盟を結成した。

このように、スペイン内戦が勃発した時点でのメキシコは、社会変革を加速化しようとするカルデナスら急進派と、これに抵抗する大土地所有者層やカトリック教会などの保守派に二極化しており、多くのメキシコ国民はそれをスペインの情勢と重ねあわせて危機感を抱くようになっていた。

したがって、カルデナス政権は、スペイン内戦でフランコ側が勝利すれば、国内の保守派は自分たちへの攻撃を強めると判断し（じっさい、メキシコ国内の保守派は、スペイン内戦における人民戦線側、特に国際旅団の〝残虐行為〟を大々的に宣伝し、政権批判の材料としていた）、共和国政府への支援に踏み切ったのだ。一九三七年初頭、スペイン駐在のメキシコ大使、ラモン・デネグリからカルデナス宛の書簡にみられる次の一節は、当時のメキシコ政府の認識を端的に表している。

スペインの闘争はメキシコに向けられており、この瞬間にもメキシコの資本家やカトリック関係者はメキシコの人民政府を掘り崩し、可能であれば打倒するためにスペイン人と連携しています。フランコの勝利はメキシコのすべての革命勢力に対する即時かつ強力な攻勢を決定づけることになるでしょう。メキシコ政府がスペインを支援することは合法性、正義、メキシコの人民的伝統からのみでなく、メキシコの大義を支えるからでもあります。

換言するなら、カルデナス政権は〝国内問題〟の延長線上として、スペイン内戦に関与したのであって、彼らが共和国政府を支援したのは、独伊とソ連との代理戦争とは全く別の文脈によるものだったのである。

トロツキーのメキシコ亡命と画家リベラ

こうしたメキシコ政府の立場を端的に示しているのが、一九三七年のレフ・トロツキーの亡命受け入れであろう。

スペイン内戦の勃発後、カルデナス政権は、共和国支持の立場から、反フランコ派のスペイン人亡命者を積極的に受け入れた。その背後には、内戦以前のメキシコには、最大の外国人勢力として約五万人の在留スペイン人がおり、その多くが敬虔なカトリックで、それゆえ、反カルデナス派の一大勢力となっていたことから、それに対抗しうる勢力を確保しようという意図もあったことは明らかである。

しかし、大量の亡命者を積極的に受け入れるという方針は、結果的に、〝亡命者の楽園〟というイメージをメキシコに付与することになった。それを利用して、トロツキーのメキシコ亡命に向けて動いたのは、メキシコ壁画運動の旗手、ディエゴ・リベラ（図6）だった。

赤軍（赤衛軍）の創始者として、ボリシェヴィキの革命を勝利に導いたトロツキーだったが、一九二四年にレーニンが亡くなると、その後継の地位を巡ってスターリンとの権力闘争に敗れ、一九二五年、コミッサール・外務人民委員の地位を解任され、閑職に追いやられた。さらに、一九二七年には政府・党の

図７　リベラの「サパティスタ“革命軍兵士”のいる風景」

図６　ディエゴ・リベラ

全役職を解任され、一九二八年に中央アジアのアルマ・アタ（現カザフスタンのアルマトイ）へ追放され、一九二九年にはソ連から国外追放された。

国外追放後のトロツキーは、まず、トルコを拠点に、スターリン体制批判の個人雑誌『反対派通報』を発刊。その後、一九三三年にはフランスへ、一九三五年にはノルウェーに移り、『ソ連とは何か、そしてソ連はどこに行きつつあるか』（後にフランス語版の表題『裏切られた革命』で知られるようになる）を著したが、翌一九三六年、ソ連の圧力でノルウェーからも国外退去せざるを得なくなっていた。

ところで、革命後のメキシコでは労働者や農民の体制統合と並行して、人口の三分の一を占める先住民の歴史と文化をメキシコのアイデンティティに組みこむため、〝普遍的人種〟の概念が政策的に提唱され、白人至上主義に対する混血人種の優越性が主張されていた。このイデオロギーに沿った文化政策として推進されたのが、〝革命の芸術〟としてのメキシコ壁画運動である。

もともと壁画は伝統的なインディオ美術の重要な表現形式だったが、一九二〇年に文相に就任した詩人で哲学者のホセ・バスコンセロスは、非識字者の多い国民への教育的効果を期待して、若手芸術家を使って、革命および自国の歴史・風俗など新生メキシコにふさわしいテーマや普遍的モチーフを公的施設

図８　リベラが制作した国立宮殿の壁画「メキシコの歴史」

の壁面に描かせる〝壁画運動〟を開始した。

その代表的な画家だったリベラは、一八六六年、グアナフアト生まれ。サン・カルロス美術学校を卒業後、スペイン、パリなどで絵画を学び、モンパルナスを拠点にキュビズムに影響を受けた作品で注目された。一九一五年、リベラがパリで発表したキュビズム絵画「サパティスタ〝革命軍兵士〟のいる風景」（図7）は、メキシコ伝統のソンブレロ（帽子）とセラペ（毛布）の革命軍兵士の背景上部に、あえて、無国籍風で概念的なポポカテペトル山を大きく描くことで、メキシコの大地と革命を神話化するとともに、他のキュビズム作品との差別化を図った作品として注目を集めた。

その後、リベラは、メキシコに民衆のための芸術を興すというダビッド・アルファロ・シケイロスの誘いに賛同し、イタリアで壁画を研究した後、一九二一年に帰国。前年の一九二〇年に壁画運動が開始されていたこともあって、リベラはすぐに、シケイロスやホセ・クレメンテ・オロスコとともに、その中軸を担う画家として頭角を現した（図8）。

リベラは、当時の共産主義者の中でも特にトロツキーに共鳴し、メキシコ共産党に入党。教会や聖職者を攻撃しており、カルデナス政権を左から支える立ち位置にいた。こうしたこともあって、一九二七年にはソ連の招きでモスクワに滞在したが、すでにこの時トロツキーは失脚しており、一九二八年、〝トロツキスト〞のリベラは反ソビエト活動に関わった疑いでメキシコに送還され、翌一九三〇年には共産党からも除名された。

その一九三〇年、リベラは二十歳年下の画家、フリーダ・カーロ（図9）と結婚。一九三〇―三三年には、大不況後の米国で多くの建物の壁面に産業や労働者をテーマにした巨大なフレスコ画を制作した。しかし、一九三三年にニューヨークのロックフェラー・センターRCAビルの壁面に描いた「十字路の人物」において、米国の建国者たちと並べてレーニンの肖像を配したことで、発注者やマスコミの猛反発を呼び、同年二月、リベラとの契約は解除され、完成直前だった作品も破壊された。

その後、同年七月、リベラは、ニューヨークの新労働者学校の壁画「プロレタリアの団結」を制作してメキシコに帰国した。

図9　フリーダ・カーロ

「プロレタリアの団結」は、レーニンを中心に、両脇にマルクスとエンゲルスを描き、さらに、左端にスターリン、右端にトロツキーが描かれている。

その直前の六月、トロツキーはリベラ宛に手紙を出し、そこから二人の個人的な関係が始まる。手紙の中で、トロツキーは、アルマ・アタに追放されていた時に、米国の出版物でリベラの作品を初めて見て強い印象を受けたこと、最近になり、その絵の作者が〝左翼反対派（＝トロツキスト）〞であり、ディエゴ・リベラ氏と同一人物であることを知ったこと、米国に行き、リベラの作品を見て、リベラに会って話をしたいと思ったことなどが綴られていた。

はたして、帰国後の一九三四年、リベラがメキシコ市の国立芸術宮殿の壁面に描いた「宇宙を支配する人」は、ロックフェラー・センターの壁画を再制作したもので、米国では未完成に終わったレーニンの右のパネルには、マルクス、エンゲルスとともに〝第四インターナショナル〞の旗を持つトロツキーが描かれた。

こうした経緯を経て、スペイン内戦への関与を巡ってメキシコ国内が騒然としている中で、一九三六年九月、リベラは、ソ連主導の〝第三インターナショナル〞に対抗して、〝第四インターナショナル・メキシコ支部〞を結成。ちょうど同月、オスロに滞在していたトロツキーはノルウェー政府に身柄を拘束され、米国への亡命を試みたが拒否されていた。

そこで、リベラはメキシコ政府にトロツキーの亡命受け入れを要請。スペイン内戦で共和国政府を支援するのは、あくまでも国内事情によるもので、親ソ派政権だからではないことを示す必要に迫られていたカルデナスにとっても、リベラの提案は渡りに船だった。

かくして、メキシコ政府は〝反ソ（＝反スターリン）〟派の大物であるトロツキーの亡命を受け入れ、十二月十九日、トロツキー夫妻は秘密裡にタンカー〝ルート号〟でオスロを出航。翌一九三七年一月九日、夫妻はメキシコに到着し、リベラとフリーダが所有する〝青い家〟に身を寄せた。なお、トロツキーとリベラは反スターリニズムを掲げ、社会主義リアリズムを糾弾したが、フリーダとトロツキーが不倫の恋愛関係になったこともあり、一九三九年三月には決裂。その直後の四月一日、スペイン内戦はフランコ側の勝利に終わり、トロツキーも翌一九四〇年八月、メキシコ市で暗殺されてしまった。

主要参考文献

小倉英敬「スペイン内戦とメキシコ（カルデナス政権のスペイン人民戦線政府支援）」『人文学研究所報』四十五（二〇一一）
加藤薫『ディエゴ・リベラの生涯と壁画』岩波書店（二〇一一）
川成洋「スペイン戦争と日中戦争――フランコ政権承認をめぐる日本の軍部外交について」『法政大学教養部紀要』四十七（一九八三）
下田貴美子「ソ連の対中外交の成果としての一九三七年中ソ不可侵条約」『早稲田大学アジア太平洋研究科論集』三十五（二〇一八）
――「ソ連の危機、蔣介石の危機としての一九三七年ドイツの日中和平調停」『早稲田大学アジア太平洋研究科論集』三十六（二〇一八）
内藤陽介『チェ・ゲバラとキューバ革命』えにし書房（二〇一九）
福井義高『日本人が知らない最先端の世界史　不都合な真実編』祥伝社黄金文庫（二〇二一）

アメリカ共産党の反日工作

江崎道朗

●えざき・みちお　一九六二年生。評論家。社団法人日本戦略研究フォーラム政策提言委員等。九州大学文学部哲学科卒。専門は近現代史、外交・安全保障、インテリジェンス等。二〇二〇年正論新風賞受賞。主著『日本外務省はソ連の対米工作を知っていた』（扶桑社）他。

はじめに

一九三七年のシナ事変は日中関係、そして日米関係に大きな影響を与えた。特にシナ事変をきっかけにアメリカの対日世論が大きく変わっていった。この対日世論の悪化の背景に、アメリカ共産党の秘密工作、そして反日宣伝があったと、当時の日本外務省は機密文書『米国共産党調書』などで指摘していた。

そこで、アメリカにおけるアメリカ共産党の活動についての先行研究を整理するとともに、当時の日本外務省の分析は果たして妥当であったのか、アメリカ政府が一九九五年に公開した機密文書などを踏まえて検討する。

1　雑誌『アメレジア』の創刊

第二次世界大戦前のアメリカのフランクリン・デラノ・ルーズヴェルト民主党政権の対外政策形成過程において、民間のシンクタンクやジャーナリズムが与えた影響は決して少なくない。特にアメリカの対中国、対日本政策に大きな影響を与えた雑誌が一九三七年三月に創刊された。『アメレジア（*Amerasia*）』という。

その中心メンバーは、一九二五年にハワイで結成された太平洋問題調査会（IPR＝Institute of Pacific Relations）に所属する研究者やジャーナリストたちであった。長尾龍一『アメリカ知識人と極東』八〜九頁によると、「IPRは、アメリカにおける東アジア研究の一機関（an organization）というより東アジア研究機関そのもの（the organization）とみなされた。その機関誌 *Pacific Affairs* および *Far Eastern Survey* は、最も権威ある学術雑誌として学者も官僚も引用した」とのことである。

戦前のアメリカ国務省や政治家たちに大きな影響を与えたIPRのメンバーたちが既刊の機関誌とは別に『アメレジア』を創刊したのは、日本の「侵略」に対して中国を擁護し支援するようなアメリカの世論をさらに喚起し、アメリカ政府を中国支援へと転換させたいという動機からであった。

「日中戦争の直前の時期、IPRアメリカ部会の中心人物の間で、学術的国際機関の機関誌という枠をこえて自由に自己の極東問題に関する見解を発表する場、一層直截にいえば日本の侵略に対して中国を擁護し支援するような米国の世論、さらには米国政府を導く場をもちたいという願望が高まった。富豪フレデリック・フィールドなどがそれへの資金を供給して発刊されたのが *Amerasia* である。事務所はIPRの事務所と接続した建物におかれた。編集部議長はフィールド、編集長はジャッフェ、編集委員はトーマス・A・ビッソン、冀朝鼎（きちょうてい）、ラティモアなど八名」である（前掲、一八頁）。

この『アメレジア』の発行資金を提供し、編集部議長となったフィールドは共産主義者であった。「彼は大富豪の家に生まれ、ハーヴァード大学およびロンドン・スクール・オブ・エコノミックスを卒業後、一九二八年にIPRのスタッフとなった。彼がいつ共産主義者に、また共産党員になったのかわからないが、一九三五年には共産党色の強い中国支援雑誌 *China Today* の編集者の一人に、一九四三年には共産党機関紙 *Daily Worker* の通信員となっている」とのことである（前掲、一〇頁）。

2　『アメレジア』の母体となった『チャイナ・トゥディ』

『アメレジア』の創刊に関わった共産主義者は、フィールドだけではなかった。

編集員となった中国人、冀朝鼎もアメリカ共産党員であった。「北京の精華大学で学び、シカゴ大学とコロンビア大学に留学した冀朝鼎は、一九二六年に秘かにアメリカ共産党に入党し、一九四一年まで党の中国人部に属していた。一九二〇年代末には冀朝鼎はモスクワでコミンテルンのために通訳として働き、一九二八年にはコミンテルン第六回大会の中国共産党派遣団のメンバーであった。一九三〇年代のアメリカで、冀朝鼎はハンスー・チャン、R・ドーンピン、ファン・ロウ、フーティエン・ワンなどのペンネームで、アメリカ共産党機関紙である『デイリー・ワーカー』、共産党系の雑誌でアジア問題を専門に扱う『アメラジア』誌やその他の出版物に寄稿していた。しかし、冀朝鼎の共産党員としての活動は秘密であった。」（ジョン・アール・ヘインズ、ハーヴェイ・クレア『ヴェノナ――解読されたソ連の暗号とスパイ活動』二一四～二一五頁）

アメリカ共産党の秘密党員であった冀朝鼎が一九三三年にアメリカで創設した組織が「アメリカ中国人民友の会（American Friends of Chinese People）」であった。

冀朝鼎は一九二七年にハリエット・ルヴァイン（Harriet Levine）と結婚した。このルヴァインのいとこがフィリップ・ジャッフェであった。冀朝鼎は、ジャッフェを一九三三年五月、アメリカ中国人民友の会に参加させ、事務局長兼機関誌『*China Today*』（一九三三年秋創刊）の編集長に任命した。編集委員は、冀朝鼎のほか、フィールドとビッソンである。記事に使われた資料の多くは、上海の中国共産党の地下組織がアメリカ共産党宛てに送ったものであった（Harvey Klehr & Ronald Radosh, *The Amerasia Spy Case: Prelude to McCarthyism*, pp. 33-37.）。

一九三三年当時、外交政策協会（EPA ＝ Foreign Policy Association）研究員としてアジア研究に従事していたビッソンは、このジャッフェに、機関誌『*China Today*』編集委員になるよう誘われた。その様子はこう記されている。

『中国人民アメリカ友の会』（ＡＦＣＰ）は、ビッソンが自分の中にあった急進主義へ初めて気づくきっかけとなったようである。友の会は、『民族解放と日本の侵略に抵抗する中国人民の闘い』を支援する計画に賛同すればいかなる政治的立場でも参加できたが、おそらくアメリカ共産党（ＣＣＰ）が主導権を握っていたのであろう。友の会の公式機関誌『今日の中国（チャイナ・トゥデー）』の編集長で、自ら言うところによれば『きわめて近い共産党シンパ』であるフィリップ・J・ジャフェが、ビッソンを同誌の編集委員に招いた」（ハワード・B・ショーンバーガー『占領 1945 ～ 1952』一一六～一一七頁）。

このように一九三七年三月に創刊された雑誌『アメレジア』の中心メンバーは、『*China Today*』の編集委員であり、アメリカ共産党の関係者であった。

彼らは雑誌『アメレジア』創刊に際して、アメリカ政府の関係者たちに協力を求めたが、その折衝の場はＩＰＲの大会であった。

一九三六年八月十五日から二十九日まで、アメリカのヨセミテで第六回ＩＰＲ国際会議が開催された。日本からは元老の西園寺公望の孫の公一や朝日新聞の尾崎秀実（ほつみ）らも参加した。この国際会議では、アメリカＩＰＲ事務局長フィールドらが日本の対中政策を強く批判した。外交政策協会研究員のビッソンが初参加したこの国際会議では、冀朝鼎、フィールドらがビッソンと共に、『*China Today*』の後継誌『アメレジア』創刊のため、非公式の支援を得るべくロビイングに務めた（前掲 *The Amerasia*

Spy Case, pp. 38-39.)。

その結果、多くの著名人を『アメレジア』編集委員として招聘することに成功する。その代表格は、ノースウェスタン大学のケネス・コールグローヴ、コロンビア大学のサイラス・ピーク、プリンストン大学のロバート・ライシャワー（エドウィン・ライシャワーの兄）、外交政策協会副会長のウィリアム・ストーン、そして「アメリカにおける中国と満洲に関する最も偉大な権威」とよばれたオーウェン・ラティモアである。

このヨセミテでの国際会議の参加者の大部分は、フィールドやビッソンと共産党とのつながりを余り知らなかったため、『アメレジア』はIPR会員たちからそれなりに支援を受けることができ、信頼性のある雑誌というイメージを築くことができた。

かくして『アメレジア』は一九三七年三月、中国共産党を支持する機関誌『*China Today*』の後継誌として創刊されながらも、アメリカ国務省高官や大学の極東専門家らの協力を得ることができた。その象徴的な例が、『アメレジア』創刊号の巻頭論文を米国務省のスタンレー・ホーンベック極東課長が執筆したことである。

そのおかげで定期購読部数はすぐに千七百部に達し、定期購読の三分の一は政府機関であった。絶対数としては少ないが、極東専門家のほぼ全員が購読していた（前掲 *The Amerasia Spy Case*, pp. 38-41.）。

3 『アメレジア』編集部員たちの訪中と盧溝橋事件

一九三七年三月に雑誌『アメレジア』を創刊したビッソンはその直後、ロックフェラー財団の研究助成金でアジアでのフィールドワークを行った。日本、満洲、朝鮮を歴訪したのち、ジャッフェ夫妻、ラティモアと合流して、六月に中国共産党の本拠地である延安を訪問、毛沢東、周恩来らと会談した。当時のアメリカ政府と外交関係があったのは、蔣介石率いる中国国民党政権であり、中国共産党の本拠地に行くのは困難であった。その様子は「彼らは国民党の封鎖をくぐり抜けるために手の込んだ芝居を演じた。ジャッフェ氏は腎臓病治療のために湯治に行く金持のアメリカ人、中国語のできるラティモアはその通訳、ビッソンはたまたま一緒になった友人ということにして、西安の境界警備員をうまうまと欺した。ジャッフェもビッソンも、元来左派極東専門家の代表者であったが、この延安訪問を機に、中国共産党こそ日本と戦うために国民党との団結を求める愛国者であるという信念を固めた」であった（前掲『アメリカ知識人と極東』一一一頁）。

一九三六年十二月の西安事件が起こる直前まで、中国共産党は、蔣介石率いる中国国民党軍に追い詰められ、解体寸前であった。アメリカのルーズヴェルト政権も、孤立主義を支持するアメリカ世論を尊重し、中国大陸における日本の行動を批判はするものの、日本に対する具体的な干渉は行っていなかった。

こうしたアメリカの孤立主義の世論と、中国共産党と戦っていた蒋介石政権を批判し、抗日を掲げる中国共産党を支持する主張を繰り広げたのが『アメレジア』であった。

その主張は、延安で毛沢東らと会見をした一九三七年六月から僅か一か月も経たない七月七日に起こった盧溝橋事件を契機に激しくなっていく。長尾龍一は「一九三七年七月七日の盧溝橋の衝突は、『日本の本質的侵略性』という彼らの主張を裏書きした。既に同誌七月号においてフィールドは、盧溝橋事件は近衛内閣によって国論が統一した機会に早速着手した日本の計画的な侵略政策の一端であり、日本政府のいう『局地解決』とは新たな傀儡政権を樹立する意図に他ならない、としている。また、『親日派』の蒋介石一派はこの機会に失脚を余儀なくされるだろう、今や日本帝国主義と果敢に戦う者のみが民衆の支持を獲得することができるのだ、と痛論している。」と記す（前掲『アメリカ知識人と極東』二一〇頁）。

盧溝橋事件は偶発的な要素が強く、この七月の時点では、日本政府は不拡大方針を掲げて蒋介石政権と和平交渉を進めていた。にもかかわらず、『アメレジア』は、盧溝橋事件は日本軍による計画的侵略であり、その侵略に対抗するのは中国共産党しかないと示唆した。

『アメレジア』八月号も、資本主義の日本は必然的に資源を求めて中国を侵略するに決まっていると決めつけ、アメリカは中国の味方をすべきだとの論陣を張った。

さらに「八月号は冀朝鼎の論文『中日危機の論理』を巻頭に掲げている。曰く、日本は侵略に向って駆り立てられている。なぜなら日本資本主義は、農奴解放を伴わず、封建制の上に接ぎ木されたもので、農民は貧しく、国内市場は狭く、商品の販路を外に求めねばならないからだ。しかもブロック経済の趨勢は、原料供給地の独占的支配を必要とする。タイミングの点からすれば、日本の対中侵略は、今こそ絶好の好機である。第一には貿易赤字、物価騰貴、労働不安から国民の眼を外に転ずる必要があること、第二には近衛内閣の成立によって、永年の国論の分裂が軍部の都合の良い形で克服されたこと、そして西安事件のもたらした国共合作が未だ不安定な時期であることである」（同右）。

このようにして盧溝橋事件からシナ事変へと発展していくのは歴史の必然であり、日本の「侵略」を阻止するためにはアメリカによる対日制裁が必要だと訴えたのだ。

4　シナ事変を契機にアメリカの対日世論は悪化

実は盧溝橋事件と、その後のシナ事変を受けて、アメリカの対日世論が悪化しつつあった。

在ニューヨーク総領事若杉要は一九三八年七月二十日、宇垣一成外務大臣に対して「当地方ニ於ル支那側宣伝ニ関スル件」（機密第五六〇号）と題した報告でこう報告している（以下、原文は旧漢字カタカナ混じり文だが、引用にあたって文意を損なわない程度に現代語に書き換えた）。

> 事変開始以来、米国に於いて最も有害なる反日宣伝の効果を挙げているのは特定団体の計画的活動よりは寧ろ一般新聞の日々の反日「ニュース」であることは一般に認められるところである。
>
> そうであるから、当国新聞報道ぶりが日本に不利である理由を按ずるに極東の事態に付き、予備知識を持っている編集記者が社の営業本位の見地より「遠隔未知の極東に於ける事変に関して読者を満足させるものは何か」を考えるとき現実の事態に即応する真面目な政治論のようなものでないことは容易に首肯できるところである。大衆を最も満足させるのは「センセーショナリズム」及び「センチメンタリズム」であることは長い経験より米国新聞人の熟知するところで、Ruthless aggression としての日本の行動及び「デモクラシー」擁護のため苦闘しつつある支那又はこのために被る非戦闘員の犠牲等は前記両目的の好材料としてこれを利用しようとするのはやむを得ないところであろう。
>
> このようにして当国新聞及び記者の大多数は特に日本に対する好悪敵愾心の有無に拘わらず、日本の立場を不利にさせるような記事を取り扱うことになると認められる。そうしてこのような「ニュース」の取り扱いぶりはやがて世論に重大な影響を与え、共産党系その他反日団体策動の礎地を準備すると共に更に米国政府の政策又は態度を反日的にさせるのを余儀なくする結果をもたらすことは当然である。
>
> 殊に「ルーズヴェルト」政府及び現議会は「ニューディール」以来世論の反響に極めて敏感になり、従来の政府または議会にその例を見ないほどであると評されている。
>
> JACAR（アジア歴史資料センター）Ref.B02030591100
> 原文は、外務省外交史料館所蔵『支那事変関係一件／輿論並新聞論調／支那側宣伝関係』第一巻（A-1-1-0-30_2_4_001）

まずシナ事変の勃発以降、アメリカ人にとって遠い中国の地での戦争はどうしても中国人の被害を大げさに報道するなど、煽動的感傷的になりやすく、日本にとって不利な状況にある。しかも現政権のルーズヴェルト民主党政権は、世論の動向に敏感であるため、こうした反日報道に影響を受けやすい。

第二に、キリスト教徒である蔣介石と、宋美齢夫人はアメリカでも有名であり、キリスト教徒が多いアメリカ人にとっては、どうしても蒋介石贔屓となるため、日本にとってはかなり不利であるとして、こう指摘している。

> 次に米国大衆に対し支那側の宣伝上最大の価値を有するのは蒋介石及びmadame chlang kai-shekの名である。彼らは「デモクラシー」の擁護者及びある程度キリスト教の擁護者として一般に受容されつつある。彼らが生存し世界に呼び掛ける自由を有する限り米国に於ける「ニュース」の対象となり、日本に不利な「ニュース」の根源たり得る。この両者の名前の宣伝価値に比べれば、現在米国に於ける支那側の発意に依る宣伝工作のようなものはその効果、極めて僅かであると認められる。
>
> JACAR（アジア歴史資料センター）Ref.B02030591100
> 前掲『支那事変関係一件／輿論並新聞論調／支那側宣伝関係』第一巻

第三に、ナチス・ドイツの台頭に伴い、ドイツを中心にヨーロッパ各国からユダヤ人がアメリカに亡命し、知識人や経済人として活躍している。こうした状況下で日本は一九三六年十一月二十五日にナチス・ドイツ政府と「防共協定」を結んだことから、日本もまた、ナチス・ドイツと同じ「ファシズム国家」であり、「民主主義の敵」であると思われてしまっている。

> 更に当国に於ける支那側宣伝の「アセット」にして我が方にとって「ハンディキャップ」であるのは防共協定である。当国に於ける日本の反対者は日本を以て米国の政治理念及び生活様式を脅かす「ファシズム」独裁政権の同類であると説明することにより国内に於ける各種階級及び団体を反日陣営に糾合することが比較的容易になっている。特にユダヤ人の場合はその傾向が強く、現在ユダヤ人が米国における共産党、人道主義団体その他一切の反「ファシズム」、反日運動の背後で画策しつつあるのも当然であると認められる次第である。
>
> JACAR（アジア歴史資料センター）Ref.B02030591100
> 前掲『支那事変関係一件／輿論並新聞論調／支那側宣伝関係』第一巻

5 「アメリカ平和民主主義連盟」による反日宣伝

アメリカのマスコミの煽動主義・感傷主義、キリスト教の擁護者・蒋介石と宋美齢夫人への共感、ナチス・ドイツと組んだことへの反感、主にこの三つの要因でアメリカの対日世論は悪化しつつあると、在ニューヨーク総領事若杉要は分析していたわけである。

しかも若杉は、その対日世論をさらに反日へと誘導する反日宣伝組織がアメリカで活動していると指摘している。前述の「当地方ニ於ル支那側宣伝ニ関スル件」（機密第五六〇号）において、シナ事変において日本が悪いと宣伝している組織は主に四つに分類されるとしている。

> 支那側宣伝組織は
> （一）支那側系
> （二）共産党その他左翼団体系
> （三）宗教的または人道的団体系
> （四）その他
> に大別できるが、その間に相互連絡あることは勿論であるが、共産党系の反「ファシズム」、「デモクラシー」擁護の目標が各種団体の指導原理となり、活動の基調となっていると認められる。
>
> JACAR（アジア歴史資料センター）Ref.B02030591100
> 前掲『支那事変関係一件／輿論並新聞論調／支那側宣伝関係』第一巻

要はアメリカにおける反日宣伝は、中国国民党系、共産党系、宗教的または人道的団体系、その他の四つの系統があるが、その中心はアメリカ共産党だという。

> ㈠米国共産党及びその他左翼団体
> 現在米国に於ける日本攻撃の先鋒は米国共産党である。特にニューヨーク市は共産党の指導誘掖に係る凡そ百の左翼団体活動の中心である。これら団体の活動目標は日本の対米関係の悪化に務め、之に依り直接には支那側を援助激励してその長期抵抗を可能ならしめ、間接には日本のソ連に対する圧力を弱化しようとすることにあることは、疑いの余地がないところである。
> このような宣伝工作の真の目的を隠蔽するため、「デモクラシー」擁護、「アメリカニズム」の宣揚により、広く反「ファシズム」諸勢力の糾合に鋭意努めつつある。その結果、共産党系の反日工作は侮りがたい効果を挙げつつある。
>
> JACAR（アジア歴史資料センター）Ref.B02030591100
> 前掲『支那事変関係一件／輿論並新聞論調／支那側宣伝関係』第一巻

アメリカ共産党の反日宣伝の目的は、アメリカが中国を支援し、日本に圧力をかけるよう誘導することで、中国側が長期にわたって日本に抵抗できるようにするとともに、日本がソ連に対して軍事行動を取れないようにすることだと、若杉総領事は分析している。

以下、米国共産党及びその他左翼団体の支那側宣伝状態に付き、略説する。

（1）米国共産党

「ファシズム」諸国、特に日本に対する目の前の闘争を容易にさせるため、階級闘争理論を一時修正し、現在は「ファシズム」対「デモクラシー」の闘争に勢力を集中しつつあると認められ、quarantine aggressor は党の中心的「スローガン」である。

日本に対する闘争のための障害を除去し、同志を糾合するため、米国共産党の綱領は true Americanism であるという理論をも唱道しつつあり、「ファシスト」の脅威という宣伝は米国上院下院において予想以上の成功を収めていて、例えば上院議員 George Norris（ネブラスカ）のような従来徹底的平和論者が「ファシズム」国家の侵略を停止するためには早期に於いて、米、英、佛、蘇の四か国が結合して武力闘争をすることも可とすると述べるようになっている。

JACAR（アジア歴史資料センター）Ref.B02030591100
前掲『支那事変関係一件／輿論並新聞論調／支那側宣伝関係』第一巻

アメリカ共産党は従来の共産革命、階級闘争という方針を引っ込め、ドイツや日本という「ファシズム」国家と、アメリカ、イギリス、フランス、ソ連という「デモクラシー」国家との戦いだという「宣伝」を繰り広げ、アメリカの連邦議会にも好意的に受け取られつつあるという。

というのも、アメリカ共産党と連携して反日宣伝を繰り広げていたのが、アメリカを代表するアジア問題のシンクタンクIPRであり、国務省官僚たちが読んでいる雑誌『アメレジア』だったからであるとして、若杉総領事はこう指摘する。

更に Institute of Pacific Relations は共産党と密接関係を有しているものと認められる。即ち同協会 America Council の中心人物である Frederick V. Field が共産党の青年養成機関である Pioneer Youth America の会長である他、同人は又 China Aid Council of the league for Peace & Democracy の共産党系理事である P. J. Jaffe が主筆である月刊雑誌 Amerasia の編集部長であること、同雑誌社がI・P・R・と同一建物内に在ること、I・P・R・の幹部である二人の支那人 Dr. Chao-ting Chi［註：冀朝鼎］及び Dr. Chen Han-Seng［註：陳翰笙］は共に Amerasia 誌に使用され、且つ America Friends of Chinese people のために講演、執筆しつつあること等の事実により密接な関係を推知できる。

JACAR（アジア歴史資料センター）Ref.B02030591100
前掲『支那事変関係一件／輿論並新聞論調／支那側宣伝関係』第一巻

このようにアメリカ共産党、ＩＰＲ、雑誌『アメレジア』のフィールド、ジャッフェ、冀朝鼎らが労働組合などを巻き込んで組織した国民運動団体「反戦・反ファシズム・アメリカ連盟（American League against War and Fascism）」は一九三七年十一月、全米大会を開催し、名称を「アメリカ平和民主主義連盟（American League for Peace And Democracy）」と変更した上で、日本の中国「侵略」反対のデモや対日武器禁輸を国会に請願する活動も開始した。

⑵ American League for Peace And Democracy.

本団体はその幹部中に多数有力な共産党員を包含し共産党の指導方針に従い行動していると言っても過言ではない。

全米二十四州一〇九都市に支部を設置し又二十二都市に同連盟の庇護の下に China Aid Council を設置した。同 Council は「リーグ」会員、親支的団体及び公衆より資金を募集し又は反日「ボイコット」の「ピケット」及び日本の侵略反対「デモンストレーション」を組織する他、対日武器輸出禁止法に関し議会方面に請願書を配布した。「チャイナ・エード・カウンシル」の指揮者は Phillip J. Jaffe である。（同人は内実は共産党員にして昨年支那に渡り共産軍本部を訪問した）。しかも「チャイナ・エード・カウンシル」及び「リーグ・フォーア・ピース・アンド・デモクラシー」を通し活動することにより、共産党員は容易に各階級に接触し、その勢力を糾合しつつある。尚、本連盟は約二千の団体の支持を受けていて、これら団体所属の会員数は三百万を超過する趣である。

JACAR（アジア歴史資料センター）Ref.B02030591100
前掲『支那事変関係一件／輿論並新聞論調／支那側宣伝関係』第一巻

この「アメリカ平和民主主義連盟」は一九三八年の時点で、全米二四州一〇九都市に支部を設置し、約二千の団体を糾合し、その団体所属の会員数は実に三百万人を超えたという。

そしてこの「アメリカ平和民主主義連盟」が母体となって翌一九三八年八月、元国務長官で、後にルーズヴェルト政権で陸軍長官を務めたH・スティムソンを名誉会長とする「日本の中国侵略に加担しないアメリカ委員会」（The American Commitee for Non-Participation in Japanese Aggression）がニューヨークにおいて結成された。その目的は「日本軍国主義に武器弾薬およびその原料を供給するという戦争関与行為を即時停止させ、道徳的・経済的・政治的なあらゆる手段で中国を支援する世論を喚起する」

ことであった（馬暁華『幻の新秩序とアジア太平洋』七四頁）。

理事長はロックフェラー財団のロジャー・グリーン（元在漢口アメリカ総領事）であったが、発起人には、フィリップ・ジャッフェ（『アメレジア』編集員）やT・A・ビッソン（外交政策協会研究員）などアメリカ共産党の関係者が名を連ねた（The American Committee for Non-Participation in Japanese Aggression, *AMERICA'S SHARE IN JAPAN'S WAR GUILT*, 8 West 40th Street New York, N.Y. 1938）。

6 盲点となっている「アメリカ共産党の対米工作」

このようにシナ事変（日中戦争）以降、アメリカで繰り広げられた反日宣伝を主導したのはアメリカ共産党の関係者たちであったと、在ニューヨーク総領事若杉要は「当地方に於ける支那側宣伝に関する件」（機密第五六〇号）において分析しているのだが、果たしてこの分析は正しいのか。

ソ連邦の解体を受けてロシア政府は一九九二年に、ロシア現代史文書保存・研究センター（RTsKhIDNI）に保管されていたソ連・コミンテルンの秘密工作に関する公文書（通称リッツキドニー文書）を公開した。この公文書を収集・研究したアメリカの歴史家H・クレア、J・E・ヘインズ、F・I・フイルソフは連名で『アメリカ共産党とコミンテルン』を発刊した。

クレアらはこのリッツキドニー文書を踏まえて、「一九三〇年代後半までに、CIO（註：産業別組合会議）のメンバーの四分の一が共産主義者の指導下にある組合に所属していた。人民戦線の方針に支えられて、共産主義者は短期間に数十の組織に入り込み、アメリカ人の生活のさまざまな面に関係を持ち始めた。アメリカ作家連盟League of American Writersや反戦・反ファシズム・アメリカ連盟American League against War and Fascismのような共産主義者が支配するグループに有名な作家、芸術家、知識人が結集した。アメリカ最大の青年グループ連合であるアメリカ青年会議American Youth Congressも共産主義者が仕切っていた。」と、ソ連の指導を受けていたアメリカ共産党がアメリカにおいて多くの労働組合、団体を影響下においていたと指摘している（H・クレア、J・E・ヘインズ、F・I・フイルソフ『アメリカ共産党とコミンテルン』四三〜四四頁）。

「アメリカ平和民主主義連盟」の前身、「アメリカ反戦・反ファシズム・アメリカ連盟（American League against War and Fascism）」がアメリカ共産党の支配下にあったと、クレアらも認めているわけだ。だが、クレアらは、一九三七年当時のアメリカにおける反日宣伝と共産党との関係について注目していない。

一九九五年にアメリカ国家安全保障局（NSA）は、「ヴェノナ文書」を公開した。第二次世界大戦前後の時期にアメリカ国内のソ連のスパイたちがモスクワの諜報本部との間でやり取りした約三千通に上る秘密通信をアメリカ側が秘密裡に傍受し解読していた記録を一斉に公開したのだ。

この公開によって戦時中から戦後にかけてソ連がアメリカ共産党などを使ってアメリカに対して大規模な秘密工作を仕掛けていたことが判明しつつある。

特に『アメレジア』創刊に関与し、延安に赴き、「日本の中国侵略に加担しないアメリカ委員会」の呼びかけ人となったビッソンが、ソ連の情報提供者であることが判明した。

実はビッソンは生前、ソ連のスパイでも共産主義者でもないと、その関係を否定していた。「ビッソンは一九四三年に非米活動特別委員会で、自分は共産主義のシンパではない、と主張した。自らの活動のすべては、ソ連と中国に対するより深い理解をアメリカ人に与えることである、と彼は断言した。おそらくその〝理解を求める活動〟の一環として、一九四三年にビッソンは経済戦争委員会の秘密の報告書をバーンスタインに提供したのである」（前掲『ヴェノナ』二六三頁）。

だが、「ヴェノナ文書」（一九四三年六月十六日付通信文）によれば、ビッソンは一九四三年六月頃、GRU（ソ連軍情報部）の工作員としてリクルートされ、「アーサー」というコード名で呼ばれていたことが明らかになった。

「MARQUIS（引用者註：共産党員のジョゼフ・バーンスタインのコード名）はT・A・ビッソンと親しい関係を築いた（今後はARTHUR［ARTUR］とする）。ビッソンは最近BEW（引用者註：Board of Economic Warfare、政府の経済戦争委員会）を辞めて現在、太平洋問題調査会（IPR）に勤務しており、MARQUISの雑誌（『パシフィック・アフェアーズ』）の編集部で働いている。（中略）ARTHURはMARQUISに（中略）四つの文書を手渡した。」

"GRU agent Joseph M. Bernstein is recruiting T. A. Bisson who passes along documents".
https://www.nsa.gov/Portals/70/documents/news-features/declassified-documents/venona/dated/1943/16jun_bisson.pdf

なお、原文は以下の通りである。

Marquis (Joseph Bernstein) has established friendly relations with T. A. Bisson (hereafter Arthur)... who has recently left BEW; he is now working in the Institute of Pacific Relations (IPR) and in the editorial offices of Marquis' periodical [Amerasia] ... Arthur passed to Marquis... copies of four documents:

(a) his own report for BEW with his views on working out a plan for shipment of American troops to China;

(b) a report by the Chinese embassy in Washington to its government in China...

(c) a brief BEW report of April 1943 on a general evaluation of

the forces of the sides on the Soviet-German front….
(d) a report by the American consul in Vladivostok…

おわりに

一九三八年当時、アメリカにおいて繰り広げられた反日宣伝工作がアメリカ共産党と深く関係していると、当時の日本外務省は分析していた。しかも日本外務省は内務省警保局と連携して、アメリカ共産党の秘密工作に関する調査・研究を続けており、一九四一年には実に二八六頁もの『米国共産党調書』を発行している。

一九九二年にロシア政府の手で「リッツキドニー文書」が、一九九五年にはアメリカ政府の手で「ヴェノナ文書」が相次いで公開され、アメリカ共産党とソ連による秘密工作に関する研究が進んでいて、断片的ながらも戦前の日本外務省の調査を裏付けるような研究も現れつつある。

だが、この「リッツキドニー文書」や「ヴェノナ文書」研究は主としてアメリカとイギリスの研究者たちによって進められているからか、日本にとっては重大な意味を持つ、戦前のアメリカにおける反日宣伝工作とアメリカ共産党との関係に関する研究は進んでいない。

この近現代史、日米関係史の研究の「空白」をどう埋めていくのか。

シナ事変をきっかけにアメリカの対日世論が変わってきたことを踏まえれば、「ヴェノナ文書」などを踏まえつつ、アメリカ共産党の対米秘密工作と反日宣伝の関係はもっと注目されるべきであろう。

主要参考文献

Harvey Klehr & Ronald Radosh, *The Amerasia Spy Case: Prelude to McCarthyism*, The University of North Carolina Press, 1996.
H・クレア、J・E・ヘインズ、F・I・フイルソフ『アメリカ共産党とコミンテルン』五月書房、二〇〇〇年
ハワード・B・ショーンバーガー『占領 1945～1952——戦後日本をつくりあげた8人のアメリカ人』宮崎章訳、時事通信社、一九九四年
長尾龍一『アメリカ知識人と極東』東京大学出版会、一九八五年
ジョン・アール・ヘインズ、ハーヴェイ・クレア『ヴェノナ——解読されたソ連の暗号とスパイ活動』中西輝政監修、扶桑社、二〇一九年
馬暁華『幻の新秩序とアジア太平洋——第二次世界大戦期の米中同盟の軋轢』彩流社、二〇〇〇年

英委任統治領パレスチナとピール分割案

【その歴史的背景】

内藤陽介

執筆者紹介は一六〇頁参照。

パレスチナ分割の画期となった一九三七年

第二次世界大戦後の一九四七年十一月二十九日、「英委任統治領パレスチナにアラブ、ユダヤの二独立国を創設し、エルサレムとその周辺は国連信託統治下に置く」という趣旨の国連決議第一八一号（パレスチナ分割決議）が採択され、同決議を受け入れてユダヤ国家の建設に向けて動き出したシオニスト住民と、それを阻止しようとするアラブ系住民の間で武力衝突が発生した。一般には、これがいわゆるパレスチナ紛争の直接の発端とされることが多い。

しかし、パレスチナをアラブとユダヤに分割するという方針は、一九四七年に突如提起されたものではなく、一九三七年に英王立調査委員会が提案した「ピール分割案」の骨子を継承したものであった。それゆえ、パレスチナにとっても一九三七年は重要な転換点であったとみることも可能であろう。

本稿では、そうした観点から、ピール分割案とその歴史的背景について概観してみたい。

アラブとシオニストが併存する〝英領パレスチナ〟

第一次大戦以前、パレスチナを含む歴史的シリアの地はオスマン帝国の支配下にあったが、戦後、英仏によって、仏委任統治領のシリア、レバノン、英委任統治領の（大）パレスチナに分割された。

　英国は、一九二〇年に（大）パレスチナの委任統治を開始したが、大戦中、預言者ムハンマドの直系子孫であるハーシム家の当主、シャリーフ・フサインと交わした「戦後、アラブの独立国を創設する」との密約の履行をめぐって、フサインの子、アブドゥッラーがフランスを武力で討伐することを強硬に主張したため、一九二三年、（大）パレスチナの領域のうち、ヨルダン川以東に〝トランスヨルダン〟を創設し、アブドゥッラーをその王として迎え入れることでアラブ側を慰撫しようとした。

　一方、全世界に離散したユダヤ人／ユダヤ教徒が、〝民族的郷土〟としての聖地エルサレムに再結集してユダヤ国家を再建するというシオニズムの支持者（シオニスト）は、大戦中のバルフォア宣言によって英国はシオニズムへの支援を表明したと理解していたため、（大）パレスチナの分割には不満であったが、多数派は、英国の決定を追認し、ともかくもヨルダン川以西に〝民族的郷土〟を建設することが現実的な解決策と考えていた。

　しかし、シオニストの中でも強硬派はトランスヨルダンの分離には絶対反対の立場を取り、英国のプランを〝修正〟し、ヨルダン川両岸にまたがる大ユダヤ国家を建設すべきと主張した。これがいわゆる〝修正シオニズム〟である。

　さて、一九二〇年にパレスチナの委任統治を開始した英国は、当初、シオニストとアラブが単一の憲法の下に共存する体制を想定しており、パレスチナをアラブ地域とユダヤ地域（シオニスト地域）に分割する意思はなかった。また、シオニストの側も、将来建設されるユダヤ国家は英本国をモデルとし、ユダヤと（ユダヤに友好的な）アラブが首相・副首相職を分け合うなど、両者は平等の地位・権利を共有すべきと主張していたし、在地のアラブ住民の大半は自分たちの生活が脅かされない限りにおいて、ユダヤ系移民との共存を望んでいたとされる。

　ところが、英委任統治領パレスチナの初代高等弁務官に就任したハーヴァート・サミュエルは、ポーランド系ユダヤ人家系の出身ということもあり、パレスチナへのユダヤ人の移民枠を年間一万六五〇〇人と規定。この移民枠いっぱいにユダヤ人の入植が行われると、アラブが九割を占めていたパレスチナの人口構成は四十年足らずのうちにユダヤ人が半数を占めることになるとの試算が公表されると、シオニストの人口侵略に危機感を抱いたアラブの反発が強まり、一九二一年四—五月にかけて、パレスチナ各地で大規模な反ユダヤ暴動が発生。死傷者は三千名を超えた。こうしたアラブ側からの攻撃に対処するためにシオニスト側が組織した軍事組織が、現在のイスラエル国防軍の前身となった〝ハガナー〟である。

　事態の収拾に迫られたサミュエルは、一転してパレスチナへ

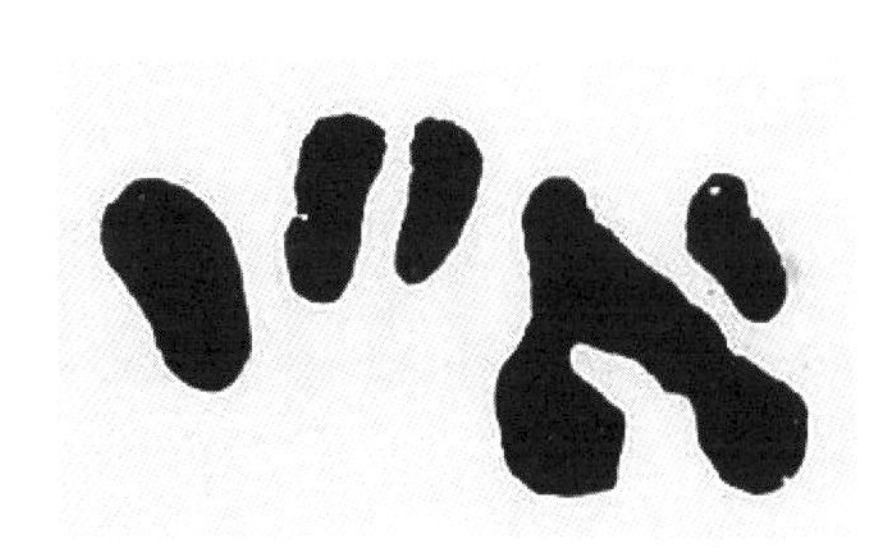

図2
切手に加刷されたヘブライ語の“EI”

図1
アラビア語・英語・ヘブライ語の各国語で“パレスチナ”と加刷した切手（文字幅8mm）

のユダヤ人移民の受け入れの一時凍結を発表してしまう。英国はその後もこうした場当たり的な対応を続けたため、アラブとシオニストの双方の不信感が醸成されていくことになった。

それでも、一九二〇年代の時点では、（実態はどうあれ）〝パレスチナ〟の枠組は維持されるべきとの認識じたいは英当局、アラブ、シオニストの間で共有されており、そのことは、当時の切手にも反映されていた。

第一次大戦中、パレスチナを占領した英アラブ連合軍は、オスマン帝国の切手の使用を禁止し、英国のエジプト遠征軍（ＥＥＦ）の切手を使用させていた。

高等弁務官として着任した当初のサミュエルは、パレスチナでの新規の切手発行は不要で、従来通り、ＥＥＦの切手を使い続ければよいと考えていたが、英本国郵政省は、ＥＥＦ切手が実質的に軍事郵便用の切手であったことから、ＥＥＦの切手に、英語、アラビア語、ヘブライ語の三カ国語で〝パレスチナ〟と加刷した切手を発行することを提案。これを受けて、一九二〇年九月、三カ国語による〝パレスチナ〟加刷切手（**図1**）が発行される。

加刷は東方正教会のエルサレム総主教庁の管轄下にある修道院の印刷機を使い、アラビア語、英語、ヘブライ語の順に行われた。このうち、アラビア語と英語に関しては、地名の〝パレスチナ〟に相当する語がそのまま加刷されたが、ヘブライ語に関しては、〝パレスチナ〟の地名にヘブライ語で〝ＥＩ〟を示す文字（図２）が付け加えられた。

これは〝イスラエルの地〟を意味するヘブライ語の〝エレツ・イスラエル（Eretz Israel）〟の頭文字で、パレスチナに〝民族的郷土〟を建設しようとするシオニズムにとって重要な用語である。当初、この頭文字は〝パレスチナ〟の右側（語順としては〝パレスチナ〟の前）に置かれる予定だったが、そのことが明らかになると、バルフォア宣言に反発するアラブ系住民の間から委任統治当局に対して抗議が殺到した。名門フサイニー家の出身のアラブの政治指導者、ジャマール・フサイニーは英当局に対して妥協的な人物で、過激な反英・反シオニスト運動には否定的な人物であったが、その彼でさえ、ヘブライ語の〝ＥＩ〟を

図３
アラビア語の加刷文字を横幅10ミリに変更して発行された切手

切手に加刷することには反対し、パレスチナ当局に対する怒りを隠さなかったという。

これに対して、パレスチナ当局は、アラブ側住民の要求に屈して〝ＥＩ〟の文字を外すことは認められないとの立場を取ったものの、問題の文字を〝パレスチナ〟の左側（語順としては〝パレスチナ〟の後）に変更することで妥協を図ろうとした。

しかし、この妥協策に不満なアラブ系住民は、〝ＥＩ〟についての議論とは別に、英語・アラビア語に比べてアラビア語の表示が小さいことを問題視。このため、パレスチナ当局は、横幅八ミリだったアラビア語の加刷文字を横幅十ミリに拡大した新たな加刷切手（図３）を一九二二年初に発行する。

新たな加刷作業はアラブ系住民を慰撫する必要から、アラブ系の印刷所で行われたが、今度は、シオニスト側が、アラブ系印刷所への発注は結果的に反シオニスト勢力への資金提供につながっているとして、パレスチナ当局に抗議した。

このため、一九二二年後半以降、パレスチナで使用される切手の製造は、すべてロンドンで行われることになり、ようやく加刷切手をめぐる混乱は収束した。

一連の騒動は、ともかくも〝（英委任統治領）パレスチナ〟の枠組のなかに、アラブとシオニストが併存することが暗黙の前提とされていたがゆえに生じたもので、パレスチナの分割が当初からの既定路線であれば起こりえなかったものとみてよい。

一九三六年の大叛乱

さて、一九二〇年代前半には、シオニスト移民の急増に伴う社会摩擦の増大により、パレスチナの社会状況は不安定化したが、一九二〇年代後半になると、パレスチナへのユダヤ系移民の流入が制限されたことに加え、パレスチナに永住せず、アメリカ大陸などへ渡るユダヤ人の数も次第に増加するようになったため、アラブ側による反シオニスト暴動も徐々に沈静化し、パレスチナの政情は安定化していくように思われた。

ところが、一九三三年、ドイツでヒトラー政権が成立。強烈な反ユダヤ主義を掲げ、政権発足早々に「職業官吏再建法」によって公務員からのユダヤ人排除を行うなど、反ユダヤ主義政策を展開するヒトラー政権下のドイツから、身の危険を感じてパレスチナへ流入するユダヤ人の数が激増し、一九三三年には約二十三万人だったパレスチナのユダヤ系人口は、三年後の一九三六年には約四十万人にまで増加する。

もともと、一九二九年に始まった世界恐慌の影響でパレスチナ経済が停滞し、アラブ社会においては失業者や土地を失う農民が増えつつある中で、ふたたびユダヤ系の人口が急増すれば、アラブとユダヤの緊張が高まるのは必定である。

パレスチナへのシオニストの流入が急増していく中で、アラブ側はパレスチナがアラブの土地であることをアピールすべく、パレスチナにおけるアラブの文化や風俗習慣などを広く紹介するためのイベントとして、一九三三年以降、数次にわたって〝エルサレム・アラブ博覧会〟（アラブ・フェア）を開催した。

図4は、一九三四年三月二十日、エルサレムから、岩のドームの八ミリーム切手を貼ってスイス・ルツェルン宛に差し出された葉書で、一九三四年四月六日から始まる〝（第二回）アラブ・フェア〟を宣伝するための標語印が押されている。標語は、英語・ドイツ語・フランス語・アラビア語の四カ国語で「一九三四年四月六日　エルサレム・アラブ博覧会に行こう」という趣旨の文言となっているが、パレスチナの公用語である英語だけでなく、フランス語やドイツ語も入っているのは、標語印の押された葉書が広く世界中に流通する過程で標語の内容が各国の人々にも周知されることを想定したもので、郵便物そのものを宣伝媒体として活用しようという発想による。

アラブとシオニストの緊張が高まる中、一九三五年十一月、ハイファでイスラム法廷の書記をしていたイッズッディーン・カッサームが、反シオニスト・反植民地主義のジハード（聖戦）を呼号して、警察の武器庫を襲撃する事件が発生。事件はただちに鎮圧され、カッサーム本人も戦闘により死亡した。ちなみに現在、ガザ地区を実効支配しているハマースの武装組織〝イッズッディーン・カッサーム旅団〟の名は、彼にちなむものであ

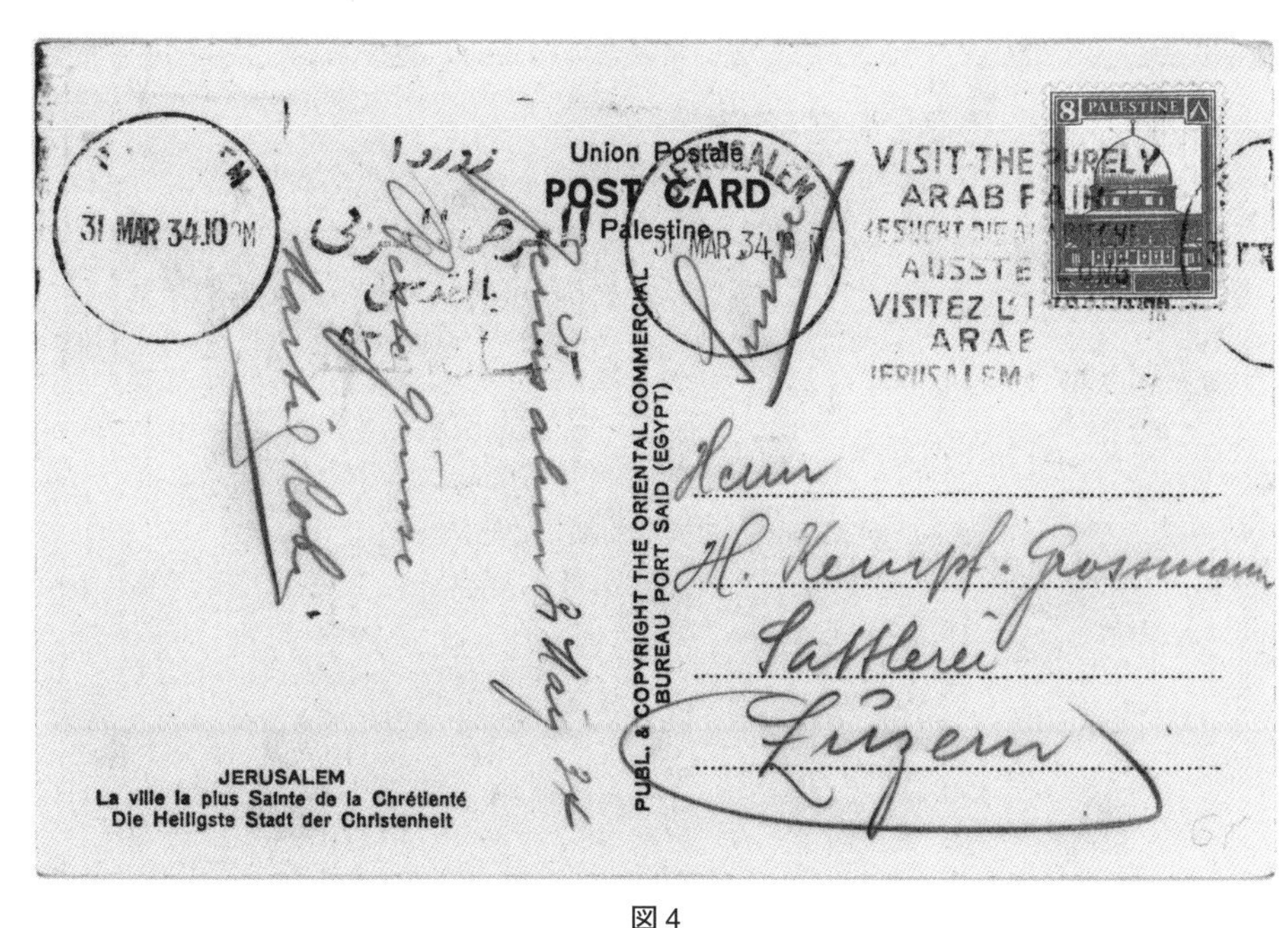

図4

アラブ・フェアを宣伝する標語印が押された葉書

る。

さらに、一九三六年四月十五日、カッサーム事件の残党がナーブルスからトゥルカームに向かうユダヤ人車両を襲撃し、運転手ら二人を殺害すると、翌十六日、その報復としてイルグン（ユダヤ民族軍事機構）が、事件とは全く無関係のアラブの労働者二人を射殺。さらに、十七日に行われたユダヤ人運転手の葬儀にあつまったユダヤ人が暴徒化し、アラブの子供たちが暴行・略奪の被害に遭うと、パレスチナ全土は騒擾状態となった。

こうしたなかで、四月十九日、ナーブルスでアラブ系労働者によるゼネストが発生。パレスチナ全土のアラブ系労働者がこれに同調し、闘争本部として四月二十五日に設立された〝アラブ高等委員会〟は「英国政府が現在の政策を根本的に変えるまでゼネストを続ける」として、①ユダヤ人入植の禁止、②アラブ人からユダヤ人への土地譲渡の禁止、②代表議会に責任を持つ国民政府の樹立を要求した。

ゼネストは長期化し、アラブ高等委員会はユダヤ人入植に抗議して英委任統治当局への納税を拒否。地方では武装反乱が散発的に発生し、交通機関やシオニスト入植地、ユダヤ人、ユダヤ教徒等への襲撃が相次いだ。

ゼネストの期間中、アラブ高等委員会は闘争資金を集めるため、パレスチナの地図と岩のドーム等を描く宣伝ラベル（図5）を販売し、これを郵便物に貼って、パレスチナがアラブの

図5
アラブ高等委員会が1936年に製作した宣伝ラベル

土地であることを広く訴えるよう、支援者に求めた。

結局、ゼネストは百七十四日間続き、十月九日、ようやく終結したが、この間、パレスチナ当局は二万人の兵力を動員し、当局による鎮圧の過程で、千人ものアラブ系住民が命を落としている。

ピール分割案

ゼネストの発生を受けて、一九三六年五月十八日、英国では対応を協議するための王立委員会（委員長のウィリアム・ピール公爵にちなんで〝ピール委員会〟と呼ばれる）が設立され、六月二十九日、委員が招集されたが、現地の情勢が不安定であったため、委員会が実際に現地調査を開始したのは、ゼネスト終結後の十一月十一日のことであった。

ピール委員会は、事前の情報分析に加え、現地調査の結果も踏まえ、今回のゼネストは、植民地政庁・同裁判所のアラブ系の職員、政治家のみならず、近隣のシリア、イラクからも多くのアラブ・ナショナリストが義勇兵として加わって起きた独立闘争であるとの認識から、パレスチナの地でアラブとシオニストが統一国家を樹立することは不可能であるとの結論に達し、パレスチナの分割という解決策を提案することになる。

すなわち、極東で盧溝橋事件が発生したのとまさに同日の一九三七年七月七日に提出された委員会報告書では、①委任統治領としてのパレスチナのユダヤ州（当時のユダヤ人土地所有人口と国内の最も肥沃な土地を合わせた領域だが、面積は小さい）と、トランスヨルダンに隣接するアラブ州（面積は大きい）、エルサレムから地中海にかけての一部の地域からなる英委任統治領、に三分する、②分割後はユダヤ人とアラブの住民交換を行い、ユダヤ州からはアラブ住民が退去し、アラブ州からはユダヤ住民が退去してトランスヨルダンと連合する、という二項目を骨子とする「ピール分割案」が謳われていた。

ピール分割案に対しては、全パレスチナはアラブに帰属するという立場のAHCは即座にこれを拒否し、アラブ民族主義過激派は、一九三七年九月二十六日、ナザレで地区コミッショナーのルイス・イェランド・アンドリュースを殺害した。このため、英当局はアラブ高等委員会議長のハッジ・アミーン・フサイニーの逮捕状を発し、アラブ高等委員会を非合法化した。

これに対して、フサイニーはしばらくの間、エルサレム旧市街の神殿の丘に潜伏していたが、シリアに脱出。その後、アラブ側はジャッファを拠点に、ナーブルスとヘブロンを一年半にわたって占領し、一九三九年三月まで抵抗をつづけた。

一方、シオニストの側では、ユダヤ機関執行委員会議長のダヴィド・ベングリオンがまずはユダヤ人国家の既成事実化を最優先すべきという観点からピール分割案を支持し、ユダヤ州（予定地）へのユダヤ住民の移住を「ユダヤ人の自由な故郷の地固め」の基礎と位置づけ、「（ピール分割案は）今後の交渉の基礎であり、英国とは修正交渉を行うことになる」という方向でシオニスト主流派をまとめることに成功した。

その一方で、シオニストはアラブの叛乱に対抗するための軍事組織として、一九三七年、ハガナーの野戦機動部隊〝ノデドット〟を〝野戦中隊（ＦＯＳＨ）〟として再編する。ノデドットおよびＦＯＳＨの指揮官だったイツハク・サデーは防衛のためには敵の拠点を積極的に攻撃すべきという考えの持ち主で、パレスチナの主要都市を占拠して、アラブ系住民を物理的に排除する〝アヴナー計画〟を立案した。

ジャボチンスキーの「避難計画」

ところで、シオニスト主流派のベングリオンの主張に対しては、修正シオニズムの指導者、ゼエヴ・ジャボチンスキーと彼の支持者も強硬に反対していた。

ジャボチンスキーは過激な修正シオニズムの指導者で、ハガナーに飽き足らない対アラブ強硬派を集めてイルグンを組織した中心人物だったことから、英当局から危険視され、パレスチナから事実上の追放処分を受けて、ポーランドを拠点に活動していた。こうした環境の下で、彼は〝外圧〟によってパレスチナにユダヤ国家を樹立すべく、カッサーム事件を機にパレスチナ社会が騒然としていた最中の一九三六年に「避難計画」を発表する。

ところで、現在のポーランド国家は、国民の九〇％以上がポーランド人（カシューブ人やグラル人を含む）によって構成されており、事実上の単一民族国家となっているが、これは、第二次世界大戦末期のポツダム会談の結果、領土全体が地理的に西側へ移動したことに加え、戦後の共産主義政権がドイツ人等を国外追放処分にしたことによるもので、第二次大戦以前のポーランドの民族構成は、最大民族のポーランド人の他、ウクライナ人一四・三％、ユダヤ人一〇・五％、ベラルーシ人三・九％、ドイツ人三・九%などと、少数民族が人口の約三割を占める多民族国家であり、社会全体に反ユダヤ主義の風潮がかなり強かった。

それでも、一九二六年から一九三五年までのユゼフ・ピウスツキ政権下では、諸民族が宥和する多民族国家を目指すとの建国の理念に基づき、反ユダヤ主義を含む過剰な民族主義は抑え込まれていたが、一九三五年三月十二日にピウスツキが亡くなると、隣国ドイツのヒトラー政権が経済政策で一定の成果を上げていたことに刺激を受けた野党勢力が「ユダヤ人から買うな」のスローガンを掲げて反ユダヤキャンペーンを展開。この反ユダヤ宣伝は、不況下の生活苦にあえぐポーランド人の一定の支持を集めたことから、次第に旧ピウスツキ派もこれに同調するようになり、社会全体に反ユダヤ主義的な空気が横溢し、各地で流血を伴う反ユダヤ暴動(ポグロム)が頻発した。具体的なポグロムの事例としては、たとえば、一九三五年六月のグロドノ(現ベラルーシ領フロドナ)、一九三六年三月のピシティク、同年六月のミンスク・マゾヴィエツキ(現リトアニア領テルシェイ)、一九三七年五月のブジェシチ(現ベラルーシ領ブレスト)などが挙げられる。

これに対して、ポーランド政府は反ユダヤ主義者の暴力を取り締まるのではなく、国内のユダヤ人口を減少させることが問題の解決になるとの立場を取り、ユダヤ人の国外移住を奨励した。

ジャボチンスキーの「避難計画」はこのポーランドの政策を逆手に取り、ユダヤ人が自ら進んでポーランドを脱出してパレスチナの〝民族的郷土〟に向かうべきとするものだった。ジャボチンスキーは、ポーランド、ハンガリー、ルーマニアの各国首脳と対談し、「避難計画」に対する各国の承認を得て、三国から十年計画でユダヤ人をパレスチナ全土に移住させるとの計画を打ち上げた。

当然のことながら、シオニスト主流派は、ジャボチンスキーの「避難計画」をヨーロッパの反ユダヤ主義を利するものと批判し、英国もピール分割案を根本から覆しかねない「避難計画」に激しく反発する。

しかし、ジャボチンスキーは「ポーランドのユダヤ人は火山の端に生きている。近い将来、いつかポーランドに血なまぐさいユダヤ人大虐殺の波が押し寄せるだろう。ヨーロッパのユダヤ人は、できるだけ早くパレスチナに発たなければならない」と主張。バルフォア宣言を根拠として、大規模なユダヤ移民をパレスチナに送り込むべきとの大々的なキャンペーンを展開し、ピール分割案とそれを受けいれたベングリオンらシオニスト主流派を激しく攻撃した。

その一端として、たとえば、**図6**の郵便物に使用されているような封筒も制作された。

封筒の左側に大きく描かれているのはジャボチンスキーの肖

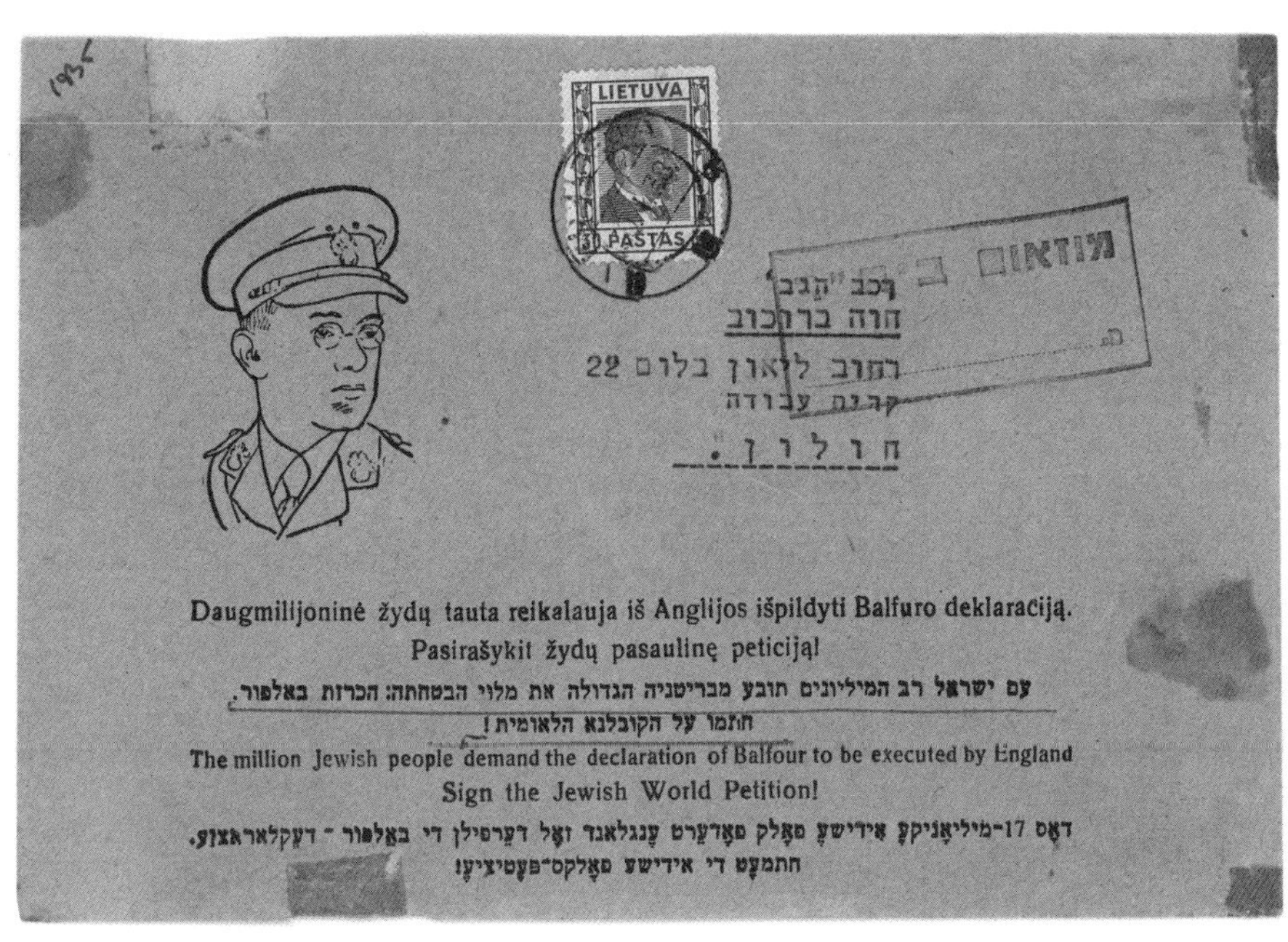

図6
バルフォア宣言の履行を求める文言の印刷されたリトアニアからの郵便物

像で、リトアニア語・ヘブライ語・英語で「一〇〇万人のユダヤ人がイギリスによるバルフォア宣言の履行を求めている。ユダヤ国際嘆願書に署名しよう！」との文言が入っている。（彼らの理解によれば）バルフォア宣言に基づき、〝民族的郷土〟へ帰るべきユダヤ人がパレスチナ当局によって入国制限を受けていることは理不尽であるとの彼らの主張は、こうした郵便物が全世界を流通していくことで拡散されていったのである。

ピール分割案からマクドナルド白書へ

ピール分割案に対する反発が予想外に強く、特に、アラブの激しい抵抗が一九三九年三月まで続いたことから、英当局は、ピール分割案をそのままパレスチナに適用すればアラブ世界との対立は修復不能なものとなりかねず、彼らが反英を理由にナチス・ドイツと連携するおそれさえあると考えた。

実際、AHC元議長のフサイニーは、一九四一年十一月二十八日、ベルリンでヒトラーと会談。ヨーロッパからユダヤ人を殲滅するよう要求し、ヒトラーからは、パレスチナにユダヤ人国家を作ることに反対するとの言質を得ているから、英国の懸念は決して杞憂とは言い切れなかった。

こうした状況を踏まえて、一九三八年、英政府の政策要綱では「パレスチナにアラブとユダヤの独立国家を創出する提案に関する政治的、行政的、財政的困難は非常に大きく、問題の解決は不可能である」と結論付けられ、英国はパレスチナの分割を断念。そして、一九三九年五月十七日、パレスチナ問題に関する英国の新たな基本方針として「マクドナルド白書」が発表される。

その骨子は、①アラブ系住民による土地所有の保護（＝ユダヤ人移民に対する土地売却の制限）、②十年以内にアラブ主導のパレスチナ国家を創設しイギリスと同盟を結ぶ（＝ユダヤ人国家の否定）、③パレスチナへのユダヤ人の新規入植を五年間で七万五千人に制限する（ただし、ヨーロッパのユダヤ人難民に対しては特別に二万五千人の移住許可を与える）、というものだった。

これは、パレスチナのユダヤ人社会からすれば、ユダヤ人がパレスチナに〝民族的郷土〟を作ることに理解を示すというバルフォア宣言を無効化するものだったが、英国は、すでにパレスチナのユダヤ人口は四十五万人にも達しており、もはやパレスチナには〝ユダヤ人の民族的郷土〟が成立したとみなしうる状況になっていると強弁した。

英国の露骨な裏切りを前に、パレスチナのユダヤ人の中には英国を含む連合諸国への戦争協力には否定的な者も少なくなかったが、ベングリオンは、連合国の戦争に協力することでユダヤ系の実力を示し、それによって、自らユダヤ国家の独立を勝ち取るべきだと考え、「ユダヤ人の敵はマクドナルド白書であって英国ではない」との声明を発表。これにより、多くのシオニストは英国への不満を抑えて、ナチス・ドイツとの戦いを優先させ、中東地域での連合国の作戦に参加することになる。

こうして、ピール委員会の提案したパレスチナ分割案は、第二次世界大戦という非常時の到来によって凍結されたが、大戦が終了すれば、その凍結が解除されるのは自然の成り行きでもあったのだ。

主要参考文献

Bale, M. H., *Bale Catalogue of Palestine and Israel Postage Stamps* (24th ed), Ilfracombe, 2016

Collins, N. J., *Palestine Mandate Issues 1921-1948: the Crown Agents Requisition Books*, Beachwood, 1987

Dorfman, *The Stamps and Postal Stationary of Palestine Mandate 1918-1948; 2001 Specialized Catalog*, Redwood City, 2001

Krämer, G., A History of Palestine: From the Ottoman Conquest to the Founding of the State of Israel. Princeton University Press, 2008

Lewis, B., *Semites and Anti-Semites: An Inquiry into Conflict and Prejudice*. W.W. Norton & Company, 1999

A Short Introduction To The Philately Of Palestine　http://www.zobbel.de/stamp/pal_ine.htm

内藤陽介『パレスチナ現代史　岩のドームの郵便学』えにし書房（二〇一七）

――『アウシュヴィッツの手紙　改訂増補版』えにし書房（二〇一九）

	ソ連、フィンランドに侵攻（冬戦争、継続戦争）。 日独伊三国同盟。
1941年	日ソ中立条約。 ドイツ、ソ連に侵攻。 日独、アメリカに宣戦布告。
1945年	第二次大戦、終了。
1991年	ソ連崩壊。
2022年	ロシア、ウクライナに侵攻。

	中独条約。 日独防共協定。 中国で西安事件。 イギリスで、エドワード八世、退位(王冠をかけた恋)。ジョージ六世が即位。 トロツキー、メキシコに亡命。
1937年	
1月20日	アメリカで、F・ルーズベルトが二期目の大統領就任。
3月	アメリカで雑誌『アメレジア』発刊。
4月26日	ゲルニカ空爆。
5月12日	イギリスで、ジョージ六世の即位式。
5月28日	イギリスで、N・チェンバレンが首相に。
6月4日	日本で、近衛文麿が首相に。
6月12日	ソ連で、トハチェフスキー元帥が処刑される。7月以降翌年まで、スターリンの大粛清が本格化していく。
7月7日	盧溝橋事件。
7月7日	イギリスのピール委員会、パレスチナに関し「ユダヤとアラブとイギリス委任統治領の三分割」を提言。
7月8日	中国共産党、日本への徹底抗戦を呼びかけ。
7月11日	北支で日中両軍の停戦協定。同日、日本政府は「北支事変」と命名し派兵を決定。
7月17日	蔣介石、「最後の関頭」演説。
7月29日	通州事件。
8月9日	大山中尉虐殺事件。日本政府、強硬論一色に。
8月13日	第二次上海事変。
8月21日	中ソ不可侵条約。
9月2日	日本政府、「北支事変」を「支那事変」と改称。宣戦布告を行わないことに。
10月5日	F・ルーズベルト、日独伊を病原体にたとえる(隔離演説)。
10月	『中国の赤い星』、ロンドンで出版。
11月3日	九か国条約会議(〜15日)。
11月6日	イタリア、日独防共協定に参加。
12月13日	日本軍、南京占領。
1938年	近衛声明「蔣介石を対手とせず」 ドイツ、オーストリア併合。 ソ連で、ラブレンチー・ベリヤがNKVD長官に。大粛清の終わり。 英仏、独伊とミュンヘン会談。
1939年	ドイツ、チェコスロバキア進駐。 日ソ、ノモンハン事件で軍事衝突。 独ソのポーランド分割。英仏の対独参戦により、第二次世界大戦。
1940年	イギリス、チェンバレンからチャーチルに首相交代。 ドイツ、フランスを併合。

関連年表（1815-2022）

1815年	ナポレオン戦争、終了。
1904年	日露戦争（～05年）。
1914年	第一次大戦、開始。
1917年	ロシア革命。翌年から英仏の干渉戦争が本格化。日米なども参加（シベリア出兵）。
1918年	第一次大戦、停戦。
1919年	ヴェルサイユ会議。 ポーランド・ソビエト戦争（～21年）。
1920年	トリアノン条約（連合国とハンガリーの和平条約）。
1920年	セーブル条約（連合国とトルコの和平条約）。
1921年	ワシントン会議。（～22年）
1922年	ソ連、正式建国。
1923年	独ソ、ラパロ条約。
1924年	ソ連、スターリンが政権掌握。 モンゴル人民共和国、建国。 日本、二大政党制に（憲政の常道）。
1925年	英仏と独、ロカルノ条約。
1929年	世界大恐慌。 ラテラノ条約。バチカンの地位確定。
1930年	ロンドン海軍軍縮条約。
1931年	満洲事変。
1932年	第一次上海事変。 満洲国、建国。 日本、5.15事件で「憲政の常道」を放棄。
1933年	ドイツ、ヒトラーが政権掌握。 日本、国際連盟の脱退を宣言。 アメリカで、F・ルーズベルトが大統領就任。
1934年	ドイツで「長いナイフの夜」。ヒトラー、反対派を粛清。 オーストリア・ナチス党、蜂起。ドルフス首相、暗殺。
1935年	ドイツ、再軍備宣言。 英独海軍協定。 イタリア、エチオピアに侵攻。 コミンテルン第7回大会。
1936年	日本で2.26事件。準戦時体制へ。 ドイツ、ラインラント進駐。 フランスで人民戦線内閣。 スペイン内戦。（～39年）

わ 行

ま　行

や　行

ら　行

な　行

は　行

た　行

さ 行

人名索引

＊中国人名は、日本での漢字の音読みの順で配列している

あ 行

か 行

〔編集後記〕
▼昭和12年（1937年）から、85年の歳月が流れた。日本でみると、前年の2. 26事件のテロ、その後半年に亘る戒厳令（東京市)、5月にはあの斎藤隆夫の衆議院本会議での「粛軍に関する質問演説」など国内はかなり不穏な空気が流れ、その翌37年7月、支那事変に突入ということになる。
▼世界を眺めると、36年、ドイツ、イタリア共、対外的に進駐をし、10月には、ベルリン・ローマ枢軸を形成する。翌37年には、4月独がゲルニカを爆撃。ピカソの有名なあのゲルニカである。8月には、中ソの不可侵条約の調印と。
▼この時代、刻々と第二次世界大戦への発火が、迫ってきている時代であった。『1937年の世界史』、ご高覧あれ。

（亮）

別冊『環』㉗
1937年の世界史

2022年 9月30日発行

編集兼発行人 藤原良雄
発行所 株式会社 藤原書店

〒162-0041 東京都新宿区早稲田鶴巻町523
電話 03-5272-0301（代表）
FAX 03-5272-0450
URL http://www.fujiwara-shoten.co.jp/
振替 00160-4-17013

印刷・製本 中央精版印刷株式会社

ISBN 978-4-86578-349-0

〈表紙写真〉ゲルニカ爆撃、1937年